COMPANHIA DAS LETRAS

LIVRO DA VIDA

SANTA TERESA nasceu em Ávila em 1515. De boa família, ela entrou para o convento carmelita da Encarnação, em Ávila, quando tinha 21 anos. Após ter sido separada de sua família, se tornou freira.

Na meia-idade, resolveu fundar um convento sob regra carmelita. Depois de muitas dificuldades, o convento de São José de Ávila foi aberto em 1562, a primeira casa das carmelitas reformadas ou "descalças". Durante os vinte anos seguintes ela viajou por toda a Espanha fundando dezessete conventos no total, frequentemente em condições muito duras.

Santa Teresa combinou a vida religiosa contemplativa com uma vida de grande atividade e registrou ambos os aspectos em livro. O mais importante de seus escritos é o *Livro da Vida*, sua autobiografia até os 52 anos, escrito a pedido de seus confessores; *Caminho da perfeição*, para educar suas próprias monjas; o *Livro das fundações*, relato elevado do estabelecimento de seus conventos, e *O castelo interior*. Ela morreu em Alba de Tormes em 1582.

MARCELO MUSA CAVALLARI nasceu em São Paulo em 1960. É formado em Letras (latim e grego) pela Universidade de São Paulo. Autodidata, aprendeu espanhol, francês e italiano por conta própria. Trabalha como jornalista desde o final da década de 1980. Foi redator e subeditor na *Folha de S.Paulo* e editor de Internacional na revista *Época*. Sua primeira tradução foi publicada na *Folha* em 1984: um documento da Congregação para a Doutrina da Fé sobre a Teologia da Libertação. O texto, traduzido do italiano, era assinado pelo então prefeito da congregação, o cardeal Joseph Ratzinger, que viria a se tornar o papa Bento XVI.

Católico praticante, travou contato desde cedo com autores espanhóis do século XVI, como Santa Teresa, São João da

Cruz e frei Luís de León. A leitura das obras desses religiosos permitiu que se familiarizasse com o espanhol da Contrarreforma.

J. M. COHEN traduziu nove livros para a Penguin Classics; obras de Cervantes, Díaz, Galdós, Montaigne, Pascal, Rabelais e Rousseau. Também editou as antologias *Latin American Writing Today* (Literatura Latino-Americana Atual), *Writers in New Cuba* (Escritores da Nova Cuba), o *Penguin Book of Spanish Verse* (Livro Penguin de Poesia Espanhola) e o livro Penguin de *Comic and Curious Verse* (Poesia Cômica e Curiosa). Compilou o *Penguin Dictionary of Quotations* (Dicionário Penguin de Citações), o *Penguin Book of Modern Quotations* (Dicionário Penguin de Citações Modernas) e publicou *A History of Western Literature* (Penguin, 1956) (História da Literatura Ocidental). J. M. Cohen morreu em 1989. O obituário do *Times* descreveu-o como "um dos últimos grandes homens de letras ingleses", e o *Independent* escreveu que "sua influência será sentida por gerações".

FREI BETTO (Carlos Alberto Libânio Christo) nasceu em 1944, em Belo Horizonte (MG). Filho de pai e mãe escritores, estudou jornalismo, antropologia, filosofia e teologia. É frade dominicano e escritor, autor de mais de cinquenta livros, publicados no Brasil e no exterior.

Militante de esquerda desde a juventude e adepto da Teologia da Libertação, foi perseguido pelo regime militar e preso duas vezes: a primeira por quinze dias, em 1964, e a segunda por quatro anos, entre 1969 e 1973. A memória da experiência na cadeia durante os tempos mais duros da ditadura, a participação na resistência contra o regime e a luta contra a tortura inspiraram um de seus livros mais importantes, *Batismo de sangue* (1982, Prêmio Jabuti), que ganhou adaptação cinematográfica em 2006, com direção de Helvécio Ratton.

Recebeu inúmeros prêmios, nacionais e internacionais, por sua atuação como ativista social e por suas obras literárias: Juca Pato de Intelectual do Ano pela União Brasileira de Escritores (1986), APCA de Melhor Obra Infantojuvenil por *A noite em que Jesus nasceu* (1998), a medalha Chico Mendes de Resistência (1998), concedida pelo grupo Tortura Nunca Mais por sua luta em prol dos direitos humanos, o troféu Paulo Freire de Compromisso Social (2000), prêmio da Unesco como uma das 13 Personalidades da Cidadania (2005), e o Jabuti de Crônicas e Contos por *Típicos tipos — perfis literários* (2005).

SANTA TERESA D'ÁVILA
Livro da vida

Tradução e notas de
MARCELO MUSA CAVALLARI
prefácio de
FREI BETTO
e introdução de
J. M. COHEN

5ª reimpressão

COMPANHIA DAS LETRAS

Copyright da introdução © 1957 by J.M. Cohen
Copyright do prefácio © 2010 by Frei Betto

*Grafia atualizada segundo o Acordo Ortográfico
da Língua Portuguesa de 1990,
que entrou em vigor no Brasil em 2009.*

Penguin and the associated logo and trade dress
are registered and/or unregistered trademarks
of Penguin Books Limited and/or
Penguin Group (USA) Inc. Used with permission.

Published by Companhia das Letras in association
with Penguin Group (USA) Inc.

TÍTULO ORIGINAL
Libro de la vida

CAPA E PROJETO GRÁFICO PENGUIN-COMPANHIA
Raul Loureiro, Claudia Warrak

PREPARAÇÃO
Cecília Ramos

REVISÃO
Daniela Medeiros
Ana Maria Barbosa

Dados Internacionais de Catalogação na Publicação (CIP)
(Câmara Brasileira do Livro, SP, Brasil)

Teresa, d'Ávila, Santa, 1515-1582
Livro da vida / d'Ávila, Santa Teresa; tradução e
notas de Marcelo Musa Cavallari; prefácio de Frei Betto;
introdução de J.M. Cohen. — São Paulo : Penguin Classics
Companhia das Letras, 2010.

Título original: Libro de la vida.
ISBN 978-85-63560-05-6

1. Santas cristãs — Espanha — Ávila — Autobiografia 2.
Teresa, d'Ávila, Santa, 1515-1582 I. Frei Betto. II. Cohen, J.M.
III. Título
10-09423   CDD-282.092

Índice para catálogo sistemático:
1. Santas : Igreja católica : Autobiografia 282.092

Todos os direitos desta edição reservados à
EDITORA SCHWARCZ S.A.
Rua Bandeira Paulista, 702, cj. 32
04532-002 — São Paulo — SP
Telefone: (011) 3707-3500
www.penguincompanhia.com.br
www.companhiadasletras.com.br
www.blogdacompanhia.com.br

Sumário

A sedução de Teresa — Frei Betto 9
Introdução — J.M. Cohen 15
Nota do tradutor 29

LIVRO DA VIDA 33

Notas 401
Outras leituras 417

A sedução de Teresa

FREI BETTO

Teresa entrou em minha vida como boia de salvação em meio à turbulência de uma crise de fé, em 1965. Naquele ano, abandonei a militância estudantil, decidido a ingressar no noviciado da Ordem Dominicana, em Belo Horizonte. O contraste entre o movimento estudantil; a prisão sofrida em junho de 1964, à raiz do golpe militar; o ingresso no curso de Jornalismo da Universidade do Brasil; a intensa vida cultural no Rio, onde morava desde 1962; as constantes viagens pelo Brasil... e o "tempo de deserto" do noviciado dominicano, recluso num convento, entregue à vida de oração, deram um nó cego em minha fé cristã.

Entrei em processo de descrença. Minha fé perdeu, aos poucos, a nitidez de seus contornos, como uma paisagem progressivamente ensombrada pelo cair da noite... a "noite escura", descrita por são João da Cruz, discípulo de Teresa.

Disposto a abandonar a vida religiosa, consultei meu diretor espiritual, frei Martinho Penido Burnier. Sábio, indagou-me: "Se estivesse caminhando à noite numa floresta e a pilha de sua lanterna acabasse, o que faria? Seguiria adiante ou esperaria amanhecer?". Respondi o óbvio. Frente à minha expectativa de alvorada, sugeriu-me a leitura das obras de Teresa d'Ávila.

Dispensado de participar das orações comunitárias, dediquei-me à leitura meditativa (pois Teresa não merece apenas ser lida, precisa ser *sorvida*) de sua obra completa: *Livro da vida*, *Caminho da perfeição*, *Moradas do castelo interior* e o *Livro das fundações*, sem deixar de apreciar seus poemas e cartas. Como toda leitura é uma experiência dialogal, aos poucos percebi que, através de Teresa, Deus me seduzia, revelava-se como o Amor apaixonado do *Cântico dos Cânticos*. Como fizera com Gomer, mulher do profeta Oseas, Ele me "falava ao coração".

Graças a ela, compreendi que, ao mudar de lugar social, ocorrera em mim uma mudança de atitude teologal: a fé sociológica, forjada por influência familiar e escolar, cedia espaço a uma fé personalizada, centrada na relação amorosa. Em suma, Teresa me ensinou que Deus não se exilou no Céu; ao contrário, habita o coração humano.

CONTEXTO DE TERESA

Teresa de Ávila (1515-82) povoa o inconsciente coletivo da cultura ocidental. Há inúmeras obras de arte inspiradas nela — da escultura de Bernini na igreja de Santa Maria della Vittoria, em Roma — na qual aparece em êxtase, flechada por um anjo —, ao filme *Teresa de Jesús*, do diretor espanhol Ray Loriga. Em torno de sua figura multiplicam-se os ensaios e as teses acadêmicas, sobretudo na área da psicanálise, como é o caso do Seminário de Lacan sobre o tema "Deus e a *jouissance* de A mulher".

Feminista *avant la lettre*, esta monja carmelita do século XVI, ao revolucionar a espiritualidade cristã, incomodou as autoridades eclesiásticas de seu tempo, a ponto de o núncio papal na Espanha, dom Felipe Sega, denunciá-la, em 1578, como "mulher inquieta, errante, desobediente e contumaz". Se escapou de ser queimada como "bruxa" na fogueira da Inquisição, foi graças aos teólogos que ousaram confirmar a ortodoxia de seus escritos. Há que atinar para o contexto da época, quando eram frequentes acusações contra mulheres tidas como visionárias e iluminadas. Foi o caso de Madalena da Cruz, processada em 1546 pela Inquisição de Córdoba.

Numa Espanha ainda submetida ao medievalismo tardio, onde a mulher devia se calar, Teresa ousou se manifestar; fez teologia a partir de sua vivência, desafiando uma Igreja que só admitia a elaboração teológica de homens formados por rígidos critérios acadêmicos sob severa vigilância das autoridades eclesiásticas (leia-se: Inquisição).

Teresa vivia sob suspeição: por ser mulher; judia-conversa ou cristã-nova; e visionária... Seus detratores identificavam em suas obras vestígios do "perigo luterano" e da voga de alumbramento. Em socorro a ela, o teólogo dominicano Domingo Báñez escreve, em julho de 1575, a respeito do *Livro da vida*: "Só uma coisa há a observar neste livro, e com razão; basta analisar bem: ele contém muitas revelações e visões, das quais se deve recear, sobretudo em mulheres [...]. Mas nem por isso haveremos de tornar regra geral que todas as revelações e visões provêm do demônio".

Apesar disso, Alonso de la Fuente, inquisidor, em 1591 qualificou de "heréticos" os escritos de Teresa: "A autora deste livro (*Livro da vida*) descreve a história de sua vida em conversações e virtudes, alegando que assim lhe ordenaram seus confessores. Ora, entre muitas palavras de significado humilde, diz um milhão de vaidades, a saber: que por suas orações muitos se converteram; que falando com ela muitas pessoas receberam graças do Senhor; que tal e tal pessoa douta beberam de sua ciência; que todos a estimavam muito; que convertia muitos pregadores [...] e outras leviandades que nos fazem suspeitar do espírito de vaidade que a envolveu. E disso todo o livro está repleto".

REVOLUÇÃO COPERNICANA

Toda a atividade de Teresa, como fundadora de conventos de mulheres consagradas à contemplação dos mistérios divinos, passa-se na Espanha abalada pelos estertores da sociedade medieval teocêntrica, frente ao advento da modernidade antropocêntrica. A velha teologia escolástica-especulativa cedia lugar a uma teologia mais experimental. Também em Teresa desponta o "sujeito moderno", na conquista de um si mesmo pessoal, aberto ao infinito e à transcendência. Na espiritualidade cristã, ela equivale ao que significam Copérnico na astronomia e Leonardo da Vinci nas artes plásticas.

Esta é a revolução copernicana operada pela monja nascida em Ávila: arrancou Deus dos píncaros celestiais e O situou no cerne da alma. Deus deixou de ser um conceito (teológico), forjado à luz de categorias (pagãs) gregas, para se tornar uma experiência (teologal) vivida como intensa paixão amorosa.

Em Teresa, o Deus-juiz, atento aos nossos pecados, cede lugar ao Deus-Pai misericordioso; as portas do Inferno se fecham diante da força abrasadora do amor; o enigma da morte se transforma na expectativa de mergulho na plenitude.

Teresa, nesse sentido, imitou Jesus. Imerso numa cultura judaica que se recusava a pronunciar o nome de Deus, Jesus a Ele se referia na linguagem da intimidade familiar — *abba* (um dos raros vocábulos aramaicos que figuram nos evangelhos) e que significa "meu pai querido" (Marcos 14,36).

Esse amor ao Absoluto, essa intimidade com o Transcendente, é o que transparece nesta autobiografia espiritual da monja carmelita. Autodidata, Teresa escrevia como sentia, mais com a pele que com a cabeça, ou melhor, descrevia suas experiências sem se preocupar em dar-lhes fundamentação teológica, assim como a amante luta com as palavras para balbuciar o indizível, a relação inefável com o Amado.

O leitor tem em mãos, diante dos olhos e do coração, uma obra-prima que retrata o itinerário espiritual de uma mulher de 47 anos. A linguagem barroca e a sintaxe elíptica — aqui em esmerada tradução de Marcelo Musa — exigem atenção para que se possa desfrutar a riqueza e a beleza dessa alma que se desnuda sem pudor e nos convida à plenitude da felicidade que, na poesia de João da Cruz, consiste em vencer a "noite" que une "Amado com amada, amada já no Amado transformada".

O papa Paulo VI concedeu a Teresa d'Ávila, em 1970, o título de "doutora da Igreja". Foi a primeira mulher a receber tal honraria. Merecidamente.

Introdução

J.M. COHEN

I

A autobiografia de Santa Teresa é a história da entrada de uma mulher notável na vida religiosa e ao mesmo tempo uma obra-prima literária que, depois de *Dom Quixote*, é o clássico em prosa mais lido da Espanha. É um trecho de autorrevelação sincera, escrito na mais vívida e natural prosa coloquial. A própria santa afirma que a obra foi redigida, primeiramente, a pedido de seus confessores, que solicitaram um relato de suas experiências raras para circular entre religiosos de vocação semelhante. Também precisavam dele, numa época em que acusações de heresia eram frequentes, como prova positiva da completa ortodoxia e obediência incondicional aos ensinamentos de Santa Teresa e aos mandamentos da Igreja. Apesar de ela mesma se queixar de não ter tempo nem prazer em realizar tal tarefa, e que seria melhor ocupar-se fiando ou fazendo tarefas domésticas em seu convento pobre, era, sem dúvida alguma, uma escritora nata, para quem as palavras vinham rápida e livremente, e que sentia nelas o prazer de um artesão.

O livro que temos hoje fornece um relato da vida de Teresa até os seus cinquenta anos, em 1565, mas é certo que começou a ser escrito sete ou oito anos antes da data em que foi pedido por seus confessores, e foi de início dirigido para aqueles quatro amigos espirituais próximos, a quem ela se refere no capítulo 16 como seus companheiros membros "dos Cinco". A maior parte do livro foi, na verdade, escrita em Toledo, durante o tempo em que Teresa esteve lá como convidada da rica doña Luisa de La Cerda, sobre quem nos conta no capítulo 34. Em sua forma completa, porém, a obra começou a passar de mão em mão no começo de 1565, e logo o padre Báñez, confessor da santa na época e seu amigo e aliado constante, repreendeu-a por ter colocado a obra em circulação livremente demais. Ele percebeu, porém, que a culpa não era dela. A Espanha da época estava extremamente interessada nessa reformadora de conventos ativa e franca.

Muito do sucesso imediato do livro foi resultado de sua boa escrita. Os pensamentos de Teresa pareciam se vestir naturalmente em linguagem simples, direta e expressiva. Mesmo quando descreve um estado de consciência difícil ou um evento sobrenatural muito raro, ela nunca falha em achar as palavras usuais acertadas, as metáforas simples de todo dia que deixarão o texto claro para os leitores cujas vidas nunca se elevaram a tais níveis. Sua linguagem flui, assim como a de Cervantes, qual uma boa conversa; e ela também compartilha com Cervantes o gosto por provérbios e ditados populares expressivos. Teresa foi uma mulher que não leu muito. *A imitação de Cristo* e *As confissões* de Santo Agostinho eram dois dos poucos livros que conhecia bem. Em sua juventude, como nos conta, também gostava dos romances de cavalaria e talvez lesse baladas e poesia popular. Quase não entendia latim; qualquer citação em latim que ocorre na *Vida* é escrita tão foneticamente que é quase irreconhecível. Seu vocabulário, portanto, é o de uma pessoa simples; todas as palavras solenes são suspeitas para ela. Até muitos dos termos religiosos estão indiscriminadamente juntos em sua mente sob o título de "teologia mística", uma ciência teórica sobre a qual se confessava ignorante.

Se o latim escrito por Teresa segue suas próprias regras fonéticas, o mesmo acontece com sua escrita em espanhol. Sua pontuação era fraca, a ponto de até não existir, e esse defeito foi apenas imperfeitamente corrigido por seus editores. Raramente não entendemos o que está dizendo, mas somos com frequência confundidos pela sintaxe de suas frases, que tem orações não relacionadas em abundância. Não parece que ela tenha relido o que escreveu. Diversas vezes no decurso de *A vida* observa que pode já ter mencionado alguma coisa antes. Não lhe ocorreu que poderia ter voltado para conferir. Nunca verificava as datas e frequentemente perdia o fio da sua narrativa quando seguia uma digressão importante que atraía seu interesse exaustivo.

Apesar de ser uma escritora nata e mestre da metáfora, do provérbio e da imagem falada, Teresa ainda não era, nesta que é a primeira de suas obras, uma especialista em construção literária. Quando se pôs a descrever os eventos tanto interiores quanto exteriores de sua vida, estava preocupada sobretudo em contar sobre sua conversão para a vida contemplativa, aos quarenta anos, e seu subsequente progresso nela. Não se contentou, portanto, em seguir uma linha puramente autobiográfica por muito tempo. Ela faz isso nos dez primeiros capítulos, embora não se detenha em grandes detalhes sobre qualquer evento do mundo, ou dê mais do que uma breve descrição das pessoas que conheceu. Há escassos nomes próprios, ela se refere à maioria de seus amigos meramente como "um primo meu" ou "um certo jesuíta letrado que era meu confessor", ou meramente "uma irmã no convento em que eu estava". No entanto, esses personagens praticamente anônimos com frequência ganham vida em uma única linha.

Teresa não era uma intelectual fria e se envolvia rapidamente na vida e nos problemas de qualquer pessoa com quem entrava em contato. Nós a vemos convencer um padre que estava vivendo no pecado a jogar fora o amuleto com o qual sua amante o havia "enfeitiçado" e a corrigir seus hábitos. Também descobrimos, mais à frente, a apreensão com a qual vários outros sacerdotes a viam quando começavam a ouvir suas confissões. Eles tinham muito medo de que ela se apegasse a eles no sentido mundano: uma suspeita que ela achava bastante absurda. Ainda assim, muitas passagens em suas obras e cartas atestam o calor de suas afeições e, bem no fim da vida, não se envergonhou de confessar sua profunda decepção quando um velho amigo não a acompanhou em uma viagem. "Devo confessar ao senhor, padre", escreveu a ele, "que a carne é fraca, e sentiu isso mais do que eu deveria desejar — de fato bastante."

Quando Teresa atingiu aquele ponto de sua autobiografia em que a vida contemplativa se tornou sua verdadeira vocação — o momento que ela considera ser sua segunda conversão —, quebra sua narrativa e, por uma dúzia de capítulos, estende-se sobre as diferenças entre os estágios sucessivos das orações mentais. Essa seção do livro é construída a partir de seu famoso símile das "Águas", e somente após terminar de explorá-lo retorna à história de sua vida, para contar sobre seu encontro com alguns jesuítas que foram capazes de confirmar a validade de suas experiências espirituais, que todos os seus confessores anteriores tinham colocado em questão. Mas logo volta a divagar a respeito das "locuções" (palavras sobrenaturais que caem sobre os ouvidos com a autenticidade de uma fala real); e por mais cinco capítulos lida exclusivamente com sua vida interior, não passando até o capítulo 29 para a história de sua primeira fundação, a do Convento de São José, em Ávila, e para as reformas que inaugurou na constituição do seu próprio ramo da Ordem das Carmelitas, as Descalças.

Nos últimos oito capítulos de Teresa, o equilíbrio entre eventos interiores e exteriores é finalmente alcançado, e a deixamos, no final do livro, aparentemente determinada a ter uma vida de afastamento austero do mundo. Na verdade, *A vida* de Teresa termina assim que ela cruza o momento decisivo entre os anos de empenho espiritual e aqueles em que combinou a vida religiosa com uma de grande atividade pública. Nesses anos finais, escreveu dois livros tão bons quanto este: o *Livro das fundações*, em que conta a história de suas viagens e das dezesseis casas que fundou depois de São José, e *Castelo interior*, também chamado *Moradas*, uma análise de orações interiores e estágios espirituais que é, provavelmente, sua obra-prima. Mas para leitores que não aceitam inquestionavelmente o dogma católico romano ou as crenças sobre a vida religiosa que ela seguia, a autobiografia é o livro mais interessante e acessível. Nele, vemos como uma mulher de vontade própria e histericamente desequilibrada, que parecia estar a caminho de se tornar uma freira mundana do tipo convencional, foi completamente transformada por experiências profundas. Em um primeiro momento, parece ter visto seus votos como não mais do que um seguro contra a perda total de sua alma. Tinha medo disso assim como tinha, quando mais nova, de perder sua reputação. Mas, em todo o resto, o impulso que a havia levado ainda menina a se dedicar à vida religiosa tinha quase desaparecido. O modo como ganhou força para combater sua própria instabilidade, e cresceu gradualmente, quase sem a ajuda de seus confessores ignorantes, para entender e avaliar as experiências espirituais que aconteceram com ela, é o tema central do livro. Nós a vemos impelida por forças que não podia nem fingir controlar; conforme ela as vai descrevendo, é possível descobrir algo sobre a natureza dessas forças. Pois Teresa nunca deixou de lembrar, enquanto escrevia, aqueles que eram apenas principiantes no caminho espiritual ao longo do qual ela progrediu de modo tão vertiginoso.

Teresa é, portanto, a melhor dentre os escritores místicos para aqueles que não aceitam ou não entendem a relação entre Deus e o homem em que místicos de todas as épocas e países acreditam. Ela procura explicar tudo o que pode, e discorre mais sobre os primeiros estágios do que sobre os últimos. Alguns de seus escritos são dirigidos às noviças de seus conventos, mas, aqui, o público que tem em mente é composto por aqueles vários padres e leigos que ela conhecia e cujas dignidades superficiais haviam há muito deixado para trás seu desenvolvimento espiritual. É por essa razão que *A vida* deu tão certo. Seu pupilo, São João da Cruz, é um escritor mais poético e brilhante, e possivelmente também uma pessoa de experiências religiosas mais profundas, mas que tem pouco a dizer aos principiantes, está sempre nas alturas.

Teresa começa com um retrato dela mesma como sendo alguém que não tinha uma vocação verdadeira. Quando jovem, tentou avançar na oração de meras petições e da recitação do ofício para o estágio de contemplação interior. Ela havia tentado acalmar sua mente agitada e entrar em contato com uma realidade mais profunda. Mas sem a ajuda de alguém que já tivesse trilhado esse caminho, lamentavelmente havia fracassado. Atacada por vômitos, espasmos cardíacos, cólicas, paralisia parcial e abatida por dores que eram provavelmente funcionais, e não orgânicas, foi obrigada a desistir de seus exercícios espirituais, parar de rezar e deixar temporariamente seu convento em busca de cura. Podemos suspeitar que em suas práticas ascéticas não guiadas, ela tenha se sujeitado a esforços excessivos, e que sua atitude em relação à oração em geral era esperar resultados em forma de visões, discursos e outras "doçuras", em vez de trabalhar, como aprendeu depois, sem pensar nas recompensas. Sua doença parece, de qualquer forma, mais explicável redigida nessas linhas do que em quaisquer termos médicos.

Teresa parece ter se sentido a vida inteira dominada pelo sentimento de sua própria maldade, o que pode ter contribuído para seu estado lamentável. Esse hábito de autorreprovação, que nosso século aprendeu a considerar patológico, atua como um refrão constante em seus escritos. Em todos os capítulos ela reprisa seu desmerecimento. Quando confessa, no começo do livro, frivolidades infantis, tais como o gosto por perfumes e roupas bonitas, gostar de mexericos e o hábito de procurar companhias tagarelas, chega perto de afastar a simpatia do leitor moderno. Se uma importância tão desproporcional deve ser atribuída a essas falhas insignificantes e comuns, quão desumanamente desoladores devem ser os primeiros passos no caminho de Deus! Então, quando a santa manifesta sua surpresa por ainda ter um apego mundano à irmã, o leitor contemporâneo provavelmente vai ficar ainda mais surpreso. Para ele, pode parecer que a vida espiritual não pode, pelo menos atualmente, ser vivida em isolamento do mundo, das suas obrigações e emoções, e que o que ela demanda não é uma mudança de circunstâncias, mas uma mudança de coração ou atitude.

Teresa, como foi observado, era uma mulher de fortes emoções. Sua família teve papel importante em sua existência, desde seu pai, a quem, nos últimos anos da vida dele, não ousou confessar sua deserção das orações, até sua sobrinha, a pequena Teresa, que se tornou uma de suas freiras aos dezesseis anos, acompanhou-a em algumas de suas viagens mais difíceis e, finalmente, atuou como sua secretária. A luta de Teresa para se livrar dos laços mundanos foi difícil, e longe de ser bem-sucedida.

Também suas referências aos heréticos, aos malvados luteranos que eram, o modo como ela via as coisas, aliados próximos do diabo, nos deixam espantados. O estreitamento de seu ponto de vista não era de nenhuma forma menor do que aquele dos inquisidores que, naquele tempo, condenavam judeus à fogueira por preferirem sua própria fé, que também havia produzido seus místicos, ao cristianismo ao qual seus pais haviam sido convertidos à força. Contra tal intolerância, nem Teresa nem João da Cruz levantaram o menor protesto; nem sequer suspeitavam que, nas mesmas cidades em que andavam, místicos maometanos, menos rígidos e exclusivistas em suas crenças do que eles, haviam florescido nos dias dos emirados mouros.

2

É necessário descontar as facetas do pensamento de Teresa que a separam do mundo moderno e também dos místicos menos dogmáticos do Oriente, de Platão e Plotino, dos padres da Igreja grega. Se tivesse visto as coisas como eles viam, Teresa teria atraído sobre si acusações de heresia, como as que foram recebidas pelo grande místico do século XIV, mestre Eckhart. Seguiu seu caminho sob a sombra do dogma da sua Igreja, e por insistir nele acabou formando inconscientemente as imagens de suas visões e locuções para servir ao seu ensino. Com frequência declarava que se sua experiência ensinasse a ela uma coisa e a Igreja outra, ela estava do lado da autoridade.

Evidentemente, a mente visionária deve moldar as formas inefáveis que chegam ao interior dos olhos e ouvidos; sem uma tradução para a linguagem da mente discursiva e das emoções comuns, elas não poderiam ser expressas. Teresa usa as convenções mais naturais a ela, as da Contrarreforma. Quando Cristo aparece para ela, ele toma a forma de uma figura que ela conhece; e os pequenos diabos que ela manda voar com espirros de água benta são os pequenos negros feios que viu esculpidos em bancos de igreja ou capitéis de colunas. Seu entendimento psicológico, por outro lado, é completamente autêntico. Em sua análise dos pensamentos e imaginações cuja perpétua agitação era um empecilho para as visões, e em sua explicação simbólica em termos das diferentes Águas da união emocional que pode ficar entre uma profundidade interna e uma externa — o que, para ela, é a união da alma com Deus —, é absolutamente fiel à sua experiência. Seus confessores a levaram a acreditar em visões que apareciam diante do olho físico e palavras que soavam no verdadeiro ouvido. Mas o que encontrou não foi nada disso, e ela disse isso. De novo, foi avisada sobre as atividades da imaginação, e muitas de suas experiências foram tomadas como imaginárias, ou mesmo como tentações de origens diabólicas. Mas em seus momentos de êxtase ela era capaz de ver os verdadeiros trabalhos de sua imaginação e de seu intelecto habitual, ficando primeiro tranquilizada pelo impacto desse novo estado, mas depois voltando e tentando interrompê-lo. Teresa era uma analista bastante arguta de estados exaltados, com quem se pode aprender muito sobre essas características da mente, hoje indiscriminadamente unidos sob o nome genérico de *inconsciente*. Ela sabia o que era verdadeiro e o que não era, e isso ela também disse.

O *inconsciente*, em sua conotação mais limitada, faz incursões ocasionais nos pensamentos de Teresa. Há uma visão do inferno como uma passagem estreita barrenta que levava a um armário em uma parede que é puro Kafka. Teresa foi assombrada por essas visões horríveis, e também atormentada, durante toda sua vida, por sintomas persistentes da doença que quase a matou quando jovem. Mas, muito mais constantemente, foi transportada para estados longe daqueles que o homem comum vivencia. Nesses casos ela sabia, como se tivesse sido dito pela própria voz de Deus, o que deveria fazer e dizer em qualquer situação. A fundação de São José foi levada a cabo por essa inspiração divina, assim como a escrita de grande parte da *Vida* e de seus outros trabalhos. Ela mesma não sabia como explicar suas experiências mais elevadas, mas deixou para Deus explicá-las por meio dela. Existem várias descrições de suas colegas freiras de momentos em que a viram com feições radiantes, escrevendo como se estivesse recebendo um ditado celestial. Mas nem todos os estados sobrenaturais que possuíram Teresa eram igualmente bem recebidos por ela. Ela mesma diz como, em suas orações, era levantada no ar, para sua própria consternação e para susto das irmãs que rezavam a seu lado no coro.

Essas levitações misteriosas foram acompanhadas, depois de sua morte, por uma igualmente misteriosa incorruptibilidade do seu corpo. Ambos são fenômenos bem conhecidos que acontecem nas histórias de muitos santos e somente podem ser atribuídos a alguma mudança real na estrutura física que acontece ao mesmo tempo que uma transformação espiritual. No caso de Teresa, o cheiro que cercou seu corpo incorrupto levou a resultados desastrosos. Na investida selvagem para adquirir relíquias sagradas, vários de seus membros foram arrancados de seu cadáver. Seu velho amigo, o padre Gracián, que pouco antes a tinha desapontado deixando de acompanhá-la em uma viagem, inaugurou seu desmembramento cortando uma de suas mãos.

3

Os eventos da vida de Teresa até seu quinquagésimo ano estão contados, embora não com perfeita exatidão, na autobiografia. Alguns fatos e datas, no entanto, são necessários para tornar claros muitos pontos que ela deixou imprecisos. Ela nasceu nas proximidades da pequena cidade castelhana fortificada de Ávila, que havia sido uma fortaleza cristã durante as guerras dos mouros, em 28 de março de 1515, e recebeu o nome de Teresa Sánchez de Cepeda y Ahumada. Era uma mistura de sangue judeu e cristão, sendo seu avô Juan Sánchez de Toledo um judeu convertido relapso. Veio de uma família grande, filha da segunda mulher do pai. A morte precoce da mãe, o casamento da irmã, a entrada como interna, aos dezesseis anos, no colégio administrado pelas irmãs agostinianas locais, nos são contados na autobiografia. Provavelmente, tinha 21 anos quando recebeu o hábito carmelita, e por cerca de 25 depois disso se empenhou em uma contínua "luta e discórdia entre conversar com Deus e com a sociedade do mundo". O consequente colapso de sua saúde é descrito detalhadamente por ela mesma. Aos 25 anos, parece ter sido uma completa inválida, e foi somente aos quarenta anos que os principais sintomas de sua doença desapareceram. Em algum momento durante esse intervalo de tempo ela descobriu, como nos conta, o trabalho de Francisca de Osuna, uma franciscana espanhola que foi sua contemporânea, apesar de vinte anos mais velha, sobre a prática do primeiro estágio da vida contemplativa, a oração do silêncio. Mas, na época da morte do pai, em 1543, parece que, pelo menos temporariamente, ela abandonou seus esforços para alcançá-la. Foi apenas em 1555, quando já tinha quarenta anos, que algumas novas tentativas esporádicas deram fruto. Foi então que ela leu pela primeira vez as *Confissões*, de Santo Agostinho, o que jogou uma luz sobre suas próprias experiências, e foi nessa época que começou a se encontrar com os jesuítas que tinham acabado de fundar uma faculdade em Ávila.

As discussões de Teresa com seus antigos confessores, essa aquisição de novos amigos, seu avanço ao estágio de "visão intelectual" e o começo de seu movimento de reforma, que preenchem os anos entre 1557 e 1562, estão inteiramente descritos na autobiografia, o que também nos diz algo sobre os processos de sua composição. Ela foi, como já se disse, completada, em sua forma final, no fim de 1565, e nas últimas páginas fala sobre sua vida como se tivesse se passado em um sonho. Suas experiências sobrenaturais eram a realidade, os eventos externos não a comoviam nada. Sua preocupação dileta parece ter sido a instrução de suas treze freiras de São

José, para quem escreveu seu segundo livro, *Caminho de perfeição*. Ao mesmo tempo, começou também a escrever mais integralmente sobre seu desenvolvimento espiritual precoce em uma série de "Relações", destinadas, como *Livro da vida*, a serem lidas por seus confessores.

No ano de 1567, Teresa foi impelida a continuar com seu trabalho de reforma e começar uma série de novas fundações, das quais a última seria feita nos últimos meses de sua vida. Longe de se aposentar em uma existência contemplativa, foi violentamente lançada a uma vida de grande atividade. Mas assim que soube com certeza que a vontade de Deus era de que São José fosse fundado e prosperasse apesar de qualquer obstáculo, também foi tomada pela certeza de que o crescimento da Ordem das Carmelitas Descalças e por fim a separação da ordem não reformada era uma tarefa divinamente determinada. As dificuldades que encontrou eram ainda maiores do que aquelas de sua primeira fundação; e sua vontade em combatê-las, ainda mais resoluta. A história desse trabalho, das incontáveis dificuldades encontradas e das repetidas jornadas envolvidas é contada em seu *Livro das fundações*, e ilustrada complementarmente pelas muitas cartas que foram preservadas dessa fase de sua vida. Do período coberto pela autobiografia quase nada sobreviveu, mas, de 1573 em diante, ela correspondeu-se constantemente com uns tantos eclesiásticos, com freiras de sua ordem, e com alguns homens e mulheres importantes a quem pediu ajuda na forma de doações e assistência no combate aos ataques que ela e sua ordem sofriam. A maioria desses ataques estava nas mãos de religiosos conservadores, mas, em certa ocasião, encontrou um inimigo mais difícil, sob a forma de um famoso benfeitor. A princesa de Eboli, uma mulher rica de moral duvidosa que tinha a reputação de ser amante do rei, destruiu uma das casas de Teresa quando resolveu fixar residência lá num ataque histérico de luto pela morte do marido. Teresa e suas freiras foram obrigadas a se retirar.

A escrita de *Fundações* foi seguida pela de *Castelo interior*, uma amplificação dos capítulos de *A vida* que descreve o progresso da alma nos termos de várias "Águas". Esse livro, que desenvolve outra metáfora, a das sete "Moradas" da alma, é mais maduro em sua experiência do que *A vida*, e mais uniforme em sua composição. Foi escrito com grande pressa em 1577, como resultado de uma visão que veio a Teresa na véspera da festa da Santíssima Trindade daquele ano.

De 1568 em diante, Teresa ganhou muita força com a formação da companhia dos frades descalços que aceitaram sua reforma, cujo chefe era seu amigo e pupilo Juan de Yepes (1542-91), conhecido por nós como São João da Cruz. Ele se tornou diretor espiritual de São José em 1572, mas foi perseguido e jogado na prisão por seus irmãos não reformados um ano depois. Foi submetido a grandes sofrimentos e permaneceu em cativeiro por quase um ano. A própria Teresa foi, em algumas ocasiões, forçada a recorrer à mais alta autoridade na região, o próprio Filipe II, para salvá-la de tratamento similar. Carmelitas não reformadas lutaram muito, com apoio eclesiástico, para reprimir os descalços, mas Roma e o Tribunal, assim como muitas pessoas da nobreza, estavam do lado de Teresa.

Teresa lidou, durante toda vida, principalmente com os grandes, diante de quem ela se colocava como igual. Apesar de sua relutância inicial de assumir cargos ou responsabilidades, uma vez que o fez sentiu-se orgulhosa de sua reputação como organizadora respeitável e boa mulher de negócios. Quando negociava um terreno para uma de suas novas fundações, tinha o cuidado de se prevenir contra qualquer possível interferência do senhorio que poderia, um dia, pôr em perigo a liberdade de ação da prioresa; e ao atrair e selecionar noviças com dotes suficientes para colocar seus conventos em uma posição sólida, tomava cuidado para não incluir algum passageiro no sentido espiritual. Cada uma de suas freiras, dizia, deve ser apta a ser prioresa.

Teresa não era só uma mulher de negócios firme, era também uma conspiradora nata; pode-se ver o deleite com o qual, durante a perseguição de suas casas reformadas, cunhava nomes fictícios para seus amigos, para o caso de suas cartas caírem nas mãos da facção não reformada — a quem ela chama de "gafanhotos", em contraste com a sua própria ordem, as "borboletas". Mas em nenhum momento, nem no ápice de seus problemas, mostra, em suas cartas ou nas *Fundações*, qualquer sinal de maldade ou ódio real de seus rivais. É verdade que, quando expunha alguma história de manha espiritual por parte de uma freira, ou alguma tentativa de receber mais atenção de seu superior do que deveria, ela fala sobre sua própria natureza maldosa. Mas, mesmo quando era impiedosa na crítica a suas "filhas", ou opunha-se a algum eclesiástico hostil, nunca se perdia nas ofensas pessoais e difamações que são a moeda corrente das rivalidades mundanas.

"Uma das coisas que me faz feliz aqui", escreveu de sua fundação em Sevilha, "é que não há nenhuma insinuação daquele absurdo sobre a minha suposta santidade. Isso permite que eu viva e saia por aí sem medo de que a torre ridícula da imaginação deles caia sobre mim." Um ou dois anos depois, está se cumprimentando por estar *apenas* começando a ser uma verdadeira freira.

Mesmo assim, o mundo continuou acreditando que Teresa era santa e, em 1622, apenas 45 anos após sua morte, ela foi canonizada. Em 1814, quando a Espanha, com a ajuda de seus aliados ingleses, expulsava seus conquistadores franceses, ela foi proclamada a santa nacional do país.

maio de 1956

Nota do tradutor

Não é fácil entender Santa Teresa D'Ávila. O radicalismo de seu compromisso religioso, que vê como pecados gravíssimos o simples apego à família e o gosto por conversar com as amigas, por exemplo, ou que luta contra a opinião de autoridades religiosas para estabelecer seu mosteiro de São José de Ávila na pureza e rigor da regra carmelita antiga, é algo muito distante da experiência contemporânea.

Tentar entender Santa Teresa, no entanto, vale a pena. O esforço começou com Teresa de Ahumada, ou com Madre Teresa de Jesus, a própria futura santa. Diante de uma experiência incomum — a experiência direta de Deus —, Santa Teresa demorou a entender exatamente o que estava acontecendo com ela. Assim como demorou a compreender a extensão do compromisso que seus votos religiosos exigiam. São essa experiência e esse aprendizado que ela tenta elucidar quando escreve o *Livro da vida*.

Ela não escreve, porém, por vontade própria. Santa Teresa escreve a pedido de seus confessores, sabendo que seu manuscrito será mostrado à Inquisição para que se sancionem como legítimas — essa é a esperança — suas experiências místicas. A Espanha do século das controvérsias religiosas disparadas pela Reforma de Lutero está às voltas com o fenômeno dos "iluminados", pseudomísticos que desestabilizam a hierarquia da Igreja. Teresa não quer ser confundida com um deles. E teme despertar as antipatias num país em que o papel da mulher não era o de escritora ou mestra. Também precisa afirmar a pureza de seu catolicismo, já que é neta de um rico comerciante judeu convertido por parte de pai, ainda que seja "cristã velha" por parte da família abastada de criadores de gado de sua mãe. Por isso Santa Teresa escreve com cuidado. Afirma ser muito mais ignorante do que de fato é. O simples fato de saber ler desde menina já a poria acima da maior parte das mulheres, e dos homens, de seu tempo. Mas ela conhece e compreende bem a literatura religiosa e laica de sua época.

O texto do *Livro da vida* revela uma Santa Teresa apreensiva com a recepção que seu manuscrito possa receber por parte das autoridades, mas também revela uma mulher muito segura da autenticidade e importância de seu contato íntimo com Deus. Mesmo sabendo que seu manuscrito chegará às mãos das autoridades — embora finja pensar, ao longo dele, que apenas seus confessores o lerão —, Santa Teresa sabe igualmente que outras pessoas, já muito influenciadas por ela na época da redação do livro, o lerão. Serão pessoas leigas que se aproximam dela para instrução, e especialmente as religiosas de seus conventos reformados. Ora dirigindo-se a Deus, ora a seus confessores, ora a suas religiosas, a prosa da Santa mistura um tom de conversa de freira, a dicção dos romances de cavalaria — que lia quando criança e que usa especialmente para se dirigir diretamente a Jesus —, e a mais elevada Teologia Mística da qual Santa Teresa é uma das maiores mestras. Embora diga que nem sabe direito se é esse — teologia mística — o nome daquilo que ensina.

O que Santa Teresa tem a dizer, sua experiência muito particular, ainda não está cristalizado na época em que escreve. Nem a língua em que o vai dizer. O espanhol literário é uma língua ainda muito próxima de sua origem. Basta lembrar que o Dom Quixote de Cervantes, o primeiro monumento puramente literário da língua espanhola, foi escrito quase cinquenta anos depois do *Livro da vida*. Santa Teresa é uma das primeiras mestras também da língua espanhola.

O espanhol do *Livro da vida* é uma língua maleável, usada até seus limites ainda pouco definidos para "falar daquilo que não se pode dizer". Isso dificulta a tarefa de um tradutor. Para dar um exemplo, Santa Teresa não pontuou seu manuscrito com nada além de pontos e travessões. Por isso, algumas frases resultam quase incompreensíveis. Frei Luis de León, na primeira edição do *Livro da vida*, que organizou em 1588, estabeleceu uma pontuação mais de acordo com as normas gramaticais, e que vem sendo seguida pela maioria dos editores posteriores.

Mesmo assim, o texto de Santa Teresa apresenta pontos de difícil elucidação. Alguns tradutores optam por torná-lo mais claro e direto do que ele realmente é. Outros, especialmente os ligados à ordem carmelita de Santa Teresa, traduzem o texto do *Livro da vida* à luz dos quase quinhentos anos de discussão e interpretação da espiritualidade teresiana de que são herdeiros e praticantes. Esta tradução tenta apenas pôr em português o que está no livro de Santa Teresa.

Não se trata de um livro escrito com calma por uma religiosa confortavelmente estabelecida como autoridade espiritual amplamente reconhecida, status que Santa Teresa levou muito tempo para obter. É um documento que brota ao mesmo tempo que a santa está travando suas mais difíceis batalhas na reforma da Ordem Carmelita. Apenas a fundação do primeiro dos mosteiros reformados está narrada no *Livro da vida*. A tarefa ainda se prolongaria por décadas, sempre em meio a oposição e dificuldades de toda sorte. Além da ameaçadora desconfiança que suas visões e contatos com Deus despertam.

O destino do livro, assim como o texto dele, atestam a maneira atribulada em que foi escrito. A primeira redação do que viria a ser o *Livro da vida* foi concluída em 1562 e entregue ao padre García de Toledo. Escrito por ordem do padre dominicano Pedro Ibáñez, esse original não existe mais. Uma nova versão, maior, foi feita, incluindo a história da fundação do convento de São José de Ávila. Essa versão recebeu um tratamento mais elaborado, tendo sido dividida em capítulos a que a santa deu títulos — alguns dos quais curiosamente autoelogiosos, nos quais parece que alguma outra pessoa escreve em terceira pessoa sobre o texto de Santa Teresa. Essa versão, que teve os parágrafos numerados, é a base da primeira edição, feita apenas depois da morte de Santa Teresa. O título da obra consagrado ao longo dos séculos é *Livro da vida*, mas não foi dado pela própria autora. Em sua correspondência, Santa Teresa se refere a ele simplesmente como livro grande ou minha alma. Numa carta a Pedro de Castro y Nero ela diz: "Intitulei esse livro *Sobre as misericórdias de Deus*", mas essa designação não consta dos manuscritos.

Para a presente tradução, foi usada a oitava edição das *Obras completas de Santa Teresa de Jesus*, a cargo dos frades carmelitas Efren de la Madre de Dios e Otger Steggink, publicada pela Biblioteca de Autores Cristianos de La Editorial Católica em Madri, em 1986. Também foi consultada a 14ª edição preparada por Dámaso Chicharro para a coleção Letras Hispánicas da Editora Catedra, Madri, de 2006.

MARCELO MUSA CAVALLARI

Livro da vida

Vida da madre Teresa de Jesus escrita por sua própria mão, com uma aprovação do padre M. Fr. Domingo Báñez, seu confessor e catedrático em Salamanca.[1]

A vida da madre Teresa de Jesus, e algumas das dádivas que Deus lhe fez, escrita por ela mesma por ordem de seu confessor,[2] a quem a envia e dedica, e diz assim:[3]

JHS

1. Quisera eu que, assim como me mandaram e deram grande liberdade para escrever o modo de oração e as dádivas que o Senhor me fez, tivessem dado para, muito minuciosamente e com clareza, dizer os meus pecados e vida ruim. Teria me dado grande consolo. Mas não quiseram, antes me restringiram muito nesse caso.

E por isso peço, por amor do Senhor, tenha diante dos olhos quem ler este discurso sobre a minha vida, que fui tão ruim que não achei santo, dos que se voltaram para Deus, com quem me consolar. Porque vejo que, depois que o Senhor os chamava, não tornavam a ofendê-lo. Eu não só tornava a ser pior, como parece que me esforçava em resistir às dádivas que Sua

Majestade me fazia. Como quem se visse obrigado a servir mais e sabia não ser capaz de pagar um mínimo daquilo que já devia.

2. Seja bendito para sempre, pois tanto me esperou, quem de todo meu coração suplico que me dê a graça para que, com toda claridade e verdade, eu faça esse relato que meus confessores me mandam. E que também o Senhor, eu sei, quer há muitos dias, mas eu não tinha me atrevido. E que seja para glória e louvor seu, e para que, daqui para a frente, conhecendo-me eles melhor, ajudem a minha fraqueza para que eu possa servir algo do que devo ao Senhor, a quem louvem sempre todas as coisas, amém.

CAPÍTULO I

EM QUE TRATA DE COMO COMEÇOU O SENHOR A DESPERTAR ESTA ALMA EM SUA INFÂNCIA PARA COISAS VIRTUOSAS E A AJUDA QUE É PARA ISSO SEREM VIRTUOSOS OS PAIS

1. Ter pais virtuosos e tementes a Deus me teria bastado, se eu não fosse tão ruim, junto com o que o Senhor me favorecia para ser boa. Era o meu pai amante de ler bons livros, e, assim, tinha-os em espanhol para que os lessem seus filhos. Com o cuidado que minha mãe tinha de fazer-nos rezar e nos pôr a ser devotos de Nossa Senhora e de alguns santos, começou a despertar-me com a idade — me parece — de seis ou sete anos.

2. Ajudava-me não ver em meus pais tendência a não ser para a virtude. Tinham muitas.

Meu pai[1] era de muita caridade com os pobres e pena dos enfermos, e também dos criados. Tanta que nunca se conseguiu convencê-lo a ter escravos, porque tinha muita pena deles. E estando uma vez em casa uma escrava de um irmão dele, tratava-a como a seus filhos. Dizia que, porque não era livre, não aguentava de tanta pena. Era de grande verdade. Jamais alguém o viu blasfemar ou resmungar. Muito recatado.

3. Minha mãe[2] também tinha muitas virtudes e passou a vida com muitas doenças. Enorme recato. Mesmo sendo de grande beleza, nunca se ouviu dizer que se desse

ocasião em que ela fizesse caso dela. Pois, mesmo tendo morrido aos 33 anos, já seus trajes eram de uma pessoa de muito mais idade. Muito afável e de grande inteligência. Foram grandes as dificuldades que passaram no tempo que viveu. Morreu muito cristãmente.

4. Éramos três irmãs e nove irmãos. Todos pareciam os pais — pela bondade de Deus — em ser virtuosos, a não ser eu, ainda que fosse a mais querida por meu pai. E antes de começar a ofender a Deus, parece que ele tinha alguma razão, porque me dá desgosto quando me lembro das boas inclinações que o Senhor me tinha dado, e de como eu soube aproveitar mal delas.

5. Pois meus irmãos em nada me prejudicavam a servir a Deus. Tinha um[3] quase da minha idade. Juntávamos ambos a ler vidas de santos. Pois era o de quem eu mais gostava, embora tivesse grande amor a todos e eles a mim. Quando via os martírios que, por Deus, as santas passavam, parecia-me que pagavam pouco pelo ir gozar de Deus, e eu desejava muito morrer assim. Não por amor que eu julgasse ter-lhe, mas sim para ir gozar tão depressa os grandes bens que lia haver no céu. E juntava-me a esse meu irmão para tratar de que jeito haveria para isso. Combinávamos de ir à terra de mouros, pedindo, pelo amor de Deus, que lá nos decapitassem. E me parece que o Senhor nos daria coragem em tão tenra idade, se víssemos algum jeito, mas ter pais nos parecia o maior obstáculo. Espantava-nos muito no que líamos dizer que pena e glória eram para sempre. Acontecia-nos ficar muito tempo falando disso e gostávamos muito de dizer muitas vezes: para sempre, sempre, sempre! Ao pronunciar isso muito tempo, agradava ao Senhor que ficasse impresso nessa minha infância o caminho da verdade.

6. Depois que vi que era impossível ir aonde nos matassem por causa de Deus, planejávamos ser ermitãos. E numa horta que havia nessa casa tentávamos, como podíamos, fazer ermidas, erguendo umas pedrinhas, que

logo caíam e assim não encontrávamos remédio em nada para nosso desejo. E agora me enche de piedade ver como Deus me dava tão prontamente o que eu perdi por minha culpa. Dava esmola como podia, e podia pouco. Procurava a solidão para rezar minhas devoções, que eram muitas, em especial o rosário, de que minha mãe era muito devota e assim nos fazia ser. Gostava muito, quando brincava com outras meninas, de brincar de mosteiros, como se fôssemos monjas. E eu, parece-me, desejava ser, ainda que não tanto quanto as coisas que disse.

7. Lembro-me que, quando morreu minha mãe, eu tinha a idade de doze anos,[4] ou um pouco menos. Assim que comecei a entender o que havia perdido, fui, aflita, até uma imagem de Nossa Senhora e supliquei a ela, com muitas lágrimas, que fosse minha mãe. Parece-me que, ainda que tenha sido feito com simplicidade, me valeu, porque reconhecidamente encontrei essa Virgem soberana em tudo quanto encomendei a ela, e, por fim, ela me voltou para si. Incomoda-me agora ver e pensar no que deu não ter eu ficado inteiramente nesses bons desejos com que comecei.

8. Oh, meu Senhor! Já que parece terdes determinado que eu me salve, queira Vossa Majestade que seja assim, e, tendo dado tantas dádivas quanto me destes, não teria sido melhor — não para meu benefício, mas por respeito a Vós — que não se tivesse sujado tanto uma casa em que haveríeis de morar? Incomoda-me, Senhor, dizer isso, porque sei que foi minha toda a culpa, porque não me parece que faltou a Vós fazer nada para que desde tenra idade fosse toda vossa. Quando vou me queixar de meus pais, também não posso, porque não via neles senão todo o bem e o cuidado com o meu bem.

Pois passando dessa idade, em que comecei a entender as graças de natureza que o Senhor havia me dado — que, pelo que diziam, eram muitas —, quando por elas teria que dar graças, passei a me servir de todas para ofendê-Lo, como direi agora.

CAPÍTULO 2

TRATA DE COMO FOI PERDENDO ESSAS VIRTUDES E COMO IMPORTA, NA INFÂNCIA, CONVIVER COM PESSOAS VIRTUOSAS

1. Parece-me que começou a me fazer muito mal o que agora direi. Penso algumas vezes que mal fazem os pais que não procuram que seus filhos sempre vejam coisas de virtude de todas as maneiras. Porque, apesar de minha mãe ser assim como disse, do bom eu não peguei tanto — ao chegar ao uso da razão. Na verdade quase nada. E o mau me prejudicou muito. Era ela amante de livros de cavalaria e não lhe causava tanto mal esse passatempo quanto causou a mim, porque não descuidava de seu trabalho. Ao contrário, nos desdobrávamos para ter tempo de lê-los. E talvez os lesse para não pensar nas grandes dificuldades que tinha, e ocupar seus filhos para que não andassem perdidos em outras coisas. Isso desagradava tanto a meu pai que era preciso tomar cuidado para que não o visse. Eu comecei a ficar com o hábito de lê-los, e aquela pequena falta que vi nela começou a esfriar meus desejos e começar a descuidar do resto. E não me parecia que fosse errado gastar tantas horas do dia e da noite em ocupação tão vã, ainda que escondida de meu pai. Era tão forte o que me encantava nisso que, se não tivesse um livro novo, não me parece que estivesse contente.

2. Comecei a me vestir bem e a desejar agradar por ser bonita, ocupando-me muito das mãos e dos cabelos, e perfumes e todas as vaidades que podia ter, que eram muitas, porque eu era muito zelosa. Não tinha má intenção, porque não queria que ninguém ofendesse a Deus por minha causa. Durou-me muitos anos a muita dedicação aos cuidados exagerados com a beleza e coisas que me parecia que não eram nenhum pecado. Agora vejo como devia ser mal.

Tinha alguns primos-irmãos, porque outros não tinham licença para entrar na casa de meu pai, que era muito cauteloso. E quisera Deus que tivesse sido com esses também. Porque agora vejo o perigo que é conviver, na idade em que vão começar a se criar as virtudes, com pessoas que não percebem a vaidade do mundo e, antes, instigam a entrar nele. Eram quase da minha idade, pouco maiores do que eu. Andávamos sempre juntos. Gostavam muito de mim e eu conversava sobre todas as coisas que lhes alegravam, e ouvia os casos de suas predileções e suas criancices nada boas. E o pior foi mostrar-se a alma ao que foi causa de todo seu mal.

3. Se eu tivesse que dar um conselho, diria aos pais que, nessa idade, tivessem grande cuidado com as pessoas que convivem com seus filhos, porque aí há muito mal. Pois a nossa natureza vai antes para o pior do que para o melhor. Assim aconteceu a mim, que tinha uma irmã[1] de muito mais idade do que eu, de cuja modéstia e bondade — que tinha muita — eu não tomava nada, e tomei todo dano de uma parenta que frequentava muito nossa casa. Era de modos tão levianos que minha mãe tinha tentado evitar que frequentasse nossa casa. Parece que adivinhava o mal que por ela me havia de vir. Mas eram tantas as ocasiões que ela tinha para nos visitar que minha mãe não conseguiu.

4. A esta que digo, me afeiçoei. Com ela eram as minhas conversas e fofocas, porque me ajudava em todas

as coisas de passatempo que eu queria. E também me apresentava outras e contava de suas fofocas e vaidades. Até começar a conviver com ela, quando tinha a idade de catorze anos — e creio que até mais, para ter amizade comigo — digo — e me contar as coisas dela —, não me parece que havia abandonado a Deus por culpa mortal nem perdera o temor a Deus, ainda que tivesse temor maior por minha honra. Tive forças para não a perder de todo e não me parece que, nisso, por nada no mundo eu me modificaria, e não havia amor por pessoa alguma do mundo que a isso me fizesse ceder. Tivesse eu tido essa força para não ir contra a honra de Deus, assim como minha natureza me dava força para não a perder naquilo em que me parecia estar a honra do mundo! E não via que eu a perdia de muitos outros jeitos! Em amar vaidosamente esta honra, chegava a extremos. Os meios que me eram necessários para guardá-la, não usava. Só a não perdê-la de todo é que dava grande importância.

Meu pai e minha irmã lamentavam muito essa amizade. Por causa dela me repreendiam muitas vezes. Como não podiam tirar dessa parente as oportunidades de entrar em casa, não adiantavam seus esforços, porque minha sagacidade para qualquer coisa má era grande.

5. Espanta-me, às vezes, o dano que faz uma má companhia, e se eu não tivesse passado por isso não poderia acreditar. Especialmente no tempo da mocidade, deve ser maior o mal que faz. Gostaria que aprendessem com meu exemplo os pais, a fim de prestar muita atenção nisso. E foi assim que, de tal maneira mudou-me essa companhia, que da natureza e da alma virtuosas não me deixou quase nada. E me parece que imprimia em mim suas condições, ela e outra que tinha o mesmo tipo de passatempo.

Por isso entendo o grande proveito que traz uma boa companhia e tenho certeza de que, se tivesse convivido naquela idade com pessoas virtuosas, estaria toda na virtude. Porque se tivesse tido nessa idade quem me ensinasse a temer a Deus, a alma iria ganhando força para não cair. Depois, abandonado totalmente esse temor, ficou só o de perder a honra, que, em tudo o que eu fazia, me deixava atormentada. Pensando que ninguém fosse ficar sabendo, me atrevia a muitas coisas tanto contra essa honra quanto contra Deus.

6. No começo estragaram-me as coisas que me diziam — pelo que me parece. Mas não devia ser da parente a culpa, mas minha. Porque, depois, minha malícia bastava para o mal, junto com o fato de ter criadas, porque para todo o mal achava eu nelas um bom instrumento. Pois se alguma fosse de dar bons conselhos, talvez me tivesse sido proveitoso. Mas o interesse as cegava, como a mim o gosto. Porém nunca tinha inclinação para muito mal — porque coisas desonestas naturalmente me desagradavam. Só para gastar o tempo numa boa conversa. Mas, dada a ocasião, o perigo estava à mão, e eu punha nele meu pai e meus irmãos. Do qual me livrou Deus de tal modo que bem parecia procurar, contra minha vontade, que eu não me perdesse de todo. Ainda que nada pudesse ter sido tão secreto que não tivesse havido grande perda em minha honra e suspeita em meu pai. Porque me parece que não andava nessas vaidades três meses, quando me levaram para um mosteiro que havia nesse lugar,[2] onde se educavam pessoas semelhantes a mim, ainda que não tão ruins em seus costumes quanto eu. E isso foi feito com grande discrição, de modo que só eu e alguns parentes sabíamos o motivo. Porque aguardaram uma conjuntura que não pareceria uma novidade: porque ter minha irmã[3] se casado e eu ficado sozinha, sem mãe, não era bom.

7. Era tão grande o amor que meu pai tinha por mim, e tanta a minha dissimulação, que ele não conseguia acreditar em tantas coisas más de mim; e assim não fiquei em desgraça com ele. Como foi breve o tempo,

ainda que ele soubesse um pouco, não podia dizer com certeza. Porque, como eu temia tanto perder a honra, todos os meus esforços eram para que fosse segredo, e não dava atenção que não podia sê-lo para quem tudo vê. Oh, meu Deus, que mal causa no mundo fazer pouco disso e pensar que possa haver coisa contra Vós que seja secreta! Tenho certeza de que se evitariam grandes males se entendêssemos que o negócio não é tomar cuidado com os homens, mas sim tomar cuidado em não desagradar a Vós.

8. Os primeiros oito dias eu senti muito. E mais a suspeita que tive de que se havia descoberto minha frivolidade do que o estar ali. Porque eu já andava cansada, e não deixava de ter grande temor a Deus, quando o ofendia, e procurava confessar-me logo.

Tinha um desassossego que, em oito dias — e até menos, creio —, estava muito mais contente do que na casa do meu pai. Todas estavam contentes comigo, porque nisso o Senhor me dava a graça: em agradar onde quer que eu fosse, e assim eu era muito querida. E embora já estivesse inimicíssima de ser monja, alegrava-me ver tão boas monjas, pois o eram muito as daquela casa, e de grande honestidade e religião e recato.

9. Mesmo com tudo isso, não deixava o demônio de me tentar, e procurar, as pessoas de fora, meio de me desassossegar com recados. Como não havia oportunidade, logo se acabou. E começou a minha alma a voltar a se acostumar com o bem da minha primeira idade. E via a grande dádiva que faz Deus a quem Ele põe na companhia dos bons. Parece-me que andava Sua Majestade buscando e rebuscando por onde poderia me virar para Si. Bendito sejais Vós, Senhor, que tanto me aguentou! Amém.

Uma coisa eu tinha, que parece que me podia servir de desculpa, se não tivesse tantas culpas. Era o convívio com quem, por via de casamento, me parecia que eu poderia acabar bem. Informada por aquele com quem me confessava e outras pessoas, em muitas coisas me diziam que eu não ia contra Deus.

Dormia uma monja[4] com as que éramos leigas, por meio de quem quis o Senhor começar a dar-me luz, como direi agora.

CAPÍTULO 3

EM QUE TRATA DE COMO A BOA COMPANHIA CONTRIBUIU PARA TORNAR A DESPERTAR SEUS DESEJOS E DE QUE MANEIRA COMEÇOU O SENHOR A DAR A ELA ALGUMA LUZ SOBRE O ENGANO EM QUE ESTIVERA

1. Então, começando a gostar da boa e santa conversa dessa monja, alegrava-me ouvir quão bem ela falava de Deus, porque era muito sensata e santa. Isso, parece-me, nunca deixei de gostar de ouvir. Começou a me contar como tinha vindo a ser monja só por ler no Evangelho: "Muitos são os chamados e poucos os escolhidos".[1] Dizia-me que prêmio dava o Senhor aos que tudo deixam por Ele.

Começou essa boa companhia a expulsar os costumes que havia feito a má, e a voltar a pôr em meu pensamento desejos das coisas eternas e a tirar um pouco a grande inimizade que tinha com a ideia de ser monja, que havia se tornado enorme em mim. E se eu via alguma monja com lágrimas quando rezava, ou outras virtudes, tinha muita inveja dela. Porque era tão duro meu coração nesse caso que, se lesse toda a Paixão, não derramaria uma lágrima. Isto me dava tristeza.

2. Fiquei um ano e meio nesse mosteiro, muito melhorada. Comecei a rezar muitas orações vocais e a pedir a todas que me encomendassem a Deus. Que Ele me des-

se o estado em que o havia de servir. Mas ainda queria que não fosse monja, que esse não fosse do agrado do Senhor me dar esse estado, ainda que também tivesse medo de me casar.

Ao cabo desse tempo que fiquei ali, já tinha mais simpatia por ser monja, ainda que não naquela casa, por causa das coisas mais virtuosas que, depois entendi, elas tinham. Porque me pareciam extremos exagerados. E havia algumas das mais moças que me apoiavam nisso. Mas, se todas fossem do mesmo parecer, muito me teria aproveitado. Eu também tinha uma grande amiga em outro mosteiro,[2] e isso era parte da razão de não ser monja, se houvesse de ser, a não ser onde ela estava. Cuidava mais da satisfação dos meus sentidos e da minha frivolidade que do bem da minha alma.

Esses bons pensamentos de ser monja ocorriam-me algumas vezes e logo me deixavam e não conseguia me decidir a sê-lo.

3. Nesse tempo, ainda que eu não andasse descuidada de emendar-me, estava mais desejoso o Senhor de me dispor para o estado que me seria melhor. Deu-me uma grande doença e tive que voltar para a casa de meu pai.

Ficando boa, levaram-me à casa de minha irmã,[3] que morava em uma aldeia, para vê-la, porque era extremo o amor que tinha por mim e, por sua vontade, eu não sairia de perto dela. E seu marido também me amava muito — ao menos mostrava-me todo o carinho — e até isso eu devo mais ao Senhor: que em toda parte sempre tive. E tudo Ele servia sendo eu quem sou.

4. Ficava no caminho um irmão[4] de meu pai, muito prudente e de grandes virtudes, viúvo, a quem andava o Senhor dispondo para Si, pois em sua velhice deixou tudo o que tinha e virou frade e acabou de uma maneira que, creio, goza de Deus. Quis que ficasse com ele uns dias. Sua atividade eram bons livros em espanhol, e sua conversa era — mais comumente — sobre Deus e a vai-

dade do mundo. Fazia-me ler para ele e, ainda que não gostasse de seus livros, fingia que sim, porque nisso de agradar aos outros tinha extremos, mesmo que a mim causasse incômodo. Tanto que, aquilo que em outras teria sido virtude, em mim foi uma falta grave, porque eu andava, muitas vezes, sem discernimento.

Oh, valha-me Deus, por que meios andava Sua Majestade me dispondo para o estado em que quis servir-se de mim, que, sem eu querer, me forçou a me esforçar. Seja bendito para sempre, amém.

5. Ainda que tenham sido poucos os dias que fiquei, com a força que faziam em meu coração as palavras de Deus, tanto lidas quanto ouvidas, e a boa companhia, cheguei a ir entendendo a verdade de quando era pequena: de que tudo não era nada. E a vaidade do mundo. E como acabava logo. E a temer, se tivesse morrido, ir para o inferno. E mesmo não conseguindo que minha vontade se inclinasse para ser monja, vi ser melhor e mais seguro estado e, assim, pouco a pouco, decidi forçar-me a tomá-lo.

6. Nessa batalha fiquei três meses, forçando-me a mim mesma com esse argumento: os trabalhos e a pena de ser monja não poderiam ser maiores do que os do purgatório, e eu havia bem merecido o inferno. Não era grande coisa passar o tempo que vivesse como no purgatório e, depois, ir direto para o céu, pois esse era meu desejo.

E nesse movimento de tomar esse estado movia-me mais, parece-me, um temor servil do que o amor. Insinuava o demônio que eu não conseguiria aguentar os rigores da vida religiosa, por ser tão mimada. Eu me defendia disso com os sofrimentos que passou Cristo, porque não era grande coisa que eu passasse alguns por Ele. Que Ele me ajudaria a passá-los devo ter pensado, mas disso, depois, eu não me lembro. Passei muitas tentações naqueles dias.

7. Tinham-me dado, junto com umas febres, uns grandes desmaios, pois sempre tive pouca saúde. Deu-me a

vida o fato de ter já ficado amiga de bons livros. Lia as *Epístolas de São Jerônimo*,[5] que me davam coragem, de sorte que decidi dizer a meu pai, o que era quase como tomar o hábito, porque era tão ciosa da minha honra que me parece que não voltaria atrás de maneira alguma, uma vez que tivesse dito. Ele me amava tanto que de nenhuma forma pude convencê-lo, nem foram suficientes os pedidos de pessoas que procurei para que falassem com ele. O máximo de que se pode convencê-lo foi que, quando acabassem os seus dias, eu faria o que quisesse. Eu já temia por mim e pela minha fraqueza voltar atrás, e, assim, não me pareceu que me convinha isso. E procurei outros meios, como agora direi.

CAPÍTULO 4

DIZ COMO AJUDOU-A O SENHOR A FORÇAR-SE A TOMAR O HÁBITO, E AS MUITAS DOENÇAS QUE SUA MAJESTADE COMEÇOU A LHE DAR

1. Nesses dias, em que lidava com essas decisões, havia persuadido um irmão[1] meu a se tornar frade falando-lhe da vaidade do mundo. E combinamos os dois ir um dia, de manhã bem cedo, ao mosteiro onde estava aquela minha amiga, que era a quem eu tinha muita afeição. Embora nessa decisão final eu já estivesse de tal jeito que a qualquer mosteiro que pensasse servir mais a Deus ou que meu pai quisesse, eu iria. Porque já prestava mais atenção ao remédio da minha alma, e, do descanso, não fazia nenhum caso. Lembro-me, e me parece que com verdade, que, quando saí da casa de meu pai, não creio que será maior o sentimento quando eu morrer. Porque me parecia que cada osso se me arrancava por si mesmo, pois, como eu não tinha amor de Deus que tirasse o amor pelo pai e parentes, era tudo fazendo um esforço tão grande que, se o Senhor não me tivesse ajudado, não bastariam as minhas considerações para ir adiante. Aqui me deu ânimo contra mim, de maneira que pus mãos à obra.

2. Tomando o hábito,[2] logo me deu o Senhor a entender como favorece a quem faz força contra si para servir-lhe, o que ninguém percebia em mim, só uma enorme

vontade. Na hora me deu uma alegria tão grande ter aquele estado que nunca mais me faltou, até hoje, e mudou Deus a secura que eu tinha na alma em enorme ternura. Davam-me prazer todas as coisas da vida religiosa. E é verdade que estava, às vezes, varrendo nas horas que eu costumava ocupar em me enfeitar e arrumar. E, lembrando-me de que estava livre daquilo, me dava um novo prazer, que eu não podia entender de onde vinha.

Quando me lembro disso, não há coisa que se pusesse em minha frente, por mais difícil que fosse, que eu tivesse dúvida em enfrentar. Porque já tenho experiência em muitas coisas que, se me ajudo no princípio a me decidir a fazê-lo, ainda nesta vida o paga Sua Majestade por vias que só quem desfruta disso entende. Pois, sendo só para Deus, até começar, Ele quer — para que mais mereçamos — que a alma sinta aquele medo, e quanto maior, se se sai bem com ele, maior o prêmio e mais saboroso se faz depois.[3]

Isso tenho por experiência, como disse, em muitas coisas bastante sérias e assim jamais aconselharia — se fosse pessoa de dar opinião — que, quando uma inspiração ocorre muitas vezes, se deixe por medo de pôr mãos à obra. Que vá a descoberto, só com Deus, não deve ter medo de que se sairá mal, porque Ele é poderoso para tudo. Seja bendito para sempre, amém.

3. Bastariam, oh, sumo Bem e descanso meu!, as dádivas que me tínheis feito até aqui, de trazer-me por tantos rodeios vossa piedade e grandeza a estado tão seguro e a uma casa onde havia tantas servas de Deus, de quem eu poderia aprender, para ir crescendo em seu serviço. Não sei como hei de passar daqui, quando me lembro da maneira de minha profissão e a grande determinação e alegria com que a fiz e o casamento que fiz convosco. Isso eu não consigo dizer sem lágrimas. E teriam que ser de sangue e partir-me o coração e não seria muito sentimento pelo que depois vos ofendi. Parece-me agora que

eu tinha razão em não querer tão grande dignidade, já que tão mal haveria de usá-la.

Mas Vós, meu Senhor, quisestes — quase vinte anos usei mal desta dádiva — ser o ofendido, para que eu fosse melhorada. Parece, Deus meu, que prometi não cumprir nada do que vos havia prometido, ainda que, na época, não fosse essa minha intenção. Mas vejo serem tais as minhas obras, depois, que não sei que intenção tinha. Para que mais se veja quem Vós sois, Esposo meu, e quem sou eu. Porque é verdade, com certeza, que, muitas vezes, ameniza o sentimento de minhas grandes culpas a alegria que me dá entender a multidão de vossas misericórdias.

4. Em quem, Senhor, podem resplandecer como em mim, que tanto escureci com minhas más obras as grandes dádivas que começastes a fazer-me? Ai de mim, Criador meu, que, se quero dar desculpa, não tenho nenhuma, nem ninguém tem a culpa a não ser eu! Porque se tivesse pagado algo do amor que começastes a me mostrar, não o poderia empregar em ninguém, senão em Vós, e com isso se remediava tudo. Como não o mereci nem tive tanta sorte, valha-me agora, Senhor, vossa misericórdia.

5. A mudança da vida e das comidas me fez mal à saúde. Tanto que, ainda que a alegria fosse muita, não bastou. Começaram a aumentar os meus desmaios e me deu uma dor no coração tão enorme que causava espanto a quem via, e outros muitos males juntos. E assim passei o primeiro ano com saúde muito ruim, ainda que não me pareça que tenha ofendido muito a Deus nele. E como era a dor tão grande que quase me privava dos sentidos sempre — e às vezes ficava sem eles de todo —, era grande a diligência que empregava meu pai em procurar remédio. E como não o deram os médicos daqui, procurou me levar a um lugar[4] que tinha muita fama de que curavam ali outras doenças e assim, disseram, fariam com a minha. Foi comigo essa amiga que eu disse que tinha na casa, que era antiga.[5] Na casa em que era monja não se prometia clausura.

6. Estive lá quase um ano, e três meses dele sofrendo um tormento tão enorme nos tratamentos tão fortes que me deram que não sei como aguentei. E, enfim, ainda que eu os tenha aguentado, não os pode aguentar meu corpo, como vou contar.

Devia começar o tratamento no princípio do verão, e eu fui no princípio do inverno. Todo esse tempo fiquei na casa da irmã que eu disse que morava na aldeia esperando o mês de abril, porque lá era perto, e para não ficar indo e vindo.

7. Quando fui, me deu aquele meu tio — que eu disse que morava no caminho — um livro. Chamava-se *Terceiro abecedário*[6] e tratava de ensinar oração de recolhimento. E, embora nesse primeiro ano tenha lido bons livros, porque não quis mais usar outros, porque já entendia o dano que me haviam causado, não sabia como proceder em oração nem como recolher-me. Assim, gostei muito dele e me decidi a seguir aquele caminho com todas as minhas forças. E como o Senhor já me havia dado o dom das lágrimas e eu gostava de ler, comecei a ter instantes de solidão e a me confessar amiúde e começar aquele caminho, tendo aquele livro por mestre. Porque eu não achei mestre — digo confessor — que me entendesse, ainda que tenha buscado, por vinte anos depois disso que conto, o que me causou muito dano por voltar muitas vezes atrás e até para de todo perder-me. Porque, se tivesse achado, me ajudaria até a sair de ocasiões que tive para ofender a Deus.

Começou Sua Majestade a fazer-me tantas dádivas nesses começos que ao fim desse tempo que estive ali (e que foram quase nove meses nesta solidão, ainda que não tão livre de ofender a Deus como o livro me dizia. Mas essa parte do livro eu passava por cima: parecia-me quase impossível tanta vigilância. Eu a tinha para não cometer pecado mortal, e quisera Deus que tivesse tido sempre. Dos venais fazia pouco-caso, e foi isso que me destruiu) começou o Senhor a me presentear tanto por esse caminho que me fazia a dádiva de me dar oração de quietude. E, às vezes, chegava à união, ainda que eu não entendesse o que era nem uma nem outra. Nem o muito que eram de apreciar, porque creio que me teria sido um grande bem entendê-lo. É verdade que durava tão pouco isso de união, que não sei se dava tempo para uma Ave-Maria. Mas ficava com efeitos tão grandes que, mesmo não tendo nesse tempo vinte anos, parece-me que tinha o mundo sob os meus pés e assim me lembro que tinha pena dos que seguiam o mundo, mesmo que fosse em coisas lícitas.

8. Tentava o mais possível trazer Jesus Cristo, nosso Bem e Senhor, dentro do meu momento presente. E esta era a minha maneira de oração: se pensava em algum dos passos,[7] eu o representava interiormente, ainda que o maior tempo eu gastava lendo bons livros, que era a minha única recreação. Porque não me deu Deus talento para discorrer com o entendimento, nem para me beneficiar com a imaginação, que tenho tão lerda, que, até para pensar e representar em mim a Humanidade do Senhor — como procurava fazer — nunca conseguia. E, ainda que por essa via de não poder trabalhar com o entendimento alguns cheguem mais rápido à contemplação, se perseveram, é muito trabalhoso e penoso. Porque, se falta ocupação para a vontade e o ter em que se ocupe em coisa presente o amor, fica a alma como sem arrimo nem ocupação. E dão muita tristeza a solidão e a secura. E enorme combate, os pensamentos.

9. Às pessoas que têm essa disposição convém maior pureza de consciência do que às que podem trabalhar com o entendimento. Porque quem pensa no que é o mundo e no que deve a Deus, e no muito que Ele sofreu e o pouco que lhe serve e o que Ele dá a quem o ama, tira doutrina para defender-se dos pensamentos e das ocasiões de pecado e perigos. Mas quem não pode se aproveitar disso tem mais perigos e convém a esse ocupar-se muito

em leitura, pois por si não pode tirar nenhuma doutrina. É tão penosa essa maneira de proceder que, se o mestre pressiona para que seja sem leitura, que ajuda muito no recolhimento — a quem procede dessa maneira é necessária, ainda que seja pouco o que leia, no lugar da oração mental que não consegue manter. Ia dizendo que, se sem essa ajuda fazem-no ficar muito tempo na oração, será impossível durar muito nela. E fará mal à sua saúde se insistir, porque é uma coisa penosa demais.

Agora me parece que foi do agrado do Senhor que eu não achasse quem me ensinasse, porque teria sido impossível — me parece — perseverar dezoito anos que passei nesse esforço e nessas grandes securas, por não poder, como disse, pensar discursivamente. E todos esses anos, se não fosse acabando de comungar, jamais ousava começar a manter oração sem um livro. Temia a minha alma estar sem ele na oração, tanto quanto se fosse lutar com muita gente. Com esse remédio, que era como uma companhia e um escudo em que haveria de receber os golpes dos muitos pensamentos, ficava consolada. Porque a secura não era habitual, mas ocorria sempre que me faltava um livro, porque logo se dispersava a alma e os pensamentos iam perdidos. Com a leitura eu os começava a recolher e, como por afagos, conduzia a alma. E, muitas vezes, abrindo o livro, não era preciso mais. Outras vezes, lia pouco, outras, muito, conforme a dádiva que o Senhor me fazia.

10. Parecia-me, nesse começo que conto, que ter eu livros era como ter solidão, que não haveria perigo que me tirasse de tanto bem. E, creio, com a ajuda de Deus teria sido assim, se tivesse mestre ou pessoa que me avisasse a fugir das ocasiões de pecado no início e me fizesse sair delas, se eu entrasse, rapidamente. E, se o demônio me atacasse abertamente, naquela época, parecia-me que de maneira nenhuma eu voltaria a pecar gravemente. Mas ele foi tão sutil, e eu tão ruim, que toda a minha deter-

minação foi de pouco proveito. Ainda que de muito os dias que servi a Deus, por poder aguentar as terríveis doenças que tive com tão grande paciência como Sua Majestade me deu.

Muitas vezes pensei espantada na grande bondade de Deus e deliciou-se minha alma em ver sua grande magnificência e misericórdia. Seja bendito por tudo, porque vi com clareza não deixar sem me pagar, ainda nesta vida, nenhum bom desejo. Por ruins e imperfeitas que fossem minhas obras, esse meu Senhor as ia melhorando e aperfeiçoando e dando valor, e os males e os pecados logo os escondia. Mesmo os olhos de quem os viu permite Sua Majestade que se ceguem e os tira de sua memória. Doura as culpas, faz com que resplandeça uma virtude que o próprio Senhor põe em mim, quase me forçando a tê-la.

11. Quero pensar no que me mandaram. Digo que se tivesse que dizer em detalhe a maneira como o Senhor se comportava comigo nesse começo, teria sido necessário outro entendimento, não o meu, para saber avaliar o que nesse caso lhe devo e a minha grande ingratidão e maldade, pois tudo isso eu esqueci. Seja para sempre bendito quem tanto me aguentou. Amém.

CAPÍTULO 5

PROSSEGUE NAS GRANDES DOENÇAS QUE TEVE E A PACIÊNCIA QUE O SENHOR LHE DEU NELAS E COMO ELE TIRA DOS MALES BENS COMO SE VERÁ EM UMA COISA QUE LHE ACONTECEU NESSE LUGAR A QUE FOI PARA SE CURAR

1. Esqueci de dizer como no ano do noviciado passei grandes desassossegos com coisas que, em si, tinham pouca importância, mas culpavam-me sem eu ter culpa muitas vezes. Eu levava isso com muita aflição e imperfeição, ainda que, com a grande alegria que tinha de ser monja, eu aguentasse tudo. Como me viam procurar a solidão e me viam chorar por meus pecados algumas vezes, pensavam que era descontentamento, e assim diziam.

Era apegada a todas as coisas da vida religiosa, mas não a suportar algo que me parecesse menosprezo. Gostava de ser estimada. Era cuidadosa em tudo o que fazia. Tudo me parecia virtude, ainda que isso não seja desculpa, porque em relação a tudo eu sabia procurar meu contentamento e, assim, não há a ignorância que tira a culpa. Alguma desculpa eu tinha por não estar o mosteiro fundado em muita perfeição. Eu, como era ruim, ia pelo que via errado e deixava de lado o bom.

2. Estava então doente uma monja de uma gravíssima doença e muito aflita, porque havia umas bocas que se lhe haviam feito no ventre por causa de obstruções,

por onde se derramava tudo o que comia. Morreu logo disso. Eu via todas temerem aquele mal. A mim dava grande inveja a paciência dela. Pedia a Deus que, dando-a também a mim, desse-me as doenças que lhe aprouvesse. Não temia, parece-me, nenhuma, porque estava tão disposta a ganhar bens eternos, que me determinava a ganhá-los por quaisquer meios. E espanto-me, porque ainda não tinha, a meu parecer, amor a Deus, como depois que comecei a ter oração me parece que tive. Tinha só uma luz para parecer-me de pouco valor tudo o que se acaba, e de muito preço os bens que se podem ganhar com isso, porque são eternos.

Também nisso ouviu-me Sua Majestade, porque antes de dois anos estava de tal maneira que, ainda que não aquele tipo de mal, creio que não foi menos penoso e trabalhoso o que por três anos tive, como direi agora.

3. Vindo o momento que eu estava esperando no lugar que disse em que esperava com minha irmã para curar-me, levaram-me, com muito cuidado pelo meu conforto, meu pai e minha irmã, e aquela monja minha amiga que havia saído comigo, porque era muito o que ela me amava. Aqui começou o demônio a descompor minha alma, ainda que Deus tenha tirado disso grande bem.

Havia uma pessoa da Igreja, que morava naquele lugar aonde fui me curar, de muito alta nobreza e inteligência. Era letrado, ainda que não muito. Comecei a me confessar com ele,[1] porque sempre fui amiga das letras, ainda que grande dano me tenham causado confessores semiletrados. Porque não os tinha tão letrados como gostaria.

Vi por experiência que é melhor — sendo virtuosos e de hábitos santos — não ter nenhum estudo. Porque nem eles confiam em si, sem perguntar a quem o tenha bom, nem eu confiava. E um bom letrado nunca me enganou. Os outros também não deviam querer me enganar, apenas não sabiam muito. Eu achava que sim, e que não era obrigada a fazer mais do que acreditar neles, já que o que me diziam era mais relaxado e de mais liberdade. Porque se fosse algo rigoroso, eu sou tão ruim que procuraria outros. O que era pecado venial diziam-me que não era nada. O que era gravíssimo mortal, que era venial. Isso me causou tanto dano que não é muito que eu o diga aqui para avisar os outros contra tão grande mal. Porque diante de Deus vejo que não é desculpa para mim, porque bastava não serem as coisas boas por natureza para que eu me guardasse delas. Creio que Deus permitiu, por causa de meus pecados, que eles se enganassem e enganassem a mim. Eu enganei a outras muitas por dizer-lhes o mesmo que haviam dito a mim.

Fiquei nessa cegueira, creio, mais de dezessete anos, até que um padre dominicano,[2] grande letrado, me desfez o engano em algumas coisas, e os da Companhia de Jesus de todo me fizeram temer tanto mostrando-me como eram graves tão maus princípios, como direi depois.

4. Começando então a me confessar com este que digo,[3] ele se afeiçoou muito a mim, porque naquela época eu tinha pouco para confessar, comparado com o que depois tive. Nem tinha tido depois de monja. Não foi a afeição dele má, mas, por demasiada, a afeição veio a não ser boa. Eu tinha me convencido de que não decidiria por nada a fazer algo contra Deus que fosse grave, e ele também me assegurava a mesma coisa, e assim conversávamos muito.

Minhas conversas então — com o embevecimento de Deus que eu levava — o que mais me agradava era conversar coisas d'Ele. E como era muito menina, causava confusão nele ver isso. E com o grande afeto que tinha por mim começou a contar-me sua perdição. E não era pouca, porque havia quase sete anos estava em um estado muito perigoso pela afeição e relações com uma mulher daquele mesmo lugar. E mesmo assim ele dizia missa. Era uma coisa tão pública que tinha perdido a honra e o bom nome e ninguém ousava lhe falar disso. A mim isso deu grande pena porque eu gostava muito dele. Pois eu tinha esta grande leviandade e cegueira, que me parecia uma virtude ser agradecida e leal a quem gostasse de mim. Maldita seja essa lei que se estende até ser contra a de Deus! É um desatino que se pratica no mundo e que me desatina: porque devemos todo o bem que nos fazem a Deus, e consideramos virtude, ainda que vá contra Ele, não quebrar uma amizade. Oh cegueira do mundo! Aprouvesse a Vós, Senhor, que eu fosse ingratíssima com todo ele e convosco não fosse nem um pouco. Mas foi tudo ao contrário, por meus pecados.

5. Procurei saber e informar-me mais com pessoas de sua casa. Soube mais da perdição e vi que o pobre não tinha tanta culpa, porque a infeliz da mulher lhe tinha posto feitiços com um idolozinho de cobre que lhe havia pedido que trouxesse, por amor dela, ao pescoço, e ninguém havia podido tirar.

Eu decididamente não acredito que seja verdade isso de feitiços. Mas direi o que eu vi, para admoestação de que se protejam os homens de mulheres que querem ter esse tipo de relação, e creiam que, uma vez que elas perdem a vergonha de Deus — porque elas mais do que os homens são obrigadas a ser honestas —, em nenhuma coisa nelas podem confiar, pois, a fim de levar adiante sua vontade e aquela afeição que o demônio lhes instila, não prestam atenção em nada. Ainda que eu tenha sido tão ruim, em nada desse tipo eu caí nem jamais pretendi fazer mal. Nem, mesmo que pudesse, teria querido forçar a vontade de alguém para que gostasse de mim, porque me protegeu o Senhor disso. Mas, se tivesse permitido, teria feito o mal que fazia no resto porque em nada se deve confiar.

6. Então, depois que soube disso, comecei a mostrar-lhe mais amor. Minha intenção era boa, a obra má. Pois para fazer o bem, por maior que seja, não devia fazer um pequeno mal. Conversava muito com ele sobre Deus.

Isto devia ajudá-lo, ainda que, creio, ajudou mais no caso ele gostar muito de mim. Porque, para me agradar, me deu o idolozinho, o qual eu mandei logo jogar no rio.

Tirado este, começou — como quem acorda de um longo sono — a ir se lembrando de tudo o que havia feito naqueles anos e, espantando-se consigo mesmo, sofrendo por sua perdição, começou a ter aversão a ela. Nossa Senhora devia ajudá-lo muito, porque era muito devoto de sua Concepção e no dia dela celebrava com solenidade. No fim deixou completamente de ver a mulher e não se cansava de dar graças a Deus por lhe haver dado a luz.

Ao fim de exatamente um ano desde o primeiro dia que o vi, morreu. E tinha estado muito a serviço de Deus, porque aquela afeição grande que tinha por mim nunca achei que fosse má, ainda que pudesse ter sido mais pura. Mas também houve ocasiões em que, se não se mantivesse muito diante de Deus, teria havido ofensas suas mais graves. Como eu disse, coisa que eu entendesse ser pecado mortal não a teria feito na época. E parece que lhe ajudava a ter amor por mim ver isso. Porque creio que todos os homens devem ser mais amigos de mulheres que veem inclinadas à virtude. E mesmo para o que aqui no mundo pretendem, devem elas ganhar mais com eles dessa forma, como direi depois.

Tenho certeza de que ele está a caminho da salvação. Morreu muito bem e muito quitado daquela ocasião de pecado. Parece que quis o Senhor que por esses meios se salvasse.

7. Fiquei naquele lugar três meses em enorme sofrimento, porque o tratamento foi mais rude do que suportava a minha compleição. Depois de dois meses, por causa dos remédios, minha vida estava quase acabada e a gravidade da dor no coração que fui curar era muito mais intensa. E, às vezes, parecia-me que dentes afiados o prendiam, tanto que se temeu que fosse raiva. Com a falta de vigor — porque com grande enjoo não conse-

guia comer nada a não ser líquidos —, febre alta contínua e tão desgastada, porque por quase um mês me haviam dado purgante todo dia, eu estava tão depauperada que meus nervos começaram a encolher com dores tão insuportáveis que dia e noite eu não tinha nenhum sossego. Uma tristeza muito profunda!

8. Com esse resultado voltou meu pai a me trazer aonde tornaram a me ver os médicos. Todos me desenganaram, porque o que diziam sobre toda essa dor é que eu estava tuberculosa. Com isso eu pouco me importava, as dores é que me cansavam, porque eram dos pés à cabeça. Porque os nervos são intoleráveis, segundo diziam os médicos, e como todos se encolhiam era um duro tormento — se eu não o tivesse, por minha culpa, desperdiçado. Nessa dureza não andei mais do que três meses, pois parecia impossível aguentar tantas dores juntas.

Agora me espanto e tenho por grande dádiva do Senhor a paciência que Sua Majestade me deu, que se viu claramente vir d'Ele. Muito útil foi, para mantê-la, ter lido a história de Jó nos *Morais de são Gregório*,[4] pois parece que preveniu o Senhor com isso, e com eu ter começado a manter oração, para que eu pudesse levar tudo com tanta resignação. Toda minha conversa era com Ele. Tinha sempre essas palavras de Jó no pensamento e as dizia: "Já que recebemos os bens da mão do Senhor, por que não suportaremos os males?". Isso, parece, me dava força.

9. Chegou a festa de Nossa Senhora de Agosto. Até então, desde abril, tinha sido um tormento, ainda que, nos últimos meses, maior. Apressei-me a me confessar, porque sempre fui muito amiga de me confessar frequentemente. Pensaram que era medo de morrer e, para não me causar sofrimento, meu pai não deixou. Oh amor exagerado da carne, que ainda que seja de um pai tão católico e tão sensato — e ele era muito —, pois não foi por ignorância, podia ter me causado grande dano!

Naquela noite me deu uma crise que durou, ficando eu sem sentidos, quatro dias, mais ou menos. Nisso me deram o Sacramento da Unção e a toda hora e momento pensavam que eu morria e não faziam nada a não ser rezar o Credo, como se eu estivesse entendendo alguma coisa. Tinham-me às vezes por tão morta que até cera achei depois nos meus olhos.

10. A aflição do meu pai era grande por não ter me deixado confessar. Clamores e orações a Deus, muitas. Bendito seja o que quis ouvi-las, que tendo por um dia e meio a sepultura já aberta em meu mosteiro esperando o corpo, e feitas as exéquias por um de nossos frades de fora daqui, quis o Senhor que eu voltasse a mim. Logo quis me confessar. Comunguei com muitas lágrimas. Mas na minha opinião não eram só pelo sentimento e a dor de haver ofendido a Deus, o que teria bastado para me salvar, se não tivesse ainda como desculpa o engano que trazia do que me haviam dito não ser algumas coisas pecado mortal — o que com certeza vi depois que eram. Como as dores eram insuportáveis, com o que fiquei com os sentidos abalados, ainda assim a confissão foi completa, no meu parecer, de tudo o que entendi ter ofendido a Deus. Porque essa dádiva me fez Sua Majestade, entre outras, que nunca, depois que comecei a comungar, deixei nada por confessar que eu pensasse que era pecado. Ainda que fosse venial, não deixava de confessar. Mas sem dúvida me parece que andava longe minha salvação, se então tivesse morrido, por serem os confessores tão pouco letrados, por uma parte, e, por outra, ser eu tão ruim em muitas coisas.

11. É verdade, com certeza, que me parece que estou com tão grande espanto chegando aqui e vendo como, me parece, o Senhor me ressuscitou. Estou quase tremendo, dentro de mim. Parece-me que teria sido bom, oh alma minha, que tivesses visto o perigo de que o Senhor te tinha livrado. Porque, já que não deixavas de ofendê-

-lo por amor, deixaria por medo, pois Ele poderia outras mil vezes te matar em estado mais perigoso. Creio que não exagero em dizer outras mil, ainda que ralhe comigo quem mandou que eu moderasse a conta dos meus pecados, e eles vão aqui muito embelezados. Por amor de Deus peço-lhe que não tire nada de minhas culpas, pois assim se vê mais a magnificência de Deus e o que suporta por uma alma. Seja bendito para sempre. Queira Deus que antes eu me consuma que o deixe outra vez de amar.

CAPÍTULO 6

TRATA DO MUITO QUE DEVEU AO SENHOR POR DAR-LHE RESIGNAÇÃO EM TÃO GRANDES SOFRIMENTOS E COMO TOMOU POR INTERCESSOR E ADVOGADO O GLORIOSO SÃO JOSÉ, E O MUITO QUE LHE FOI PROVEITOSO

1. Fiquei, depois desses quatro dias de crise, de uma maneira que só o Senhor pode saber os insuportáveis tormentos que sentia em mim. A língua feita em pedaços de tanto mordê-la. A garganta, por não haver passado nada nela e pela grande fraqueza, me sufocava, e nem água podia passar. Parecia-me que eu estava toda desconjuntada, com um enorme desatino na cabeça, toda encolhida, feito um novelo — porque deu nisso o tormento daqueles dias —, sem poder mexer mais do que se eu estivesse morta. Nem o pé, nem a mão, nem a cabeça, se não me mexessem por mim. Só um dedo, me parece, eu conseguia controlar da mão direita. Como não podiam encostar em mim, porque tudo doía tanto que eu não aguentava, me manejavam em um lençol. Uma irmã numa ponta e outra na outra.

Isso foi até a Páscoa. Só me mantinha porque, se não encostassem em mim, as dores cessavam muitas vezes e, à custa de descansar um pouco, me dava por boa. Eu tinha medo de que me faltasse a paciência e, assim, fiquei muito contente de me ver sem dores tão agudas e contínuas, ainda que os fortes calafrios das febres quartãs duplas[1] com que fiquei, fortíssimas, eram insuportáveis. Um desgosto enorme.

2. Dei-me logo pressa em ir ao mosteiro, e me fiz levar assim mesmo. A que esperavam morta receberam com alma. Mas o corpo, pior do que morto, dava pena de ver. A magreza extrema nem se pode dizer, que eu só tinha os ossos já.

Digo que ficar assim durou mais de oito meses. O estar paralisada, ainda que fosse melhorando, quase três anos. Quando comecei a andar de gatinhas, louvava a Deus. Por tudo passei com grande resignação e, se não fosse esse começo, com grande alegria. Porque tudo me parecia nonadas, comparado com as dores e o tormento do princípio. Estava muito conformada à vontade de Deus, mesmo que Ele me deixasse desse jeito para sempre.

Parece-me que toda minha ânsia por sarar era para estar a sós em oração, como estava acostumada, porque na enfermaria não havia jeito. Confessava-me muito frequentemente. Falava muito de Deus, de maneira que edificava a todas, e espantavam-se com a paciência que o Senhor me dava. Porque, se não viesse da mão de Sua Majestade, parecia impossível poder aguentar tanta dor com tanta alegria.

3. Foi uma grande coisa me fazer a dádiva na oração que me havia feito, porque essa me fazia ver que coisa era amá-lo. Porque naquele pouco tempo, vi essas novas virtudes em mim, ainda que não fortes, já que não bastaram para me sustentar na justiça: não falar mal de ninguém por pouco que fosse. Mas o normal era evitar toda murmuração,[2] porque tinha muito claro diante de mim não querer dizer de outra pessoa o que não queria que dissessem de mim. Levava isso extremamente a sério nas ocasiões que havia, ainda que não tão perfeitamente que, algumas vezes, quando se davam grandes ocasiões, não se quebrasse um pouco. Mas o normal era isso. E,

assim, persuadia tanto a isso as que moravam e conversavam comigo que tomaram esse costume. Tornou-se conhecido que, onde eu estivesse, elas tinham as costas seguras e assim também em relação às que eu tinha amizade e parentesco e ensinava, ainda que em outras coisas tenho bem que prestar contas a Deus do mau exemplo que lhes dava. Queira Sua Majestade perdoar-me, pois de muitos males eu fui a causa, ainda que não com intenção tão má quanto, depois, resultava a obra.

4. Ficou-me o desejo de solidão. Tornei-me amiga de conversar e falar sobre Deus, pois, se eu achava com quem, mais alegria e diversão me dava que toda a polidez — ou grosseria, melhor dizendo — da conversa do mundo. Comungar e confessar muito frequentemente e desejá-lo. Amiguíssima[3] de ler bons livros. Um grandíssimo arrependimento ao ofender a Deus, que muitas vezes me lembro de que não ousava fazer orações, porque temia a enorme tristeza que haveria de sentir por lhe ter ofendido. Como um grande castigo. Isso foi crescendo depois a tal extremo que não sei a que compare esse tomento. E não era jamais por medo, nem pouco nem muito, mas, como me recordava dos presentes que o Senhor me dava na oração, e o muito que lhe devia, e via quão mal eu pagava, não podia suportar. E incomodavam-me ao extremo as muitas lágrimas que chorava por culpa, quando via minha pouca emenda, pois não bastavam nem as decisões nem o esforço em que me via para não tornar a cair, pondo-me na ocasião de pecado. Pareciam-me lágrimas enganosas e parecia-me depois maior a culpa porque via a grande dádiva que me fazia o Senhor ao me dá-las e dar-me tão grande arrependimento. Procurava me confessar logo e, a meu ver, fazia o que podia para voltar à graça. Estava todo o mal em não arrancar pela raiz as ocasiões, e nos confessores, que me ajudavam pouco. Porque, se dissessem o perigo em que andava e que tinha obrigação de não ter aquele comportamento, sem dúvida

creio que me corrigiria. Porque de maneira alguma teria aguentado andar em pecado mortal um só dia, se eu tivesse sabido que era pecado mortal.

Todos esses sinais de temor a Deus me vieram com a oração, e o maior era ir tudo envolto em amor, porque eu não tinha em mente o castigo. Todo o tempo em que estive tão mal mantive firme a guarda quanto a pecados mortais. Oh, valha-me Deus, pois eu desejava a saúde para mais servi-lo e foi a causa de todo o meu dano!

5. Assim que me vi tão paralisada e com tão pouca idade, e o jeito como me haviam deixado os médicos da terra, decidi invocar os do céu para que me curassem. Porque ainda desejava a saúde, ainda que com muita alegria levasse a doença, e pensava às vezes que, se estando boa me havia de condenar, melhor era estar assim. Mas ainda pensava que serviria muito mais a Deus com saúde. Esse é o nosso engano, não nos abandonar de todo ao que o Senhor faz, porque Ele sabe melhor o que nos convém.

6. Comecei a fazer devoções de missas e coisas muito apropriadas de orações — que nunca fui amiga de outras devoções que fazem algumas pessoas, em especial mulheres, com cerimônias que eu não podia tolerar e a elas causava devoção. Depois se veio a entender que não convinham, porque eram supersticiosas. E tomei por advogado e senhor ao glorioso são José, e encomendei-me muito a ele. Vi com clareza que, assim dessa necessidade como de outras maiores de honra e perda de alma, esse pai e senhor meu me tirou melhor do que eu sabia pedir. Não me lembro até agora de ter-lhe pedido coisa que tenha deixado de fazer. É coisa que espanta as grandes dádivas que me fez Deus por meio desse bem-aventurado santo. Dos perigos que me livrou, assim do corpo como da alma. Porque a outros santos deu o Senhor graça para socorrer em uma necessidade, mas esse glorioso santo tenho experiência que socorre em todas, e quer o Senhor dar-nos a entender que, assim como lhe

foi sujeito na terra — porque como tinha o nome de pai, sendo preceptor, podia mandar nele —, também no céu faz tudo quanto lhe pede. Isso viram algumas outras pessoas a quem eu dizia para se encomendar a ele, também por experiência, e assim há muitas que lhe são devotas há pouco, tendo experimentado essa verdade.

7. Procurava eu fazer sua festa com toda a solenidade que podia, mais cheia de vaidade que de espírito, querendo que se fizesse muito caprichadamente e bem, ainda que com boa intenção. Mas havia mal — se é que algum bem dava-me o Senhor graça que eu fizesse — porque era cheia de imperfeições e muitas faltas. Para o mal e capricho e vaidade tinha eu grande manha e diligência. O Senhor me perdoe!

Quereria eu persuadir todos a ser devotos desse glorioso santo, pela grande experiência que tenho dos bens que alcança de Deus. Não conheci uma pessoa que lhe seja devota de verdade e faça determinados serviços que não se veja mais beneficiada na virtude. Porque beneficia grandemente as almas que a ele se encomendam. Parece-me que, já há alguns anos, todo ano em seu dia peço uma coisa, e sempre a vejo cumprida. Se for um pouco torto o pedido, ele o endireita para meu maior bem.

8. Se eu fosse pessoa que tivesse autoridade de escrever, de bom grado me estenderia a dizer com muito detalhe as dádivas que fez esse glorioso santo a mim e a outras pessoas. Mas para não fazer mais do que me mandaram, em muitas coisas serei mais breve do que quereria, em outras, mais longa porque é preciso. No fim, será como quem, em tudo o que é bom, tem pouco discernimento. Só peço, por amor de Deus, que experimente quem não acredita em mim e verá por experiência o grande bem que é encomendar-se a esse glorioso Patriarca e ter devoção a ele. Em especial pessoas de oração sempre teriam de ser afeiçoadas a ele, porque não sei como se pode pensar na Rainha dos Anjos, no tempo

que tantas coisas passou com o Menino Jesus, e não dar graças a são José pelo bem que lhes ajudou. Quem não achar mestre que lhe ensine oração, tome esse glorioso santo por mestre e não errará o caminho.

Queira Deus que eu não tenha errado em me atrever a falar dele. Porque, ainda que declare ser devota dele, nos serviços e em imitá-lo sempre falhei. Pois ele, sendo quem é, fez de maneira que eu pudesse me levantar e andar e não ficar paralisada. E eu, sendo quem sou, usei mal essa dádiva.

9. Quem diria que eu haveria de cair tão depressa depois de tantos presentes de Deus, depois de ter Sua Majestade começado a me dar virtudes que, elas mesmas, me despertavam para servi-lo? Depois de me ter visto quase morta e em tão grande perigo de ser condenada. Depois de me ter ressuscitado de corpo e alma, a ponto de que todos os que me viam se espantavam de ver-me viva! Que é isso, Senhor meu? Temos de viver tão perigosa vida? Pois estou escrevendo isso e me parece que, com vosso favor e por vossa misericórdia, poderia dizer o mesmo que São Paulo, ainda que não com aquela perfeição: que não vivo eu já, mas Vós, Criador meu, viveis em mim.[4] Pois há alguns anos, pelo que posso perceber, me segurais pela mão, e me vejo com desejos e determinação — de alguma maneira provados por experiência nesses anos, em muitas coisas — de não fazer nenhuma coisa contra vossa vontade, por pequena que seja, ainda que sem perceber deva fazer muitas ofensas a Vossa Majestade. E também me parece que não se me oferecerá coisa por vosso amor que com grande determinação deixe de fazer, e em algumas me tendes ajudado para que me saia bem nelas. E não quero o mundo nem nada dele, nem me parece me dar alegria coisa que se afaste de Vós, e o resto me parece pesada cruz. Posso bem me enganar, e assim pode ser que eu não tenha isso que disse, mas bem vedes Vós, meu Senhor, que — ao que

eu possa entender — não minto, e temo — e com muita razão — se me haveis de voltar a deixar. Porque já sei para o que basta minha força e pouca virtude em não estando Vós e me dando virtude sempre e me ajudando a não vos deixar. E queira Vossa Majestade que, mesmo agora, não esteja eu abandonada por Vós, parecendo-me tudo isso de mim. Não sei como queremos viver, pois é tudo tão incerto! Parecia-me já, Senhor meu, impossível deixar-vos tão de todo a Vós como tantas vezes deixei. Não posso deixar de temer, porque, afastando-vos um pouco de mim, eu ia ao chão. Bendito sejais para sempre que, ainda que vos deixava eu, não me deixastes tão de todo que eu não voltasse sempre a me levantar ao dar-me Vós a mão. E muitas vezes, Senhor, não a queria, nem queria entender como muitas vezes me chamáveis de novo, como direi agora.

CAPÍTULO 7

TRATA DOS TERMOS EM QUE FOI PERDENDO AS DÁDIVAS QUE O SENHOR LHE HAVIA FEITO, E QUÃO PERDIDA VIDA COMEÇOU A TER. DIZ OS DANOS QUE HÁ EM NÃO SEREM MUITO FECHADOS OS MOSTEIROS DE MONJAS

1. Pois assim comecei, de passatempo em passatempo, de vaidade em vaidade, de ocasião em ocasião, a meter-me tanto em ocasiões de pecado muito grandes e a andar tão estragada minha alma em muitas vaidades, que eu já tinha vergonha de voltar a me aproximar de Deus em tão particular amizade como é a conversa da oração. E ajudou-me a isso o fato de que, como cresceram os pecados, começou a me faltar o gosto e o prazer nas coisas de virtude. Eu via muito claro, Senhor meu, que faltava isso a mim por faltar eu a Vós. Esse foi o mais terrível engano que o demônio me podia fazer sob o véu de parecer humildade, pois comecei a temer ter oração, por ver-me tão perdida. E parecia-me que era melhor andar como muitos — pois em ser ruim eu era das piores — e rezar só o que era obrigada, e vocalmente, do que ter oração mental e gozar da intimidade com Deus aquela que merecia estar com os demônios e que enganava as pessoas porque no exterior tinha boa aparência. E, assim, não era culpa da casa onde eu estava. Porque com minha manha procurava que tivessem boa

opinião de mim, ainda que não deliberadamente, fingindo cristianismo, porque nisso de hipocrisia e vanglória, glória a Deus, não me lembro de jamais tê-lo ofendido — que eu saiba. Porque me aparecendo o primeiro movimento nessa direção me dava tanta tristeza que o demônio saía perdendo e eu ganhando. E, assim, nisso sempre me tentou muito pouco. Talvez, se Deus permitisse que me tentasse nisso com tanta força quanto em outras coisas, também cairia, mas Sua Majestade até agora me protegeu disso — seja bendito para sempre. Na verdade me pesava muito que tivessem boa opinião sobre mim, já que eu conhecia o meu segredo.

2. Esse não me ter por tão ruim vinha do fato de as monjas me verem, tão nova e em tantas ocasiões de pecado, afastar-me muitas vezes para, em solidão, rezar e ler. Viam-me falar muito de Deus, amiga de fazer pintar sua imagem em muitos lugares, ter um oratório e procurar para ele coisas que aumentassem a devoção, não maldizer, e outras coisas desse tipo que tinham aparência de virtude. E eu, por ser vaidosa, sabia me fazer estimar nas coisas que no mundo se costumam ter por estima. Com isso me davam tanta ou mais liberdade que às muito antigas e tinham grande segurança a meu respeito. Porque tomar liberdades ou fazer coisas sem licença — digo por buracos, ou através das paredes, ou de noite — nunca, me parece, poder-se-ia conseguir comigo falar desse jeito num mosteiro, nem o fiz, porque me segurou o Senhor com sua mão. Parecia-me — pois com atenção e determinação eu contemplava muitas coisas — que pôr a honra de tantas em perigo, por ser eu tão ruim sendo elas boas, era muito malfeito. Como se as outras coisas que eu fazia fossem boas. Na verdade o mal que eu fazia, ainda que fosse muito, não era tão deliberado quanto esse seria.

3. Por isso me parece que a mim causou grande dano não estar em mosteiro fechado. Porque a liberdade que as que eram boas podiam ter com bondade, pois não de-

viam mais — já que não se prometia clausura — a mim, que sou ruim, teria levado certamente ao inferno, se com tantos remédios e meios o Senhor, com dádivas muito particulares suas, não me tivesse tirado desse perigo. E assim me parece que é grandíssimo perigo um mosteiro de mulheres com liberdade e mais me parece uma trilha para caminharem para o inferno as que quiserem ser ruins, do que remédio para suas fraquezas.

Não se tome isso pelo meu mosteiro, porque há tantas monjas lá que servem de verdade e com muita perfeição ao Senhor, que não pode Sua Majestade deixar — segundo sua bondade — de favorecê-las. E não é dos muito abertos e nele se guarda toda a vida religiosa, mas falo de outros que sei e vi.

4. Digo que me dá muita pena, que é necessário o Senhor fazer muitos chamados particulares — e não uma vez, mas muitas — para que as monjas se salvem, uma vez que estão autorizadas as honras e recreações do mundo. E está tão mal entendido aquilo a que estão obrigadas que, queira Deus, não tomem por virtude o que é pecado, como muitas vezes eu fazia. E há uma dificuldade tão grande em fazer entender isso que é necessário que o Senhor ponha muito de verdade sua mão aí.

Se os pais seguissem meu conselho, já que não querem dar atenção a colocar suas filhas onde vão pelo caminho da salvação, mas sim onde estarão com mais perigo do que no mundo, que olhem pelo que importa à sua honra e queiram mais casá-las muito baixamente do que pô-las em mosteiros semelhantes se não forem de inclinação muito boa — e queira Deus que tenham proveito. Ou mantenha-as em sua casa, porque se elas quiserem ser ruins ali, não poderão se esconder, a não ser por pouco tempo, mas em mosteiros assim, muito. E no fim o Senhor descobre e ela não só dana a si, mas a todas. E às vezes as pobrezinhas não têm culpa, porque se deixam levar pelo que encontram. E é pena, porque muitas que querem se afastar do mundo e, pensando que vão servir ao Senhor e se afastar de todos os perigos do mundo, se veem em dez mundos juntos e não sabem como se valer e remediar, pois a mocidade, os sentidos e o demônio convidam-nas e as inclinam a seguir algumas coisas que são do próprio mundo, e ela vê que ali, por assim dizer, as consideram boas. Parece-me, em parte, como os infelizes dos hereges, que querem se cegar e considerar que é bom aquilo que seguem. E creem nisso, assim, sem crer, porque dentro de si têm quem lhes diga que é mal.

5. Oh, grandíssimo mal, grandíssimo mal de religiosos — não falo agora mais das mulheres que dos homens — onde não se guarda a vida religiosa! Em mosteiro onde há dois caminhos: de virtude e vida religiosa, e falta de vida religiosa, e nesses caminhos quase todos andam por igual, disse mal, antes não por igual, pois por nossos pecados caminha-se mais o mais imperfeito, e como há mais dele, é mais favorecido, usa-se tão pouco o da verdadeira vida religiosa que o frade ou a monja que vai começar a seguir de verdade sua vocação mais deve temer os próprios companheiros de sua casa do que a todos os demônios. E mais cautela e dissimulação há de ter para falar da amizade que deseja ter com Deus do que para falar em outras amizades e vontades que o demônio ordena nos mosteiros. E não sei de que nos espantamos que haja tantos males na Igreja, já que os que haviam de ser modelos de onde todos copiassem as virtudes têm tão apagada a obra que o espírito dos santos passados deixou nas ordens religiosas. Queira a Divina Majestade pôr remédio nisso, como se vê que é preciso, amém.

6. Pois, começando eu a ter essas conversas — já que via que eram usuais —, não me parecia que havia de vir à minha alma o dano e a distração que depois entendi serem semelhantes hábitos. Parecia-me que uma coisa tão geral, como é esse visitar muito os mosteiros, não faria mais mal a mim do que às outras, que eu via se-

rem boas — e não dava atenção a que elas eram muito melhores e o que em mim foi perigo em outras não seria tanto. Porque algum perigo duvido eu que deixe de haver, ainda que seja só o de gastar mal o tempo. Estando eu com uma pessoa, bem no início de conhecê-la, quis o Senhor dar-me a entender que não me convinham aquelas amizades, e avisar-me e dar-me luz em tão grande cegueira. Manifestou-se a mim Cristo com muita severidade dando-me a entender o que naquilo o incomodava. Vi com os olhos da alma mais claramente do que poderia ter visto com os do corpo, e ficou tão marcado em mim que faz mais de 26 anos e parece que o tenho presente. Eu fiquei muito assustada e agitada e não queria mais ver a pessoa com quem estava.

7. Causou-me muito dano não saber que era possível ver alguma coisa se não fosse com os olhos do corpo. E o demônio me ajudou a acreditar nisso, e achar que era impossível, e que estava fantasiando e que podia ser o demônio e outras coisas desse tipo. Embora sempre me ficasse um parecer que era Deus e que não era fantasia. Mas, como não satisfazia o meu gosto, eu me desmentia a mim mesma. E, como não ousei falar com ninguém, e voltou a haver, depois, grande importunação, assegurando-me de que não era mal eu ver semelhante pessoa nem perdia a honra, antes ganhava-a, voltei à mesma convivência, e até, em outros tempos, a outras, porque foram muitos anos os que tomou esta recreação pestilencial. Não me parecia — enquanto estava nisso — tão mal quanto era, ainda que às vezes visse claramente que não era bom. Mas nenhuma companhia me causou a distração que essa de que falo, porque eu tinha muita afeição a ela.

8. Estando uma outra vez com a mesma pessoa, vimos vir até nós — e outras pessoas que estavam ali também viram — uma coisa que parecia um sapo grande com muito mais agilidade do que eles costumam ter. Da parte que ele veio não posso entender como pudesse

haver um bicho nojento daquele no meio do dia. Nem nunca houve. E o efeito que causou em mim me parece que não era sem mistério, nem eu esqueci isso jamais. Oh, grandeza de Deus, e com quanto cuidado e piedade Vós estáveis me avisando de todas as maneiras e como eu aproveitei pouco.

9. Havia ali uma monja que era minha parente, antiga[1] e grande serva de Deus e de muita observância na vida religiosa. Ela também me alertava às vezes. E eu não só não acreditava nela, como me aborrecia e me parecia que ela se escandalizava sem ter por quê. Disse isso para que se entenda minha maldade e a grande bondade de Deus e quanto eu tinha merecido o inferno por tão grande ingratidão. E também porque, se o Senhor mandar e for servido que, em algum tempo, alguma monja leia isso, aprenda com meu exemplo, e peço eu, por amor de nosso Senhor, fuja de semelhantes recreações. Queira Sua Majestade que saia do engano por mim, alguma de quantas enganei, dizendo-lhes que não era mal e dizendo seguro tão grande perigo com a cegueira que eu tinha. Porque não queria enganá-las de propósito, mas, pelo mau exemplo que lhes dei — como disse —, fui causa de muitos males não pensando que fazia tanto mal.

10. Estando eu mal naqueles primeiros dias, antes que conseguisse me valer, me dava enorme desejo de ser de valia para os outros. Tentação muito comum entre os que começam, ainda que a mim não tenha me saído bem. Como amava muito meu pai, desejava-lhe o bem que eu parecia ter por ter oração — porque me parecia que nesta vida não poderia haver maior bem do que ter oração. E, assim, por rodeios, como pude, comecei a tentar fazer com que ele a tivesse. Dei-lhe livros para esse propósito. Como era muito virtuoso, como eu disse, assentou tão bem nele essa prática que em cinco ou seis anos — me parece que seria — estava tão adiantado que eu louvava muito ao Senhor, e dava-me grandíssimo

consolo. Eram enormes as dificuldades de todos os tipos que teve. Todas atravessou com imensa resignação. Ia muitas vezes me visitar, porque se consolava em conversar sobre as coisas de Deus.

11. Já depois de eu andar tão distraída e sem ter oração, como pensava que era o caminho que devia seguir, não pude aguentar sem tirá-lo do engano. Porque fiquei um ano ou mais sem ter oração, parecendo-me que isso era humildade maior. E esta, como contarei depois, foi a maior tentação que tive, pois por ela ia conseguir me perder. Porque com a oração, um dia ofendia a Deus, mas voltava em outros a me recolher e afastar-me mais da ocasião de pecado. Como o bendito homem tinha interesse nisso, era duro para mim vê-lo tão enganado pensando que eu tratava com Deus como costumava antes. E disse-lhe que já não tinha oração, ainda que não a causa. Apresentei-lhe como inconveniente minhas doenças, pois, ainda que tivesse sarado daquela tão grave, sempre, até agora, as tive e tenho bem grandes. Mesmo que, de uns tempos para cá, não com tanta gravidade. Mas não me deixam, doenças de muitos tipos. Em especial tive durante vinte anos vômitos pela manhã, que até depois de meio-dia me acontecia não poder fazer o desjejum, algumas vezes até mais tarde. Depois, aqui, como comungo com mais frequência, é à noite, antes de dormir, com muito mais desgosto, que eu tenho que causá-los com plumas ou outras coisas. Porque, se deixo, é muito maior o mal que sinto. E quase nunca estou, a meu parecer, sem muitas dores, e às vezes bem graves, especialmente no coração. Ainda que o mal que me acometia muito continuamente seja agora só muito de vez em quando. Da paralisia grave e das doenças de febre que costumava ter muitas vezes, me acho boa há oito anos. Esses males me incomodam já tão pouco que muitas vezes me alegram, parecendo-me que em algo se serve ao Senhor.

12. E meu pai acreditou que era essa a causa, já que ele não falava mentiras e, considerando nosso relacionamento, não haveria eu de mentir. Disse-lhe, para que mais acreditasse em mim — pois bem via eu que não tinha desculpa —, que já fazia muito por estar no coro. Ainda que tampouco fosse causa suficiente para deixar coisas que não necessitam de força corporal para ser feitas, mas apenas amar e o costume. Pois o Senhor dá sempre oportunidade, se queremos. Digo "sempre", pois, ainda que para muitos as ocasiões e mesmo as doenças impeçam por alguns períodos os momentos de solidão, não deixa de haver outros períodos em que há saúde para tanto. E na própria doença e nas ocasiões é verdadeira oração, quando é alma que ama, oferecer as próprias ocasiões e doenças e recordar-se daquele por quem passa as dificuldades e conformar-se com Ele e mil outras coisas que se podem oferecer. Aqui age o amor, porque não é à força que se há de ter oração quando tem tempo de solidão e no resto não ter oração alguma. Com um pouquinho de cuidado grandes bens se acham no tempo que, com trabalhos, aflições, sofrimentos, o Senhor nos tira do tempo da oração, e assim eu os tinha achado quando tinha boa consciência.

13. Mas ele, com a opinião que tinha sobre mim e o amor que tinha por mim, acreditou em tudo. Teve até pena de mim. Porém como ele já estava em estado tão elevado, já não ficava tanto tempo comigo, mas, logo que havia me visto, ia embora. Porque dizia que era perda de tempo. Como eu o gastava com outras frivolidades, não me importava que fosse.

Não foi só com ele, mas algumas outras pessoas tentei fazer com que tivessem oração. Mesmo andando eu nessas vaidades, quando as via amigas de rezar, dizia-lhes como teriam meditação e ajudava-as e dava-lhes livros. Porque esse desejo de que outros servissem a Deus, desde que comecei oração — como disse — eu tinha.

Parecia-me que, já que eu não servia ao Senhor como gostaria, que não se perdesse o que Sua Majestade me havia dado a entender e que outros lhe servissem por mim. Digo isso para que se veja a grande cegueira em que estava, que me deixava perder a mim e procurava ganhar a outros.

14. Nesse tempo deu no meu pai a doença de que morreu. Durou alguns dias. Eu fui tratar dele, estando mais doente na alma do que ele no corpo, em muitas vaidades, ainda que não de maneira que — tanto quanto sabia — estivesse em pecado mortal durante todo esse tempo mais perdido que conto, porque, sabendo eu, de jeito nenhum teria estado.

Tive muito trabalho em sua doença, creio que o servi um pouco do que ele passou com as minhas. Como estava bastante mal, me esforçava. E, já que com o faltar-me ele, faltaria toda minha alegria e prazer — porque em um ser só as tinha —, tive tanta força para não mostrar-lhe tristeza e ficar, até que morreu, como se não sentisse nada, parecendo-me que se me arrancava a alma quando via acabar sua vida, porque o amava muito.

15. Foi coisa de louvar o Senhor a morte que morreu. E a vontade que tinha de morrer, os conselhos que nos dava depois de ter recebido a extrema-unção, o encarregar-nos de o encomendar a Deus e pedir misericórdia por ele e que sempre servíssemos a Deus, que prestássemos atenção que tudo se acaba. E com lágrimas nos falava da grande tristeza que tinha por não lhe haver servido ele, que tinha querido ser frade, e digo, teria sido dos mais rigorosos que houvera.

Tenho certeza de que quinze dias antes o Senhor deu a entender a ele que não haveria de viver. Porque antes, ainda que estivesse mal, não pensava nisso. Depois, mesmo com grande melhora e de dizê-lo os médicos, nenhum caso fazia disso, mas só pensava em ordenar sua alma.

16. Foi seu principal mal uma dor enorme nas costas que não o abandonava. Algumas vezes doía tanto que o afligia muito. Eu lhe disse que, já que era tão devoto de quando o Senhor levava a cruz às costas, que pensasse que Sua Majestade queria dar-lhe sentir algo do que havia passado com aquela dor. Consolou-se tanto que me parece que nunca mais o ouvi se queixar. Ficou três dias muito sem consciência. No dia em que morreu, devolveu-a o Senhor a ele tão inteira que nos espantávamos, e a manteve até que, na metade do Credo, dizendo-o ele mesmo expirou.[2] Ficou como um anjo. Assim me parecia a mim que ele era — maneira de dizer — em alma e disposição, pois a tinha muito boa. Não sei para que disse isso, se não for para culpar mais minha vida ruim depois de ter visto tal morte e conhecido tal vida, porque, por parecer-me um pouco a um tal pai, havia eu de melhorar. Dizia seu confessor — que era um dominicano, muito grande letrado[3] — que não duvidava de que ele fosse direto para o céu, porque havia alguns anos que ouvia sua confissão e louvava sua limpeza de consciência.

17. Esse padre dominicano, que era muito bom e temente a Deus, me foi de grande proveito. Porque me confessei com ele e ele tomou a si fazer bem à minha alma com cuidado e me fazer entender a perdição que trazia. Fazia-me comungar a cada quinze dias. E, pouco a pouco, começando a me relacionar com ele, contei-lhe de minha oração. Disse-me que não a deixasse, que de nenhuma maneira me poderia fazer nada senão bem. Comecei a voltar a ela, ainda que não a deixar as ocasiões de pecado, e nunca mais a deixei. Levava uma vida penosíssima, porque na oração compreendia mais minhas faltas: de um lado, Deus me chamava, de outro, eu seguia o mundo. Parece que queria juntar esses dois contrários — tão inimigos um do outro —, como são a vida espiritual, e alegrias e prazeres e passatempos dos sentidos.

Na oração tinha grande trabalho porque não ia o espírito como senhor, mas como escravo. E, assim, não podia me fechar dentro de mim, que era o modo de proceder que tinha na oração, sem fechar junto comigo mil vaidades.

Passei muitos anos assim e agora me espanto: que coisa me permitiu não abandonar a um ou a outro? Bem sei que deixar a oração já não estava em minhas mãos, porque me segurava com as suas aquele que me queria para fazer maiores dádivas.

18. Oh, valha-me Deus, se tivesse que dizer as ocasiões de pecado de que durante esses anos Deus me tirava, e como eu voltava a me meter nelas e dos perigos de perder de todo o crédito de que me livrou! Eu a fazer obras para descobrir quem era, e o Senhor a encobrir os males e descobrir alguma virtude, se é que a tinha, e fazê-la grande aos olhos de todos. De maneira que sempre me tinham em alta conta, porque, ainda que algumas vezes se traíssem minhas vaidades, como viam outras coisas que lhes pareciam boas, não acreditavam.

É que o Sabedor de todas as coisas já tinha visto que era preciso ser assim, para que, depois, nas coisas que eu falava de seu serviço, me dessem algum crédito. E sua soberana largueza olhava não os grandes pecados, mas, muitas vezes, os desejos que eu tinha de servir-lhe e a tristeza por não ter em mim força para tudo pôr em obra.

19. Oh, Senhor de minha alma, como poderei enaltecer as dádivas que nesses anos me fizestes! E como no tempo em que eu mais vos ofendia em breve me dispúnheis com grandíssimo arrependimento para que gozasse de vossos presentes e dádivas! Na verdade, escolhíeis, Rei meu, o mais delicado e penoso castigo que para mim poderia existir, como quem entendia bem o que me havia de ser mais penoso. Com grandes presentes castigáveis meus delitos.

E não creio que diga desatinos, ainda que fosse bom que eu estivesse desatinada, trazendo a minha memória agora de novo minha ingratidão e maldade. Era tão mais penoso para minha condição receber dádivas, quando tinha caído em graves culpas, do que receber castigos. Porque uma só das dádivas me parece, é verdade, me desfazia e confundia mais e desanimava do que muitas enfermidades com outros muitos trabalhos juntos. Porque os sofrimentos eu via que merecia, e me parecia que assim pagava alguma coisa dos meus pecados, ainda que fosse pouco, já que eles eram muitos. Mas ver-me receber de novo dádivas tendo pagado tão mal as já recebidas é um gênero de tormento para mim terrível e, creio, para todos os que tiveram algum conhecimento ou amor de Deus, e esse por uma condição virtuosa podemos daqui tirar. Aí estavam minhas lágrimas e meu desgosto de ver o que sentia, vendo-me de sorte que estava em véspera de tornar a cair, ainda que meus desejos e determinações então — por aquele período digo — estivessem firmes.

20. Grande mal é uma alma solitária entre tantos perigos. Parece-me que, se eu tivesse com quem conversar tudo isso, me ajudaria a não voltar a cair, por vergonha, se quiser, já que não a tinha de Deus. Por isso eu aconselharia aos que têm oração, especialmente no início: procurem amizade e relações com pessoas que vivam a mesma coisa. É uma coisa importantíssima, ainda que não seja senão ajudar-se uns aos outros com suas orações, quanto mais que há muito mais ganhos! E eu não sei por que, já que de conversas e vontades humanas, ainda que não sejam muito boas, procuram-se amigos com quem descansar e para ter mais gosto ao contar aqueles prazeres frívolos, não se há de permitir que quem comece de verdade a amar a Deus e a servir-lhe converse com algumas pessoas sobre seus prazeres e esforços, pois de tudo tem quem tem oração.

Porque se é de verdade a amizade que quer ter com Sua Majestade, não tenha medo de vanglória. E quando o primeiro movimento lhe acometer, saia dele com mérito. E creio que aquele que conversar com essa intenção, tirará proveito, ele e os que o ouvirem, e sairá mais ensinado. E ainda, sem saber como, ensinará a seus amigos.

21. O que se vangloriar por falar disso, também o fará por ouvir missa com devoção, se o virem, e em fazer outras coisas que, sob pena de não ser cristão, tem que fazer e não se vão abandonar por medo de vanglória. Pois é tão importantíssimo isso para almas que não estejam fortalecidas na virtude, já que têm tantos contrários e amigos para incitar ao mal, que não sei como o enaltecer o suficiente.

Parece-me que o demônio usou esse ardil: que se escondam tanto para que não se descubra que de verdade querem amar e agradar a Deus, como incitou a que se descubram outras vontades desonestas, que, de tão usadas, já parece que tomam por elegância e se publicam as ofensas que neste caso fazem a Deus.

22. Não sei se digo desatinos. Se são, o senhor[4] os corte, e se não são, suplico-lhe que ajude minha simplicidade acrescentando aqui muito. Porque andam as coisas de Deus tão fracas que é preciso defenderem-se uns aos outros os que o servem para ir em frente. E para esses há poucos olhos e, se um começa a se dedicar a Deus, há tantos que murmuram, que é preciso buscar companhia para defender-se até que já estejam fortes e não lhes incomode o sofrer. Senão, ver-se-ão em grande aperto.

Parece-me que deve ser por isso que costumavam alguns santos ir para os desertos. E é um gênero de humildade não confiar em si, mas crer que Deus o ajudará por aqueles com quem conversa. E a caridade cresce ao ser comunicada. E há mil bens dos quais não ousaria falar se não tivesse grande experiência do muito que vai com isso.

É verdade que sou mais fraca e ruim do que todos os nascidos. Mas creio que não perderá quem, humilhando-se, ainda que seja forte, não acredite em si, e creia nisso em quem tem experiência. De mim, sei dizer que, se o Senhor não me tivesse revelado essa verdade e dado meios para que eu muito frequentemente conversasse com pessoas que têm oração, caindo e levantando iria dar no inferno. Porque para cair tinha muitos amigos que ajudavam. Para levantar achava-me tão só que agora me espanto como não ficava sempre caída, e louvo a misericórdia de Deus, que era só Ele quem me dava a mão. Bendito seja para sempre e sempre, amém.

CAPÍTULO 8

TRATA DO GRANDE BEM QUE LHE FEZ NÃO SE AFASTAR DE TODO DA ORAÇÃO PARA NÃO PERDER A ALMA E QUE EXCELENTE REMÉDIO É PARA GANHAR O PERDIDO. PERSUADE A QUE TODOS A TENHAM. DIZ COMO É TÃO GRANDE GANHO E QUE, AINDA QUE VOLTEM A DEIXÁ-LA, É UM GRANDE BEM USAR POR ALGUM TEMPO DE UM TÃO GRANDE BEM

1. Não sem motivo ponderei tanto esse tempo da minha vida, pois bem sei que não dará gosto a ninguém ver coisa tão ruim. Por certo quereria que me tivessem aversão os que lerem isto ao ver uma alma tão pertinaz e ingrata com quem lhe deu tantas dádivas. E quisera ter permissão para dizer as muitas vezes que, nesse tempo, faltei a Deus por não estar escorada nessa forte coluna da oração.

2. Passei por esse mar tempestuoso quase vinte anos com essas quedas e com levantar-me, e mal — pois tornava a cair —, e numa vida tão baixa em perfeição que quase nenhum caso fazia de pecados veniais. E os mortais, ainda que os temesse, não era como devia ser, porque não me afastava dos perigos. Sei dizer que é uma das vidas mais tristes que, parece-me, se podem imaginar. Porque nem eu gozava de Deus, nem tinha alegria no mundo. Quando estava nas alegrias do mundo, ao lem-

brar-me do que devia a Deus, era com tristeza. Quando estava com Deus, os prazeres do mundo me desassossegavam. Isso é uma guerra tão penosa que não sei como se pode aguentá-la um mês, quanto mais tantos anos.

Contudo vejo claramente a grande misericórdia que o Senhor teve comigo. Já que tinha que conviver com o mundo, que tivesse coragem para ter oração. Digo coragem porque não sei para que coisa, de quantas há no mundo, é preciso maior do que para viver em traição ao Rei e saber que Ele o sabe e nunca tirar isso de diante dos olhos. Porque, embora sempre estejamos diante de Deus, parece-me ser de outra maneira para os que vivem em oração, porque estão vendo que os olha, pois os demais pode ser que fiquem alguns dias sem nem lembrar que Deus os vê.

3. É verdade que nesses anos houve muitos meses — e creio que alguma vez um ano — em que me guardava de ofender ao Senhor e me entregava muito à oração e tomava algumas e grandes providências para não vir a ofendê-lo. Para que tudo o que eu escrevo vá dito com toda a verdade é que falo agora disso. Mas lembro-me de poucos desses dias bons e, assim, deviam ser poucos os bons, e muitos os ruins. Poucos dias se passavam sem eu ter períodos longos de oração, se não fosse por estar muito doente ou muito ocupada. Quando estava mal, ficava melhor com Deus. Procurava fazer com que as pessoas com as quais convivia também estivessem e suplicava ao Senhor. Falava muitas vezes d'Ele. Assim, se não pelo ano que já disse, nos 28 anos desde que comecei oração, mais de dezoito passei nessa batalha e contenda de viver com Deus e com o mundo. Nos outros que agora me ficam por contar, mudou-se a causa da guerra, ainda que ela não tenha sido pequena. Mas desde que estou, pelo que penso, a serviço de Deus e com conhecimento da vaidade do mundo, tudo tem sido suave, como direi depois.

4. O motivo pelo qual contei tanto sobre isso é, como já disse, para que se veja a misericórdia de Deus e minha ingratidão. O outro é para que se entenda o grande bem que faz Deus a uma alma que Ele dispõe a ter oração com vontade, ainda que não esteja tão disposta quanto é preciso. E como, se nela persevera, através de pecados e tentação e quedas e mil maneiras que ponha o demônio, no fim, tenho por certo, o Senhor a leva a um porto de salvação, como, ao que parece agora, me levou a mim. Queira Sua Majestade que eu não volte a me perder.

5. O bem que tem quem se exercita em oração, há muitos santos e bons que o escreveram. Oração mental, digo. Glória a Deus por isso! E se não fosse isso, ainda que eu seja pouco humilde, não seria tão soberba que ousasse falar.

Daquilo em que tenho experiência, eu posso falar e é que: por mais males que faça quem a tenha começado, não a deixe, pois é o meio pelo qual voltará a se emendar e sem ela será muito mais difícil. E não a tente o demônio, da maneira como tentou a mim, a deixá-la por humildade. Creia que não podem falhar as palavras d'Ele. Que nos arrependendo de verdade e decidindo-nos a não O ofender, volta à amizade em que estava e a fazer as dádivas que antes fazia, e às vezes muito mais, se o arrependimento merecer. A quem não começou, por amor do Senhor eu peço que não se prive de tanto bem. Aqui, não precisa ter medo, mas só desejar. Porque, no caso de não ir adiante nem se esforçar a ser perfeito, a ponto de merecer os gostos e as delícias que Deus dá a esses que avançam, por menos que ganhe, irá compreendendo o caminho para o céu. E se perseverar, confio na Misericórdia de Deus, pois ninguém o tomou como amigo que Ele não pagasse.[1] Pois não é outra coisa a oração mental, a meu parecer, senão conviver em amizade, estando muitas vezes conversando a sós com aquele que sabemos que nos ama. E até, se não o amam, é porque, para ser verdadeiro o amor e para que dure a amizade, devem se encontrar as condições. A do Senhor já se sabe que não pode ter falha. A nossa é ser viciosa, sensual, ingrata. Assim, não se pode conseguir amá-lo tanto, porque não é da condição de vocês. Mas vendo o muito que importa para vocês ter a amizade d'Ele e o muito que ama vocês, superam essa pena de ficar muito tempo com quem é tão diferente de vocês.

6. Oh, bondade infinita de meu Deus, pois me parece que vejo a vocês e me vejo a mim desse jeito! Oh, delícia dos anjos, que toda me quereria, quando vejo isso, desfazer-me por amar-vos. Como é certo que suportais aqueles que suportam que estejais com eles![2] Oh, que bom amigo fazeis, Senhor meu. Como o vais regalando e suportando. E como esperais que se faça de vossa condição enquanto suportais a dele! Levais em conta, meu Senhor, os momentos que vos ama e com um instante de arrependimento esqueceis o que vos ofendeu! Vi claramente por mim e não vejo, Criador meu, por que todo mundo não procura se aproximar de Vós por essa amizade particular. Os maus, que não são de vossa condição, para que os façais bons. Para que com isso possam suportar que estejais com eles, pelo menos duas horas por dia. Mesmo que eles não estejam convosco sem mil revoltas de preocupações e pensamentos do mundo, como eu fazia. Por esse esforço que fazem em querer estar em tão boa companhia — vede que nisso, no início, não conseguem mais do que querer, nem depois, às vezes — forçais Vós, Senhor, os demônios, para que não os ataquem e cada dia tenham menos força contra eles e a dais a eles para vencerem os demônios.

Sim, pois não matais a ninguém — Vida de todas as vidas! — dos que confiam em Vós e dos que vos querem como amigo. Ao contrário, sustentais a vida do corpo com mais saúde e a dais à alma.

7. Não entendo isto que temem os que temem começar oração mental, e não sei o que temem. Bem faz o

demônio de pôr medo para nos fazer mal de verdade, se com os medos me fizer não pensar naquilo em que ofendi a Deus e no muito que lhe devo, e em que há o inferno e há a glória, e nos grandes sofrimentos e dores que passou por mim.

Essa era toda a minha oração e foi enquanto andei nesses perigos e nisso estava o meu pensamento o quanto eu podia. E muitas e muitas vezes, durante alguns anos, cuidava mais de desejar que acabasse a hora que tinha para ficar comigo e escutar quando dava o relógio, do que em coisas boas. E muitas vezes não sei que penitência grave me poderiam dar que eu não enfrentasse mais de bom grado do que me recolheria para ter oração.

E é certo que era tão insuportável a força que o demônio me fazia, ou meu mau hábito, para que não fosse à oração e a tristeza que me dava entrando no oratório, que era preciso ajudar-me de toda minha coragem para forçar-me, e, no fim ajudava-me o Senhor. E dizem que eu não tenho pouca coragem e viu-se que Deus me deu mais do que de mulher. Mas eu a empreguei mal. E depois que me havia feito essa violência me achava com mais quietude e prazer do que algumas vezes em que tinha desejo de rezar.

8. Pois se uma coisa ruim como eu tanto tempo o Senhor aguentou — e se vê claramente que por isso se remediaram meus males —, que pessoa, por má que seja, poderá temer? Porque por muito que o seja, não o será tantos anos depois de receber tantas dádivas do Senhor. Nem quem poderá não confiar, já que a mim tanto aguentou, só porque eu desejava e procurava algum lugar e tempo para que estivesse comigo? E isso muitas vezes sem vontade, por grande força que fazia contra mim, ou o Senhor mesmo a fazia. Uma vez que, aos que não o servem, antes o ofendem, faz tão bem a oração e lhes é tão necessária e ninguém pode achar de verdade dano que possa fazer que não fosse maior o não tê-la, os que servem a Deus e

querem servir por que haverão de deixá-la? Com certeza, se não for para passar com mais dificuldade as dificuldades da vida, eu não posso entender. E para fechar a Deus a porta para que por ela não lhes dê alegria. Certamente tenho pena deles que a sua custa servem a Deus. Porque aos que vivem na oração, o próprio Senhor lhes paga o custo, pois, por um pouco de trabalho, dá gosto para que com ele atravessem as dificuldades.

9. Uma vez que desses gostos que o Senhor dá aos que perseveram na oração se falará muito, não digo nada aqui. Só digo que, para essas dádivas tão grandes que me fez, a porta é a oração. Fechada essa, não sei como as fará. Porque, ainda que queira entrar a deliciar-se com uma alma e deliciá-la, não tem por onde, pois a quer só e limpa e com desejos de receber as dádivas. Se lhe pomos muitos tropeços e não pomos esforço nenhum em tirá-los, como há de vir a nós? E queremos que nos faça Deus grandes dádivas!

10. Para que vejam sua misericórdia e o grande bem que foi para mim não ter deixado a oração e a leitura, direi aqui — pois é tão importante entender — a artilharia que dá o demônio a uma alma para ganhá-la, e o artifício e a misericórdia com que o Senhor procura tomá-la para si e protejam-se dos perigos de que eu não me protegi. E acima de tudo, por amor de nosso Senhor e pelo grande amor com que anda granjeando voltar-nos para Ele, peço eu que se guardem das ocasiões de pecado. Porque postos nelas não há como confiar onde tantos inimigos nos combatem e tantas fraquezas há em nós para nos defendermos.

11. Quisera eu saber ilustrar o cativeiro em que, nesses tempos, mantinha minha alma. Porque bem entendia eu que era escrava e não conseguia entender do quê. Nem podia acreditar de todo que aquilo que meus confessores não consideravam tão grave fosse tão mal quanto eu sentia na minha alma. Disse-me um, indo eu

procurá-lo com um escrúpulo, que, ainda que eu tivesse uma contemplação elevada, não eram um inconveniente para mim as ocasiões e as conversas. Isso era já no fim, pois eu ia, com o favor de Deus, afastando-me mais dos perigos grandes. Mas não saía de todo da ocasião de pecado. Como me viam com bons desejos e ocupação de oração parecia-lhes que eu fazia muito. Mas percebia minha alma que não era fazer o que era obrigada a quem eu devia tanto. Tenho pena dela agora pelo muito que passou e pelo pouco socorro que tinha de todas as partes, a não ser de Deus, e a muita saída que davam para seus passatempos e alegrias com dizer que eram lícitos.

12. O tormento nos sermões, então, não era pequeno. E eu era grande entusiasta deles. De maneira que, se via alguém pregar com espírito e bem, me tomava de um amor particular por ele, sem que eu procurasse isso, e não sei quem o punha em mim. Quase nunca me parecia tão ruim um sermão que não o ouvisse de boa vontade, ainda que no dizer dos outros que o ouviam não pregasse bem. Se fosse bom, era para mim uma recreação muito especial. De falar de Deus ou de ouvir sobre Ele quase nunca me cansava, e isto depois que comecei oração. Por um lado tinha uma grande consolação nos sermões, por outro, me atormentavam. Porque aí eu entendia que não era a que eu devia ser, de muitos pontos de vista. Suplicava ao Senhor que me ajudasse, mas devia falhar — pelo que me parece agora — por não pôr em todas as coisas a confiança em Sua Majestade e perdê-la completamente em mim. Buscava remédio, fazia esforços, mas não devia entender que tudo era de pouco proveito se, tirada totalmente a confiança em nós, não a pomos em Deus. Desejava viver — pois bem entendia que não vivia, mas sim que pelejava com uma sombra de morte — e não havia quem me desse vida, e eu não a podia tomar. E quem me podia dá-la tinha razão de não me socorrer, pois tantas vezes me havia virado para si e eu o havia deixado.

CAPÍTULO 9

TRATA DOS MEIOS PELOS QUAIS O SENHOR COMEÇOU A DESPERTAR SUA ALMA E DAR-LHE A LUZ EM TREVAS TÃO GRANDES E A FORTALECER SUAS VIRTUDES PARA QUE NÃO O OFENDESSE

1. Pois já andava minha alma cansada e, ainda que quisesse, não a deixavam descansar os costumes ruins que eu tinha. Aconteceu-me que, entrando um dia no oratório, vi uma imagem que tinham levado para lá para guardar. Tinha sido trazida para uma celebração que se fazia em casa. Era de Cristo muito chagado e tão piedosa que, ao olhá-la, me perturbei toda de vê-lo assim, porque representava bem o que passou por nós. Foi tanto o que senti do mal que havia agradecido aquelas chagas, que meu coração parecia que ia se quebrar. Joguei-me junto a Ele com enorme derramar de lágrimas, suplicando-lhe que me fortalecesse de uma vez para não mais o ofender.

2. Eu era muito devota da gloriosa Madalena. Muitas e muitas vezes pensava em sua conversão. Especialmente quando comungava. Pois, como sabia que estava ali com certeza o Senhor dentro de mim, punha-me a seus pés, parecendo-me que minhas lágrimas não eram de se desprezar.[1] E não sabia o que dizia, pois muito fazia quem por mim consentia que eu as derramasse, já que tão depres-

sa me esquecia daquele sentimento. E encomendava-me a essa gloriosa santa para que me alcançasse o perdão.

3. Mas essa última vez, da imagem que conto, me parece que me aproveitou mais, porque estava já muito desconfiada de mim e punha toda a confiança em Deus. Parece-me que lhe disse então que não iria me levantar dali até que Ele fizesse o que eu suplicava. Creio com certeza que me foi proveitoso porque fui melhorando muito desde então.

4. Tinha esta maneira de rezar: já que, como não podia discorrer no entendimento, procurava representar a Cristo dentro de mim, e achava-me melhor — ao que me parece — nos lugares em que eu o via mais só. Parecia-me que, estando só e aflito como uma pessoa necessitada, como a pessoa necessitada haveria de me aceitar. Tinha muitas dessas simplicidades. Em especial me achava muito bem na oração do Horto.[2] Ali eu o acompanhava. Pensava naquele suor e na aflição que tinha tido ali. Se pudesse, desejava limpar aquele suor tão penoso. Mas lembro-me de que jamais ousava me decidir a fazê-lo, quando meus pecados me pareciam tão graves. Ficava ali com Ele o mais que me deixassem os meus pensamentos, porque eram muitos os que me atormentavam.

Por muitos anos, na maioria das noites, antes de dormir — quando para dormir me encomendava a Deus — sempre pensava um pouco nesse passo da oração do Horto. Mesmo antes de ser monja, porque tinham me dito que assim se ganhavam muitos perdões. E tenho para mim que, por esse meio, ganhou muito a minha alma, porque comecei a ter oração sem saber o que era e logo o costume tão comum me fazia não deixar isso, assim como não deixava de me benzer para dormir.

5. Voltando então ao que dizia do tormento que me davam meus pensamentos, esse modo de proceder sem discurso da inteligência tem este: a alma tem que estar muito ganha ou perdida. Digo perdida a concentração.

Em tirando proveito, tira muito proveito, pois trata-se de amar. Mas para chegar lá é a muito custo, salvo para as pessoas que o Senhor quer fazer chegar muito em breve à oração de quietude, e eu conheço algumas. Para as que vão por esse caminho é bom um livro para se recolherem rapidamente. Para mim também ajudava ver o campo, ou água, flores. Nessas coisas achava eu memória do Criador, quero dizer, me despertavam e recolhiam e serviam de livro. E na minha ingratidão e pecados. Nas coisas do céu e em coisas elevadas era meu entendimento tão grosseiro que nunca, nunca as pude imaginar, até que por outro modo o Senhor as tornou presentes para mim.

6. Tinha tão pouca habilidade para representar coisas com o entendimento que, se não fosse o que via, não me adiantava nada a imaginação, como fazem outras pessoas que conseguem fazer representações onde se recolhem. Eu só podia pensar em Cristo como homem. Mas é dessa forma que nunca o pude representar em mim, por mais que tivesse lido sobre sua beleza e visse imagens, a não ser como quem está cego, ou no escuro, e, ainda que fala com uma pessoa e percebe que está com ela, porque sabe com certeza que ela está ali, quer dizer, ouve e crê que ela está ali, mas não a vê. Dessa maneira acontecia comigo quando pensava em nosso Senhor. Por causa disso era tão amiga de imagens. Infelizes os que por sua culpa perdem esse bem! Parece bem que não amam ao Senhor, porque, se o amassem, ficariam alegres de ver seu retrato, como mesmo aqui no mundo dá alegria ver o retrato de quem se quer bem.

7. Nesse tempo me deram as *Confissões*, de Santo Agostinho. Parece que o Senhor o ordenou porque eu nunca as procurei nem nunca as tinha visto. Eu sou muito afeiçoada a Santo Agostinho, porque o mosteiro em que estive como secular era da sua ordem. E também por ter sido pecador, pois nos santos que depois de sê-lo o Senhor fez voltar a si eu achava muito consolo, pare-

cendo-me que neles eu haveria de encontrar ajuda. E eu, da maneira como os havia o Senhor perdoado, poderia fazer a mim. Só uma coisa me desconsolava, como disse, pois a eles o Senhor chamou uma só vez e não tornaram a cair, e comigo eram já tantas que me desanimava. Mas, considerando o amor que tinha por mim, voltava a me animar, pois nunca duvidei de sua misericórdia. De mim, duvidei muitas vezes.

Oh, valha-me Deus, como me espanta a dureza que teve minha alma tendo tantas ajudas de Deus! Faz-me ficar temerosa o pouco que conseguia comigo e quão amarrada me via para não me decidir a dar-me toda a Deus.

8. Quando comecei a ler as *Confissões,* parecia que me via ali. Comecei a encomendar-me muito a esse glorioso santo. Quando cheguei à sua conversão e li como ouviu aquela voz no Horto, parecia-me que o Senhor a havia dado a mim. Era o que sentia no coração. Fiquei muito tempo de um jeito que me desfazia em lágrimas comigo mesma em grande aflição e desânimo.

Oh, como sofre uma alma, valha-me Deus, por perder a liberdade que devia ter de ser senhora, e quantos tormentos padece! Eu me admiro agora de como podia viver em tanto tormento. Seja louvado Deus que me deu vida para sair de morte tão mortal!

9. Parece-me que ganhou grandes forças minha alma, da Divina Majestade, e que devia ouvir meus clamores e ter pena de tantas lágrimas. Começou a crescer em mim o apego a ficar mais tempo com Ele e tirar os olhos das ocasiões de pecado, porque, deixadas estas, logo voltava a amar Sua Majestade, pois bem entendia eu — no meu parecer — que o amava, mas não entendia em que consiste o amar de verdade a Deus como haveria de entender. Não me parece que eu conseguia me dispor a querer servi-lo quando Sua Majestade começava a voltar a presentear. Parece que aquilo que os outros procuram com grande trabalho adquirir, insistia o Senhor comigo para

que eu quisesse receber. Pois era já nesses últimos anos dar-me prazeres e presentes. Suplicar eu que me os desse, ou ternura na piedade, jamais me atrevi a isso. Só pedia que me desse a graça para não o ofender e me perdoasse os grandes pecados. Como eu os via tão grandes, mesmo desejar presentes e prazeres nunca, conscientemente, ousava. Muito, me parece, fazia sua piedade e com verdade tinha muita misericórdia comigo em consentir-me estar diante dele e trazer-me à sua presença, pois via eu que, se ele não procurasse tanto, eu não viria.

Só uma vez na minha vida me lembro de pedir-lhe um gosto, estando com muita secura. E assim que percebi o que fazia fiquei tão confusa que o próprio desânimo de me ver tão pouco humilde me deu o que havia me atrevido a pedir. Eu bem sabia que era lícito pedir, mas parecia-me que isso era para os que estão preparados depois de ter procurado o que é a verdadeira devoção com todas as suas forças, que é: não ofender a Deus e estar dispostos e determinados a todo o bem. Parecia-me que aquelas minhas lágrimas eram coisas de mulher e sem força, pois não alcançava com elas o que desejava.

Apesar de tudo, creio que me valeram. Porque, como ia dizendo, em especial nessas duas vezes de tão grande compunção delas e desânimo do meu coração, comecei mais a dar-me à oração e a viver menos em coisas que me prejudicassem, ainda que não as deixasse de todo. Mas, como disse, foi me ajudando Deus a desviar-me. Como Sua Majestade não estava esperando em mim senão alguma condição, foram crescendo as dádivas espirituais da maneira que direi. Coisa não usada dá-las o Senhor a não ser aos que têm mais limpeza de consciência.

CAPÍTULO 10

COMEÇA A DECLARAR AS DÁDIVAS QUE O SENHOR LHE FAZIA NA ORAÇÃO, E NO QUE PODEMOS NÓS NOS AJUDAR, E O MUITO QUE IMPORTA QUE ENTENDAMOS AS DÁDIVAS QUE O SENHOR NOS FAZ. PEDE ÀQUELE[1] A QUEM ISSO ENVIA QUE, DAQUI PARA A FRENTE, SEJA SECRETO O QUE ESCREVER, JÁ QUE A MANDAM DIZER TÃO MINUCIOSAMENTE AS DÁDIVAS QUE LHE FAZ O SENHOR

1. Tinha eu algumas vezes, como disse, ainda que com muita brevidade passasse, um começo do que agora direi. Acontecia-me nessa representação que fazia de me pôr ao lado de Cristo de que falei, e também algumas vezes, lendo, vir inesperadamente um sentimento da presença de Deus que de maneira nenhuma eu podia duvidar de que estivesse dentro de mim ou eu mergulhada n'Ele. Isso não era como uma visão. Creio que chamam de "teologia mística". Suspende a alma de maneira que parece estar toda fora de si. A vontade ama. A memória me parece estar quase perdida. O entendimento não discorre, a meu parecer, mas não se perde. Mas, como digo, não opera, antes fica como espantado com o muito que entende. Porque quer Deus que ele entenda que, daquilo que Sua Majestade lhe apresenta, não entende coisa alguma.

2. Primeiro tinha tido durante muito tempo uma ternura que, me parece, algo dela se pode procurar: um

prazer que nem é bem todo dos sentidos, nem bem é espiritual. Tudo é dado por Deus, mas parece que para isso nos podemos ajudar muito ao considerar nossa baixeza e a ingratidão que temos com Deus, o muito que fez por nós, sua Paixão com tão graves dores, sua vida tão afligida. Ao deleitarmo-nos em ver suas obras, sua grandeza, o tanto que nos ama. Muitas outras coisas, que, quem com cuidado quer aproveitar, tropeça muitas vezes nelas, mesmo que não ande com muita atenção. Se com isso há algum amor, regala-se a alma, enternece-se o coração, vêm as lágrimas. Algumas vezes parece que as arrancamos à força, outras parece que o Senhor faz de modo a que não possamos resistir. Parece que nos paga Sua Majestade aquele cuidadinho com um dom tão grande, como é o consolo que dá a uma alma ver que chora por tão grande Senhor. E não me espanto, pois sobra razão para consolar-se. Aí se delicia, aí se alegra.

3. Parece-me boa esta comparação que agora me ocorre: que são estes gozos de oração como devem ser os daqueles que estão no céu. Pois, como não viram mais do que o que o Senhor — conforme o que merecem — quer que vejam, e veem seus poucos méritos, cada um fica contente com o lugar em que está, apesar de haver tão enorme diferença entre os diferentes gozos no céu. Muito mais do que aqui há de uns gozos espirituais a outros, que já é enorme.

E verdadeiramente, uma alma em seus princípios, quando Deus lhe faz essa dádiva, quase lhe parece que não há mais o que desejar e se dá por bem paga de tudo quanto serviu. E sobra-lhe razão. Pois uma lágrima dessas que, como digo, quase temos que procurar — ainda que sem Deus não se faça coisa alguma — não me parece que com todos os trabalhos do mundo se possa comprar, porque se ganha muito com elas. E que maior ganho do que ter algum testemunho de que contentamos a Deus?

4. Assim, quem chegar aqui louve-o muito e saiba-se grande devedor, porque já parece que Deus o quer para sua casa e escolhido para seu reino, se Ele não voltar atrás. Não se importe com certas humildades que existem, de que penso tratar, pois parece humildade não perceber que o Senhor vai dando dons. Entendamos bem, bem, como é isso: Deus nos dá os dons sem nenhum merecimento nosso. Porque, se não reconhecemos que recebemos, não despertamos para amar.

E é coisa muito certa que, quanto mais vemos que estamos ricos, mesmo sabendo que somos pobres, mais proveito tiramos, e ainda mais verdadeira a humildade. O resto é acovardar o ânimo a achar que não é capaz de grandes bens, se, ao começar o Senhor a dá-los, começa a atemorizar-se com medo de vanglória. Creiamos que quem nos dá os bens nos dará a graça para que, começando o demônio a tentar-lhe dessa maneira, entenda e fortaleça-se para resistir, digo, se andarmos com simplicidade diante de Deus, pretendendo contentar só a ele, e não aos homens.

5. É uma coisa muito clara que amamos mais a uma pessoa quando nos lembramos muito das boas obras que nos faz. Pois se é lícito, e tão meritório que conservemos a memória que recebemos de Deus o ser, e que nos criou do nada, e que nos sustenta, e todos os demais benefícios de sua morte e sofrimentos, pois muito antes que nos criasse os havia feito por cada um dos que agora vivem, por que não será lícito que eu entenda e veja e pense muitas vezes que antes costumava falar sobre vaidades e que agora me deu o Senhor que não queira falar senão dele? Tenho aqui uma joia que, lembrando-nos de que é dada, e já a possuímos, forçosamente convida a amar, pois todo o bem da oração se funda na humildade. Pois o que será quando virem em seu poder outras joias mais preciosas, como as que já receberam alguns servos de Deus, de menosprezo do mundo e até de si mesmos? É

claro que vão se considerar mais devedores e mais obrigados a servir e entender que não tínhamos nada disso e a conhecer a largueza do Senhor. Pois a uma alma tão pobre e ruim e de nenhum merecimento como a minha, a que bastava a primeira dessas joias e sobrava para mim, quis me dotar de mais riquezas do que eu saberia desejar.

6. É preciso tirar forças de novo para servir e procurar não ser ingrato. Porque com esta condição dá o Senhor as joias: se não usarmos bem do tesouro e do grande estado em que nos põe, voltará a tomá-lo de nós. E ficaremos muito mais pobres e dará Sua Majestade as joias a quem brilhe e tire proveito delas para si e para os outros.

Então, como vai tirar proveito e gastar com largueza quem não sabe que está rico? É impossível — por causa de nossa natureza, na minha opinião — ter ânimo para coisas grandes quem não percebe estar favorecido por Deus. Porque somos tão miseráveis e tão inclinados às coisas da terra que mal poderá ter aversão de fato pelas coisas daqui com grande desprendimento quem não sabe ter alguma prenda das coisas de lá. Porque com esses dons é onde o Senhor nos dá a fortaleza, que por nossos pecados perdemos. E pouco desejará uma pessoa que todos fiquem descontentes com ela e tenham aversão a ela e todas as demais virtudes que têm os perfeitos, se não tiver alguma prenda do amor que Deus lhe tem, e, juntamente, fé viva. Porque é tão morta nossa natureza que vamos pelo que vemos presente. E, assim, são os próprios favores que despertam a fé e a fortalecem.

Aqui pode ser que eu — como sou tão ruim — julgue por mim. Pois haverá outros que não tenham necessidade de mais do que a verdade da fé para fazer obras muito perfeitas. Já eu, como miserável, de tudo tive necessidade.

7. Eles o dirão. Eu digo o que se passou comigo como me mandam. E se não estiver bom, riscará aquele a quem envio, que saberá perceber melhor do que eu o que está mal. A quem suplico, por amor do Senhor, pu-

bliquem o que disse até agora de minha vida ruim e de meus pecados. Desde já, dou licença, e a todos os meus confessores, pois é a eles que isso vai. E, se quiserem, ainda durante a minha vida. Para que não engane mais o mundo, que pensa que há em mim algum bem. E certamente, certamente, digo com verdade, pelo que agora sei de mim, me dará grande consolo.

Para o que daqui para a frente eu disser, não a dou. Nem quero, se a mostrarem a alguém, que digam quem é, com quem aconteceu, nem quem escreveu. Pois por isso não digo o meu nome nem o de ninguém. Apenas escrevo da melhor maneira possível para não ser reconhecida e assim peço pelo amor de Deus. Bastam pessoas tão letradas e sérias para autorizar alguma coisa boa, se o Senhor me der a graça para dizê-la. Pois se for boa, será dele e não minha, por ser eu sem estudo nem boa vida, nem informada por letrado ou por qualquer pessoa. Só quem me manda escrever sabe que escrevo e no momento não está aqui. Escrevo quase roubando o tempo e com pena, porque me impede de fiar e estou em casa pobre e com muitas ocupações. Assim, ainda que o Senhor me tivesse dado mais habilidade e memória, ainda que com essa eu pudesse tirar proveito do que ouvi ou li, é pouquíssima a que tenho. Assim, se disser algo bom, é porque o Senhor o quer para algum bem. O que for mau será por mim, e o senhor o cortará.

E para uma coisa ou para outra nenhum proveito trará dizer o meu nome. Em vida está claro que não se há de dizer o que de bom, na morte não há por que, a não ser para perder a autoridade e não dar nenhum crédito por ser dito por pessoa tão baixa e tão ruim.

8. E por pensar que o senhor fará isso que pelo amor do Senhor lhe peço, e também os demais que hão de ler, escrevo com liberdade. De outra maneira seria com grande escrúpulo. Fora contar meus pecados, pois para isso não tenho escrúpulo nenhum. Para o resto, basta ser mulher para baixar-me as asas, quanto mais sendo mulher e ruim.

E assim, o que for além de contar simplesmente o decurso da minha vida, tome o senhor para si, já que tanto me importunou para que escrevesse alguma declaração das dádivas que me faz Deus na oração, se for conforme a nossa santa fé católica. E se não for, queime logo, que a isso me submeto. E direi o que se passa comigo para que, no caso de ser conforme à fé, possa ser de algum proveito ao senhor. E, se não, tirará o senhor minha alma do engano, para que não ganhe o demônio onde me parece que eu estou ganhando. Pois já sabe o Senhor, como direi depois, que sempre tentei achar quem me esclarecesse.

9. Por mais claro que eu queira contar essas coisas de oração, será bem obscuro para quem não tiver a experiência. Alguns impedimentos eu contarei que a meu entender impedem ir adiante nesse caminho e outras coisas em que há perigo. Sobre isso o Senhor me ensinou por experiência. E depois conversei com grandes letrados e pessoas espirituais de muitos anos e viram que em apenas vinte e sete anos em que tenho oração, mesmo andando com tantos tropeços e tão mal nesse caminho, me deu o Senhor, me deu Sua Majestade, a experiência de outros que, por quarenta e sete anos, sempre em penitência e virtude caminharam por ele.

Seja bendito por tudo e sirva-se de mim, por quem Sua Majestade é. Pois bem sabe meu Senhor que não pretendo outra coisa com isso a não ser que ele seja louvado e engrandecido um pouquinho por ver que, em uma fossa tão suja e malcheirosa, fez um jardim de tão suaves flores. Queira Sua Majestade que, por minha culpa, não as torne eu a arrancar e volte a ser o que era. Isso peço eu, por amor do Senhor, que peça o senhor, pois sabe quem eu sou com mais clareza do que aqui me deixou dizer.

CAPÍTULO 11

DIZ ONDE ESTÁ A FALHA DE NÃO AMAR A DEUS COM PERFEIÇÃO EM POUCO TEMPO. COMEÇA A DECLARAR, POR UMA COMPARAÇÃO QUE PROPÕE, QUATRO GRAUS DE ORAÇÃO. VAI TRATANDO AQUI DO PRIMEIRO. É MUITO PROVEITOSO PARA OS QUE COMEÇAM E PARA OS QUE TÊM GOSTO PELA ORAÇÃO

1. Bem, falando agora dos que começam a ser servos do amor, pois não me parece outra coisa decidirmo-nos a seguir, por este caminho de oração, a quem tanto nos amou, é uma dignidade tão grande que me deleito estranhamente ao pensar nela. Porque o temor servil logo vai embora, se neste primeiro estado vamos como temos que ir. Oh, Senhor da minha alma e Bem meu! Por que não quisestes que, decidindo uma alma amar-vos ao fazer o que pode em deixar tudo para melhor se empregar nesse amor de Deus, logo gozasse de subir a ter esse amor perfeito? Disse mal. Devia dizer e queixar-me de por que não o queremos nós, já que toda a falha é nossa em não gozar logo de tão grande dignidade, já que, chegando a ter com perfeição esse verdadeiro amor de Deus, ele traz consigo todos os bens. Somos tão avaros e tão tardios em nos dar por inteiro a Deus que, como Sua Majestade não quer que gozemos de coisa tão preciosa sem grande preço, não conseguimos nos dispor.

2. Bem vejo que não há com que se possa comprar tão grande bem na terra. Mas se fizéssemos o que podemos para não nos apegar a nada dela, e, ao contrário, todo nosso cuidado e nossas conversas fossem do céu, creio eu, sem dúvida, que muito depressa nos daria esse bem. Se depressa nos dispuséssemos como alguns santos fizeram. Mas parece-nos que damos tudo, e, na verdade, oferecemos a Deus a renda ou os frutos e ficamos com a raiz e a propriedade. Decidimos ser pobres — e isso é de grande mérito — mas muitas vezes voltamos a ter preocupações e tomamos providências para que não nos falte não apenas o necessário, mas o supérfluo, e para arranjar os amigos que no-lo deem. E tomamos mais cuidado — e porventura corremos mais perigo — para que não nos falte nada, do que tomávamos antes ao possuir negócios.

Parece também que abandonamos a honra por ser religiosos ou em ter já começado a vida espiritual e a seguir perfeição, e não tocaram em um ponto da nossa honra, quando não nos lembramos de que já a demos a Deus e queremos voltar a nos elevar com ela e tomá-la — como dizem — em nossas próprias mãos depois de tê-lo feito senhor dela. Assim são todas as outras coisas.

3. Bela maneira de procurar o amor de Deus! E logo o queremos às mancheias, como se diz. Manter nossos gostos, já que não procuramos efetuar nossos desejos e não conseguimos elevá-los da terra, e, junto com eles, muitas consolações espirituais, não vai bem. Nem me parece que seja compatível uma coisa com a outra. Assim, porque não conseguimos nos dar por inteiro, não nos é dado por inteiro esse tesouro. Queira Deus que, gota a gota, no-lo dê Sua Majestade, ainda que seja custando-nos todos os trabalhos do mundo.

4. Muito grande misericórdia faz a quem dá graça e ânimo para se decidir a procurar com todas as suas forças esse bem. Porque, se perseverar, não se nega Deus a ninguém. Pouco a pouco Ele vai habilitando o ânimo

para que saia com essa vitória. Digo ânimo, porque são tantas as coisas que o demônio põe na frente no começo para que não se comece de fato! Como quem conhece esse caminho e o dano que por ele vem a ele, demônio, não só em perder aquela alma, mas muitas. Se aquele que começa se esforça, com o favor de Deus, para chegar ao cume da perfeição, creio que jamais vai sozinho para o céu. Sempre leva muita gente atrás de si. Como a um bom capitão, Deus lhe dá quem vá em sua companhia. Põe-lhes tantos perigos e cuidados na frente, que não é preciso pouco ânimo para não voltar atrás, mas muito, e muito favor de Deus.

5. Então, falando dos começos dos que já estão decididos a seguir esse caminho e a sair nessa empreitada, pois do resto do que comecei a dizer sobre teologia mística, creio que se chama assim, falarei mais adiante, nesses começos está todo o maior trabalho. Porque são eles que trabalham, e o Senhor dá a riqueza. Pois nos outros graus de oração a maior parte é gozo. Embora calouros, intermediários e avançados, todos levam suas cruzes, ainda que diferentes. Pois pelo caminho pelo qual foi Cristo, hão de ir os que o seguem, se não quiserem se perder. E benditos trabalhos que já nesta vida tão sobejamente se pagam!

6. Terei que me valer de alguma comparação, ainda que eu as quisesse evitar, por ser mulher e escrever simplesmente o que me mandam. Mas essa linguagem de espírito é tão ruim de expressar aos que não são letrados, como eu, que terei que procurar algum meio. E pode ser que poucas vezes saia bem a comparação. Servirá para divertir o senhor ao ver tanta incapacidade.

Parece-me agora que li ou ouvi essa comparação. Já que tenho memória ruim, não sei onde nem a propósito de que, mas para o meu de agora me basta. Tem que fazer de conta, aquele que começa, que começa a fazer um jardim em terra muito infértil, cheia de ervas daninhas, para que nele se deleite o Senhor. Sua Majestade arranca as ervas daninhas e há de plantar as boas.

Façamos de conta então que isso já foi feito quando se decide uma alma a ter oração e vai começar a usá-la. E, com a ajuda de Deus, temos que procurar, como bons jardineiros, fazer com que cresçam essas plantas. E ter o cuidado de regá-las para que não se percam, mas venham a dar flores que deem de si muito aroma para recrear a este Senhor nosso e, assim, venha muitas vezes a se deleitar nesse jardim e a alegrar-se entre essas virtudes.

7. Então vejamos agora de que maneira se pode regá-lo, para que saibamos o que temos que fazer e o trabalho que nos há de custar. Se é maior do que o lucro e por quanto tempo se há de manter.

Parece-me que se pode regar de quatro maneiras: ou puxando a água de um poço, o que nos dá grande trabalho; ou com uma roda-d'água e canaletas, que se move por uma manivela — eu já tirei água assim algumas vezes —: dá menos trabalho e tira mais água; ou de um rio ou riacho: isso rega muito melhor, pois fica a terra mais farta de água e não há necessidade de regar com tanta frequência e dá muito menos trabalho ao jardineiro; ou com muita chuva, pois rega o Senhor sem nenhum trabalho nosso e é, sem comparação, muito melhor do que tudo o que foi dito.

8. Agora, então, aplicadas essas quatro maneiras de fornecer água de que se vai sustentar esse jardim — porque sem ela há de se perder —, é o que para mim vem ao caso. E pareceu-me que se poderá dizer algo sobre os quatro graus de oração em que o Senhor, por sua bondade, pôs algumas vezes minha alma. Queira sua bondade que eu atine com dizer de uma maneira que seja proveitosa para uma das pessoas que me mandaram escrever,[1] pois em quatro meses o Senhor a levou muito mais adiante do que eu em dezessete anos. Ele se dispôs melhor e, assim, sem trabalho seu, rega esse horto com

essas quatro águas, ainda que a última não lhe seja dada senão em gotas. Mas vai de uma maneira que logo vai navegar nela, com a ajuda do Senhor. E eu vou gostar que ele ria, se lhe parecer desatino essa maneira de dizer.

9. Dos que começam a ter oração podemos dizer que são os que tiram água do poço, o que é muito trabalhoso para eles, como disse. Porque vão se cansar de recolher os sentidos. Como estão acostumados a usá-los prodigamente, é muito trabalho. Vão precisar ir se acostumando a não se importar com ver ou ouvir, mesmo nas horas da oração, mas sim com estar em solidão e, apartados, pensar em sua vida passada. Ainda que isso todos, principiantes e veteranos, vão ter que fazer muitas vezes, há de se pensar nisso mais e menos, como direi depois.

No começo causa tristeza, pois ainda não conseguem entender que se arrependem dos pecados. E, sim, o fazem, já que decidem servir a Deus tão de verdade. Terão que procurar tratar da vida de Cristo, e cansa-se a inteligência com isso.

Até aqui podemos ir nós mesmos. Entenda-se: com o favor de Deus. Pois sem este já se sabe que não podemos ter sequer um bom pensamento. Isso é começar a tirar a água do poço. E também queira Deus que deseje manter o poço com água. Mas ao menos não fica essa tarefa para nós que já vamos tirá-la e fazemos o que podemos para regar essas flores. E Deus é tão bom que, quando, pelo que Sua Majestade sabe — porventura para grande proveito nosso —, quer que esteja seco o poço, fazendo nós o que está a nosso alcance como bons jardineiros, sem água Ele sustenta as flores e faz crescer as virtudes. Chamo de "água" aqui as lágrimas, e, ainda que você[2] não as tenha, a ternura e o sentimento interior de devoção.

10. Pois o que fará aqui aquele que vê que, em muitos dias, não há senão secura e insipidez e tanta má vontade para vir tirar água que abandonaria tudo, se não se lembrasse de dar prazer e prestar serviço ao Senhor do

jardim e almejasse não perder todo o serviço já feito e também o que espera ganhar do grande trabalho que é jogar muitas vezes o balde no poço e tirá-lo sem água? E muitas vezes lhe acontecerá ainda que os braços não se ergam para isso. Nem poderá ter um bom pensamento, pois este trabalhar com o entendimento entenda-se que é tirar água do poço.

Então, como ia dizendo, o que fará aqui o jardineiro? Alegrar-se-á e consolar-se-á e terá por enorme dádiva trabalhar no jardim de tão grande Imperador. E já que sabe que o contenta naquilo, e seu intuito não há de ser contentar a si próprio, mas a Ele, louve-o muito, que lhe mostra tanta confiança, pois vê que, sem pagar-lhe nada, tem grande cuidado com o que lhe encomendou. E ajude-lhe a levar a cruz, e pense que toda a vida viveu com ela e não queira aqui seu reino, nem deixe jamais a oração. E assim se decida, ainda que por toda a vida lhe dure essa secura, a não deixar Cristo cair com a cruz. Tempo virá em que será pago de uma vez. Não tenha medo de que se perca o trabalho. Serve a bom amo, olhando por ele está. Não faça caso dos maus pensamentos. Atente a que também os apresentava o demônio para são Jerônimo no deserto.[3]

11. Esses trabalhos têm seu preço. Pois, como quem passou por eles durante muitos anos — pois quando tirava uma gota desse bendito poço pensava que Deus me fazia uma dádiva —, sei que são enormes. E me parece que é preciso mais ânimo do que para muitos trabalhos do mundo. Mas vi claramente que Deus não deixa sem grande prêmio, mesmo nesta vida. Porque é assim, sem dúvida, que com uma hora das que, depois, o Senhor me deu de gosto de si, aí me parece que ficam pagas todas as agonias que para me sustentar na oração por muito tempo passei.

Tenho para mim que o Senhor quer dar, muitas vezes no começo e outras no fim, esses tormentos e essas muitas tentações que se oferecem, para provar aqueles que o amam, e saber se poderão beber o cálice e ajudar-lhe a levar a cruz, antes que se ponham sobre eles grandes tesouros. E para nosso bem creio que nos quer Sua Majestade levar por aí para que entendamos bem o pouco que somos. Como são de grande dignidade as dádivas de depois, quer que primeiro vejamos por experiência nossa miséria antes que no-las dê, para que não nos aconteça o mesmo que a Lúcifer.[4]

12. Que fazeis, Senhor meu, que não seja para maior bem da alma que entendeis que já é vossa e que se põe em vosso poder para seguir-vos por onde fordes até a morte de cruz e que está determinada a vos ajudar a levá-la e a não vos deixar só com ela?

Quem vir em si essa determinação, não, não tem que temer. Gente espiritual não tem por que se afligir. Já posta em grau tão alto como é o de querer tratar com Deus a sós e abandonar todos os passatempos do mundo, o principal está feito. Louvem por isso a Sua Majestade e confiem em sua bondade, que nunca faltou a seus amigos. Vendados os olhos para não pensar por que dá àquele de tão poucos dias devoção e não a mim de tantos anos, creiamos que é tudo para nosso bem. Guie Sua Majestade por onde quiser. Já não somos nossos, mas seus. Grande dádiva nos faz em querer que queiramos capinar em seu jardim. E estamos ao lado do Senhor do jardim, pois sem dúvida está conosco. Se ele quer que cresçam essas plantas e flores, a uns dando a água que tiram desse poço, a outros sem ela, que me importa? Fazei Vós, Senhor, o que quiserdes. Não vos ofenda eu. Não se percam as virtudes, se já me destes, só por vossa bondade, alguma. Quero padecer, Senhor, porque Vós padecestes. Cumpra-se em mim, de todas as maneiras, a vossa vontade. E não agrade a Vossa Majestade que coisa de tão alto preço como vosso amor se dê a gente que vos serve só pelos prazeres.

13. Há que se notar muito — e digo porque sei por experiência — que já andou boa parte do caminho a alma que, nesse caminho de oração, começa a percorrer com determinação e consegue não fazer muito caso, nem se consolar ou se desconsolar muito por faltarem esses prazeres e ternura ou por os dar o Senhor. E não tenha medo de que vai voltar atrás, ainda que na maior parte das vezes tropece, porque está iniciado o edifício sobre fundamento firme. Sim, pois não está o amor de Deus em ter lágrimas nem esses gostos e ternura — que, na maior parte do tempo, desejamos e com os quais nos consolamos —, mas sim em servir com justiça e fortaleza de alma e humildade. A mim isso parece mais receber que dar nós mesmos alguma coisa.

14. Para mulherzinhas como eu, fracas e com pouca fortaleza, me parece que convém, como Deus agora faz comigo, conduzir com presentes para que possa suportar alguns trabalhos que Sua Majestade quis que eu tenha. Mas a servos de Deus, homens de peso, letrados, inteligentes, que vejo fazerem tanto caso de que Deus não lhes dá devoção, me dá desgosto ouvir. Não digo que não a tomem, se Deus a der, e a considerem muito, porque então verá Sua Majestade que convém. Mas que, quando não a tiverem, não desanimem e entendam que não é necessária, uma vez que Sua Majestade não a dá, e sigam senhores de si. Creiam que é uma falha. Eu provei e vi. Creiam que é imperfeição. E não é andar com liberdade de espírito, mas sim andar fracos para serem atacados.

15. Não digo isso tanto pelos que começam, ainda que eu dê muito peso a isso, porque importa muito que comecem com essa liberdade e determinação, mas pelos outros. Pois haverá muitos que começaram e nunca conseguem acabar. E creio que é parte importante disso não abraçar a cruz desde o começo, pois andarão aflitos, parecendo-lhes que não fazem nada. Deixando de operar o

entendimento, não aguentam. E talvez então a vontade engorda e ganha força e eles não entendem.

Temos que pensar que o Senhor não presta atenção nessas coisas que, ainda que a nós pareçam faltas, não são. Já conhece Sua Majestade nossa miséria e baixeza natural melhor do que nós mesmos, e sabe que essas almas já desejam pensar sempre nele e amá-lo. Essa determinação é o que quer. Essa outra aflição que nos damos não serve para mais do que inquietar a alma. E se alguém havia de ser incapaz de aproveitar uma hora, que dirá quatro. Porque muitas e muitas vezes (eu tenho enorme experiência disso e sei que é verdade porque examinei com cuidado e tratei disso depois com pessoas espirituais) vem de indisposição corporal. Pois somos tão miseráveis que participa essa encarcerada dessa pobrezinha dessa alma das misérias do corpo. E as mudanças do tempo e as reviravoltas dos humores muitas vezes fazem com que, sem culpa sua, não possa fazer o que quer, mas sim que padeça de todas as maneiras. E quanto mais a querem forçar nesses períodos, pior é e mais dura o mal. Que haja, pois, discernimento quando se trata disso e não afoguem a coitada. Entendam que estão doentes. Mude-se a hora da oração e muitas vezes será questão de alguns dias. Passem como puderem esse desterro, pois grande má sorte de uma alma que ama a Deus é ver que vive nessa miséria e que não pode o que quer por ter um tão mau anfitrião como esse corpo.

16. Disse "com discernimento" porque alguma vez o demônio agirá. E, assim, não é bom nem sempre deixar a oração — quando haja grande distração e perturbação do entendimento —, nem sempre atormentar a alma para o que não pode.

Há outras coisas exteriores como obras de caridade e leitura, ainda que às vezes também não estará disposta a isso. Sirva-se então ao corpo por amor de Deus para que, muitas outras vezes, sirva ele à alma. E tome alguns passatempos sadios: conversas que o sejam, ou ir ao campo. Como aconselhar o confessor. E em tudo é uma grande coisa a experiência, que dá a entender o que nos convém e em tudo se serve a Deus. Suave é seu jugo[5] e é grande negócio não trazer a alma arrastada, como dizem, mas levá-la com sua suavidade para seu maior proveito.

17. Assim, torno a avisar — e ainda que o diga muitas vezes não há problema — que de secura, de inquietude e distração nos pensamentos, ninguém se oprima e aflija. Se quiser ganhar liberdade de espírito e não andar sempre atribulado, comece a não se assustar com a cruz e verá como também a ajuda a levar o Senhor. E verá com que alegria anda e o proveito que tira de tudo. Porque já se vê que, se o poço não mana, nós não podemos pôr a água. É verdade que não temos que ficar descuidados, para, quando houver água, tirá-la, porque então já quer o Senhor por esse meio multiplicar as virtudes.

CAPÍTULO 12

PROSSEGUE NESSE PRIMEIRO ESTADO. DIZ ATÉ ONDE PODEMOS CHEGAR, COM O FAVOR DE DEUS, POR NÓS MESMOS, E O DANO QUE É QUERER, ANTES QUE O SENHOR O FAÇA, ELEVAR O ESPÍRITO A COISAS SOBRENATURAIS

1. O que eu pretendi dar a entender no capítulo passado — ainda que tenha me desviado para outras coisas por me parecerem muito necessárias — é dizer o que podemos nós mesmos obter, e como, nessa primeira devoção, podemos nós nos ajudar um pouco. Porque pensar e esquadrinhar o que o Senhor passou por nós nos move à compaixão, e é saborosa essa pena, e essas lágrimas que procedem daí. E pensar na glória que esperamos e no amor que o Senhor teve por nós e em sua ressurreição move-nos ao gozo, que não é de todo espiritual, nem sensual, mas é gozo virtuoso e a pena, muito meritória.

Dessa mesma maneira são todas as coisas que causam uma devoção adquirida em parte com o entendimento, ainda que não se possa merecê-la nem ganhá-la se não a der Deus. Está muito bem, para uma alma que não foi erguida até aqui, não tentar subir ela mesma. E dê-se muita atenção a isso, porque não fará avançar nada, a não ser sua perda.

2. Pode a alma, nesse estado, fazer muitos atos para se decidir a fazer muito por Deus e para despertar o amor. Outros, para ajudar a crescer a virtude, confor-

me o que diz um livro chamado *Arte de servir a Deus*,[1] que é muito bom e apropriado para os que estão nesse estado, porque trabalha o entendimento. Pode-se imaginar-se diante de Cristo e acostumar-se e enamorar-se muito de sua sagrada Humanidade e trazer-lhe sempre consigo e falar com Ele, pedir-lhe por suas necessidades e queixar-se de seus trabalhos, alegrar-se com Ele em suas alegrias e não esquecê-lo por causa delas. Sem procurar orações compostas, mas sim palavras conformes a seus desejos e necessidades. É uma excelente maneira de avançar e muito rápida. E quem trabalhar para trazer consigo essa preciosa companhia e se aproveitar muito dela e de verdade tomar amor a esse Senhor a quem tanto devemos, eu o considero bem avançado.

3. Para isso não nos há de importar o não ter devoção, como disse, mas sim agradecer ao Senhor que nos deixa desejosos de contentá-lo, ainda que sejam magras as obras. Esse modo de trazer Cristo conosco é proveitoso em todos os estados. E é um meio seguríssimo para ir avançando e chegar em breve ao segundo grau de oração, e para os veteranos andarem mais seguros dos perigos que o demônio pode pôr.

4. Então isso é o que podemos. Quem quiser passar daqui e erguer o espírito a sentir prazeres que não lhe são dados, irá perder uma coisa e outra, na minha opinião, porque é sobrenatural. E, perdido o entendimento, fica a alma deserta e com muita secura. E como todo esse edifício se funda na humildade, quanto mais perto de Deus, mais adiante há de ir essa virtude, senão está tudo perdido. E parece algum tipo de soberba querermos nós mesmos subir mais alto, pois Deus já faz demais, pelo que somos, ao nos aproximar de si.

Não se deve entender que digo isso sobre elevar o pensamento a pensar coisas altas do céu ou de Deus, e as grandezas que há lá e sua grande sabedoria. Porque, ainda que eu nunca o tenha feito (pois não tinha habilidade, como disse. E me via tão ruim que me fazia Deus a dádiva de entender a verdade de que, até para pensar coisas da terra, não era pouco meu atrevimento, quanto mais seria para pensar nas do céu), outras pessoas tirarão proveito. Especialmente se tiverem estudo, que é um grande tesouro para essa prática, na minha opinião, se for com humildade. De uns dias para cá, vi por alguns letrados que começaram há pouco e avançaram muito. E isso me faz ter grande vontade de que muitos fossem espirituais, como direi adiante.

5. O que eu digo, então, "não se elevem sem que Deus os eleve", é linguagem do espírito. Entender-me-á quem tiver alguma experiência, pois eu não sei mais o que dizer, se até agora não se entendeu. Na mística teologia que comecei a dizer, perde-se por usar o entendimento, porque Deus o suspende, como direi mais, depois, se souber e Ele me der, para isso, seu favor. Nem presumir nem pensar em elevarmo-nos nós mesmos é o que digo que não se faça. Nem deixe de trabalhar com o entendimento, porque ficaremos bobos e frios e não faremos nem uma coisa nem outra. Porque quando o Senhor o suspende e faz parar, dá-lhe com o que se espante e se ocupe. E dá-lhe que, sem raciocinar, entenda mais no tempo que leva para rezar um Credo do que nós podemos entender em todos os nossos esforços da terra em muitos anos. Ocupar as potências da alma e pensar em fazê-las ficar quietas é um desatino.

E volto a dizer que, mesmo que não se perceba, não é de grande humildade, ainda que não com culpa. Com pena, sim, pois será trabalho perdido. E fica a alma com um desgostinho, como quem vai saltar e lhe seguram por trás, pois parece que já empregou a força e se vê sem efetuar o que com ela queria fazer. E no pouco avanço em que fica verá, quem quiser ver, esse pouquinho de falta de humildade de que falei. Porque isso tem de excelente essa virtude: não há obra que ela acompanhe que deixe a alma desgostosa.

Parece-me que me fiz entender. Talvez só para mim. Abra o Senhor os olhos dos que lerem com a experiência, pois — por pouca que seja — logo entenderão.

6. Por muitos anos eu lia muitas coisas e não entendia nada delas. E por muito tempo, embora me desse Deus a experiência, não sabia dizer uma palavra para explicá-la. E não me custou isso pouco trabalho. Quando Sua Majestade quer, em um instante ensina tudo, de modo que eu me espanto. Uma coisa posso dizer de verdade: mesmo falando com muitas pessoas espirituais que me queriam fazer entender o que o Senhor me dava, para que eu soubesse explicar, era tanta minha lentidão que não aproveitava nem pouco nem muito. Ou queria o Senhor, como Sua Majestade foi sempre o meu mestre — seja bendito para sempre porque grande embaraço é poder dizer isso com verdade —, que eu não tivesse ninguém a agradecer. E sem querer nem mesmo pedir, porque nisso não fui nada curiosa — e teria sido virtude sê-lo —, mas fui-o em outras vaidades, dava-me Deus num instante entender com toda a clareza para saber explicar. De modo que se espantavam, e eu mais do que meus confessores, porque conhecia melhor minha incapacidade. Isso aconteceu há pouco e, assim, o que o Senhor não me mostrou, eu não procuro, a não ser o que se refere à minha consciência.

7. Torno outra vez a avisar que é muito importante não elevar o espírito se o Senhor não o elevar. Que coisa é, entende-se logo. Em especial para mulheres é pior, pois poderá o demônio causar alguma ilusão. Ainda que eu tenha certeza de que não consente o Senhor que se prejudique a quem com humildade procura se aproximar dele. Antes tirará mais proveito e ganho onde o demônio pensar que o fará perder.

Por ser esse caminho o mais usado pelos iniciantes e serem muito importantes os avisos que dei, me estendi tanto. E terão isso escrito em outros lugares muito melhor, eu confesso, e é com confusão e vergonha que escrevi, ainda que não tanta quanto deveria ter. Seja o Senhor bendito por tudo que a uma como eu quer e consente que fale de coisas suas, tais e tão elevadas.

CAPÍTULO 13

PROSSEGUE NESSE PRIMEIRO ESTADO E AVISA SOBRE ALGUMAS TENTAÇÕES QUE O DEMÔNIO COSTUMA PÔR ALGUMAS VEZES. DÁ CONSELHO PARA ELAS. É MUITO PROVEITOSO

1. Ocorreu-me dizer algumas tentações que vi haver no princípio — e algumas eu tive — e dar alguns avisos sobre coisas que me parecem necessárias. Pois bem, procure no princípio andar com alegria e liberdade. Porque há algumas pessoas que parece que se lhes há de ir embora a devoção se se descuidarem um pouco. É bom andar com medo de si, para não confiar nada em se pôr em ocasião em que se costuma ofender a Deus. Isso é muito necessário, até estarmos inteiros na virtude. E não há muitos que possam estar tanto que, em ocasiões propícias à sua natureza, se possam descuidar. Pois sempre, enquanto vivemos, até por humildade, é bom conhecer nossa miserável natureza. Mas há muitas coisas em que se aceita, como disse, ter recreação. Até para tornar a oração mais forte. Em tudo isso é preciso discernimento.

2. Ter grande confiança, porque convém muito não apoucar os desejos, mas sim crer em Deus. Pois, se nos esforçamos, pouco a pouco, ainda que não seja logo, poderemos chegar ao que muitos santos, com seu favor, chegaram. Porque se eles nunca se decidissem a desejá-lo e, pouco a pouco, a pôr mãos à obra, não teriam subi-

do a tão alto estado. Ama Sua Majestade e é amigo de almas cheias de coragem, quando vão com humildade e nenhuma confiança em si. E não vi nenhuma dessas que fique embaixo no caminho, nem nenhuma alma covarde — com amparo de humildade — que em muitos anos ande o que essas outras em muito poucos. Espanta-me o muito que faz nesse caminho animar-se a grandes coisas. Ainda que depois não tenha forças, a alma dá um voo e chega a muito. Ainda que — como uma avezinha que tem má plumagem — canse e pare.

3. Em outros tempos, tinha diante de mim muitas vezes o que diz São Paulo, que tudo se pode em Deus.[1] Em mim eu bem sabia que não podia nada. Isso me valeu. E o que diz Santo Agostinho: "Dá-me Senhor o que me mandas, e manda o que quiseres".[2] Pensava muitas vezes que não tinha perdido nada são Pedro ao se atirar no mar, ainda que depois tenha tido medo.[3]

Essas primeiras determinações são uma grande coisa, ainda que, nesse primeiro estado, seja mais necessário avançar detendo-se, e amarrados ao discernimento e parecer de um mestre. Mas tem que ver que seja mestre tal que não lhes ensine a ser sapos, nem se contente em ensinar a alma a só caçar lagartixas. Sempre a humildade à frente para saber que não hão de vir essas forças das nossas.

4. Mas é preciso entender como há de ser essa humildade. Porque creio que o demônio faz muito dano para não ir muito adiante gente que tem oração fazendo-lhes entender mal a humildade. Fazendo com que nos pareça soberba ter grandes desejos e querer imitar os santos e desejar ser mártires. Em seguida nos diz ou faz entender que as coisas dos santos são para admirar, mas não para fazer, nós que somos pecadores. Isso eu também digo, mas temos que ver o que é para se espantar e o que é para imitar. Porque não seria bom se uma pessoa magra e enferma se pusesse em muitos jejuns e penitências ásperas indo para um deserto onde nem conseguisse

dormir, nem tivesse o que comer, ou coisas semelhantes. Mas seria bom pensar que podemos nos esforçar, com o favor de Deus, para ter um grande desprezo pelo mundo, um não estimar as honras, um não estar preso à riqueza. Pois temos um coração tão mesquinho, que parece que nos vai faltar o chão por querermos nos descuidar um pouco do corpo e dar a ele espírito. Logo, parece que ajuda o recolhimento manter muito bem o que é necessário, porque as preocupações inquietam a oração. Por isso me entristece que tenhamos tão pouca confiança em Deus e tanto amor-próprio que nos inquiete essa preocupação. E, assim, onde está tão pouco desenvolvido o espírito desse jeito, umas ninharias nos dão tão grande trabalho como a outros, coisas grandes e de grande importância. E em nossa mente nos julgamos espirituais!

5. Parece-me agora essa maneira de caminhar um querer combinar corpo e alma para não perder aqui o descanso e gozar lá de Deus. E assim será, se se anda na justiça e prosseguimos assíduos na virtude, mas é passo de galinha. Nunca com isso se chegará à liberdade de espírito. É uma maneira de proceder muito boa, parece-me, para o estado dos casados, que hão de ir conforme sua vocação. Mas para outro estado, de jeito nenhum quero essa maneira de avançar, nem me farão acreditar que é boa, porque eu a provei e estaria assim para sempre se o Senhor, por sua bondade, não me mostrasse outro atalho.

6. Ainda que nisso de desejos eu sempre tenha tido grandes. Mas procurava isso que disse: ter oração, mas viver a meu prazer. Acredito que, se tivesse tido quem me pusesse a voar, me teria aplicado mais para que esses desejos virassem obra. Mas há — por nossos pecados — tão poucos mestres, tão contados, que não sejam excessivamente cautelosos neste caso, que creio que é grande causa para que os que começam não avancem mais depressa a grande perfeição. Porque o Senhor nunca falha, nem é culpa d'Ele. Nós somos os faltosos e miseráveis.

7. Também se podem imitar os santos em procurar a solidão e o silêncio e outras muitas virtudes, pois não matarão esses nossos corpos negros, que querem tudo tão arranjado para si que desconcertam a alma. E o demônio ajuda muito a tornar-lhes inábeis quando vê um pouco de temor. Não precisa de mais para nos fazer pensar que tudo nos vai matar e prejudicar a saúde. Até ter lágrimas nos faz ter medo de ficarmos cegos. Eu passei por isso, e por isso sei. E não sei eu que melhor visão e saúde podemos desejar do que perdê-las por essa causa.

Como sou muito doente, até me decidir a não fazer caso do corpo nem da saúde, sempre estive amarrada, sem valer nada. E agora faço bem pouco, mas como quis Deus que eu entendesse esse ardil do demônio, quando ele me punha diante dos olhos perder a saúde, dizia eu: "não é grande coisa que eu morra"; se o descanso: "já não preciso de descanso, mas de cruz", e assim em outras coisas. Vi claramente que em muitas, muitas coisas, ainda que eu seja de fato bastante doente, era tentação do demônio ou frouxidão minha. Pois, desde que não estou mais tão cuidada e mimada, tenho muito mais saúde. Assim, é muito importante no início de começar oração não apavorar os pensamentos, e creiam-me, porque sei por experiência. E para que aprendessem com meu exemplo, também poderia ser útil falar dessas minhas faltas.

8. Outra tentação é, em seguida, muito comum. É desejar que todos sejam muito espirituais quando se começa a provar o sossego e o ganho que isso é. Desejá-lo não é mau. Tentá-lo poderia não ser bom, se não houver muito discernimento e dissimulação para não se fazer de maneira que pareça que ensinam. Porque quem tiver de fazer algum avanço nesse caso é preciso que tenha as virtudes muito fortes para não causar tentação nos outros. Aconteceu comigo — e por isso sei — quando, como disse, procurava fazer com que outros tivessem oração. Pois como, por uma parte, me viam falar gran-

des coisas sobre o imenso bem que era ter oração, e, por outra parte, me viam com grande pobreza de virtudes, ter eu oração fazia com que ficassem tentadas e desatinadas. E com muita razão, pois depois me vieram dizer. Porque não sabiam como se podia conciliar uma coisa com a outra. E a causa era não considerarem mau o que, em si, o era, por ver que eu fazia algumas vezes, já que parecia haver algo bom em mim.

9. E isso faz o demônio, pois parece se aproveitar das virtudes boas que temos para autorizar no que puder o mal que pretende. Pois por pouco que seja, quando é em uma comunidade, deve ganhar muito, quanto mais porque o que eu fazia de mau era muito. E assim em vários anos só três[4] se aproveitaram do que eu lhes dizia, e depois que o Senhor já havia me dado mais força na virtude, aproveitaram em dois ou três anos muitas, como direi depois.

E sem isso há outro grande inconveniente, que é perder a alma. Porque o principal que temos que procurar no princípio é só ter cuidado de si, sozinha, e fazer de conta que não há na terra nada a não ser Deus e ela e isso é o que convém muito.

10. Dá outra tentação, e todas vão com um zelo de virtude que é preciso entender e ir com cuidado: tristeza pelos pecados e faltas que veem nos outros. O demônio convence que é só a tristeza de querer que não ofendam a Deus e por causar-lhe pesar por sua honra e logo quererem remediar isso. Inquieta isso tanto que impede a oração. E o maior dano é pensar que é virtude e perfeição e grande zelo de Deus. Deixo de lado as preocupações que dão os pecados públicos — se os tiver por costume — de uma congregação, ou danos à Igreja dessas heresias, onde vemos se perderem tantas almas, pois esta preocupação é muito boa e, como é boa, não inquieta.

Então o seguro para uma alma que tiver oração será descuidar-se de tudo e de todos e só ter conta consigo e com contentar a Deus. Isso convém muitíssimo, porque se tivesse que dizer os erros que vi acontecer confiando na boa intenção! Procuremos então sempre olhar as virtudes e coisas boas que virmos nos outros e tapar os defeitos deles com nossos grandes pecados. É uma maneira de agir que, ainda que não se faça logo com perfeição, vem a ganhar uma grande virtude que é considerar todos como melhores do que nós. E começa-se a ganhar por aqui, com o favor de Deus que é necessário em tudo — e quando falta são inúteis todos os esforços —, e suplicar-lhe que nos dê essa virtude. Porque, uma vez que fizermos esses esforços, Ele não falta para ninguém.

11. Atentem também para esse aviso os que raciocinam muito com o entendimento, tirando muitas coisas de uma coisa e muitos conceitos. Porque aos que não podem trabalhar com ela — como eu — não é preciso avisar, a não ser para que tenham paciência até que o Senhor lhes dê com que se ocupar. E luz, pois eles podem pouco por si, já que mais lhes atrapalha a inteligência do que ajuda.

Voltando então aos que raciocinam, digo que não passem todo seu tempo nisso. Porque ainda que seja muito meritório, não lhes ocorre — como é uma oração saborosa — que não haverá domingo nem período que não seja de trabalho. Logo lhes parece perdido o tempo e tenho eu por muito bem ganha essa perda. Mas, como disse, imaginem-se diante de Cristo e, sem cansaço da inteligência, fiquem falando e se deliciando com ele, sem se cansar em compor razões, a não ser apresentar necessidades e a razão que Ele teria para não nos suportar ali. Uma coisa em um tempo, outra em outro, para que não se canse a alma de comer sempre a mesma iguaria. Essas são muito gostosas e proveitosas. Se o paladar se acostuma a comê-las, trazem consigo grande sustento para a alma e muito lucro.

12. Quero me estender mais, porque essas coisas de oração todas são difíceis e, se não se acha um mestre,

muito ruins de entender. E isso faz com que, ainda que quisesse resumir, e bastaria para a inteligência boa de quem me mandou escrever essas coisas de oração só tocar nelas, minha inabilidade não dê lugar a dizer em poucas palavras uma coisa que tanto importa explicar bem. Porque — como eu passei por tanta coisa — tenho pena dos que começam só com os livros, pois é uma coisa estranha quão diferentemente, depois de experimentado, se vê.

13. Então, voltando ao que dizia, ponhamo-nos a pensar num passo da Paixão, digamos o de quando estava o Senhor na coluna. Vai a inteligência procurando as causas que ali dá a entender, as dores grandes e o sofrimento que Sua Majestade teria naquela solidão e muitas outras coisas que, se a inteligência for trabalhadora, poderá tirar daqui, ou se for letrado. É o modo de oração em que hão de começar, e de avançar e de acabar todos. E é muito excelente e seguro caminho, até que o Senhor os leve a outras coisas sobrenaturais.

Digo "todos" porque há muitas almas que aproveitam mais outras meditações do que a sagrada Paixão. Pois assim como há muitas moradas no céu, há muitos caminhos. Algumas pessoas tiram muito proveito de se considerar no inferno e outras, no céu — e se afligem de pensar no inferno —, outras, na morte. Algumas, se forem ternas de coração, desanimam muito de pensar sempre na Paixão e se deleitam e tiram proveito em contemplar o poder e a grandeza de Deus nas criaturas e no amor que teve por nós e que se manifesta em todas as coisas. E é uma admirável maneira de proceder, não abandonando sempre a Paixão e vida de Cristo, que é de onde nos veio e vem todo bem.

14. Precisa de conselho o que começa para ver o que aproveita mais. Para isso é muito necessário o mestre, se for experiente. Porque, se não for, pode errar muito e levar uma alma sem entendê-la nem deixá-la entender a si mesma. Porque como sabe que é gran-

de mérito estar submetida a um mestre, ela não ousa sair do que ele lhe manda.

Topei com algumas almas encurraladas e aflitas, por não ter experiência quem as ensinava, que me deram pena. E alguma que já não sabia o que fazer de si, porque, não entendendo os mestres o espírito, afligem a alma e o corpo e estorvam o aproveitamento. Uma conversou comigo dizendo que o mestre a mantinha atada havia oito anos de maneira que não a deixava sair do conhecimento próprio. E o Senhor já a tinha em oração de quietude e, assim, passava muito sofrimento.

15. E ainda que isso de conhecimento próprio nunca se deve deixar. Nem há alma, nesse caminho, tão gigante que não tenha necessidade, muitas vezes, de voltar a ser criança e mamar. E jamais se esqueça disso, talvez eu diga mais vezes, porque é muito importante. Porque não há estado de oração tão elevado que muitas vezes não seja necessário voltar ao princípio. E isto dos pecados e do conhecimento próprio é o pão com que se devem comer todas as iguarias, por mais delicadas que sejam, nesse caminho de oração. E sem este pão não se poderiam sustentar. Mas há de se comer com medida, pois, depois que uma alma se vê já entregue e percebe claramente que não tem nenhuma coisa boa por si, e se envergonha diante de tão grande Rei, e vê o pouco que lhe paga pelo muito que lhe deve, que necessidade há de gastar tempo aqui? Devemos ir para outras coisas que o Senhor põe diante de nós. E não há razão para deixá-las, pois Sua Majestade sabe melhor que nós o que nos convém comer.

16. Assim, é muito importante ser o mestre esclarecido — digo, com bom entendimento — e que tenha experiência. Se junto com isso tiver estudo, será um ótimo negócio. Mas se não se puderem achar essas três coisas juntas, as duas primeiras importam mais, porque letrados se podem procurar para comunicar-se com eles quando houver necessidade.

Digo que no princípio, se não têm oração, têm pouco proveito as letras. Não digo que não conversem com letrados, porque espírito que não tenha começado na verdade eu quereria mais que ficasse sem oração. E é grande coisa a erudição, porque essa nos ensina, aos que sabemos pouco, e nos dão luz, e, aproximados das verdades da Sagrada Escritura, fazemos o que devemos. De devoções bobas Deus nos livre.

17. Quero me explicar mais, porque acho que me meto em muitas coisas. Sempre tive esse defeito de não saber me fazer entender — como já disse — a não ser à custa de muitas palavras. Começa uma monja a ter oração. Se um simplório a dirige e encasqueta, fará com que ela ache melhor obedecer a ele do que a seu superior. E sem malícia sua, pensando que acerta. Porque se não é religioso, parecerá a ele que é assim. E se é mulher casada, dirá a ela que é melhor, mesmo quando tem que pensar em sua casa, ter oração, ainda que desagrade seu marido. De forma que não sabe ordenar o tempo nem as coisas para que andem conforme a verdade. Por faltar-lhe a luz, não a dá aos outros, ainda que queira.

E mesmo que para isso pareça não ser necessário ter estudo, minha opinião sempre foi, e será, que qualquer cristão procure conversar com quem o tenha, se puder, e quanto mais, melhor. E os que andam no caminho de oração têm maior necessidade disso, e quanto mais espirituais forem, mais necessidade.

18. E não se engane dizendo que letrados sem oração são para quem não tem oração. Eu conversei com muitos, porque de uns anos para cá busquei isso com maior necessidade, e sempre fui amiga deles, pois, ainda que alguns não tenham experiência, não têm aversão ao espírito nem o ignoram. Porque na Sagrada Escritura de que tratam sempre encontram as verdades do bom espírito. Tenho para mim que uma pessoa de oração que converse com letrados, se ela não quiser se enganar, não

a enganará o demônio com ilusões. Porque creio que os demônios temem muito as letras humildes e virtuosas e sabem que serão descobertos e sairão perdendo.

19. Disse isso porque há opiniões de que não são os letrados para gente de oração, se não tiverem espírito. Já disse que é preciso um mestre espiritual. Mas, se esse não é letrado, é um grande inconveniente. E será de muita ajuda conversar com eles, se forem virtuosos. Ainda que não tenham espírito serão de grande proveito para mim. Deus os fará saber o que têm que ensinar e até os tornará espirituais, para que nos sejam de maior proveito. E isso eu não digo sem ter provado e sem ter acontecido comigo com mais de dois.

Digo que, para entregar-se uma alma por inteiro a ficar sujeita a um só mestre, erra muito em não procurar um que seja assim, se for religioso, uma vez que deve submeter-se a seu prelado. Pois talvez faltem a esse todas as três coisas — o que não será pequena cruz — sem que ele, por sua vontade, tenha submetido seu entendimento a alguém que não a tem bom. Ao menos eu não consegui me convencer a isso, nem me parece que convenha. Então, se é secular, louve a Deus, pois pode escolher a quem há de estar sujeito e não perca essa virtuosa liberdade. Antes fique sem nenhum mestre até encontrá-lo, pois o Senhor o dará, desde que tudo esteja baseado na humildade e com desejo de acertar. Eu o louvo muito, e as mulheres e os que não sabem letras lhe devíamos sempre dar infinitas graças por haver quem, com tanto trabalho, alcançou a verdade que os ignorantes ignoram.

20. Espanta-me, muitas vezes, nos letrados, os religiosos especialmente, o trabalho com que ganharam o que eu, sem nenhum além de perguntar a eles, aproveitei. E há pessoas que não querem se aproveitar disso! Não o queira Deus! Vejo-os sujeitos aos trabalhos da vida religiosa, que são grandes, com penitência, com comer mal, submetidos à obediência — que algumas vezes é para

mim grande dificuldade, com certeza —, com isso, com dormir mal, só trabalho, só cruz. Parece-me que seria um grande mal que tanto bem alguém, por sua própria culpa, perca. E pode ser que pensemos, alguns, que estamos livres desse trabalho e nos dão já guisado — como dizem — e vivemos à vontade, que, por ter um pouco mais de oração, levamos vantagem sobre tantos trabalhos.

21. Bendito sejais Vós, Senhor, que tão inábil e sem proveito me fizestes! Muito mais vos louvo, porque despertais a tantos que nos despertem. Teria que ser muito contínua nossa oração por esses que nos dão luz. O que seríamos sem eles, entre tão grandes tempestades como agora tem a Igreja? Se houve alguns ruins, mais resplandecerão os bons. Queira o Senhor mantê-los em sua mão e ajude-os para que nos ajudem, amém.

22. Saí muito do propósito do que comecei a dizer. Mas tudo vem ao caso para os que começam, que comecem um caminho tão elevado de maneira a ir pelo verdadeiro caminho.

Então, voltando ao que dizia sobre pensar em Cristo na coluna, é bom meditar um pouco e pensar nas penas que teve ali, e por que as teve, e quem é o que as teve, e o amor com que passou por elas. Mas que não se canse sempre andando em busca disso. Mas que esteja ali com ele, calado o entendimento. Se puder, faça-o ver que o vê, e o acompanhe e fale e peça e se humilhe e se delicie com Ele, e lembre-se de que não merecia estar ali. Quando conseguir fazer isso, ainda que seja no princípio de começar oração, tirará grande proveito. E traz grandes proveitos essa forma de oração. Ao menos é o que achou minha alma.

Não sei se acerto ao dizê-lo, o senhor verá. Queira Deus que eu acerte em alegrá-lo sempre, amém.

CAPÍTULO 14

COMEÇA A EXPLICAR O SEGUNDO GRAU DE ORAÇÃO,
QUE JÁ É DAR O SENHOR À ALMA SENTIR GOSTOS MAIS
PARTICULARES. EXPLICA-O PARA FAZER ENTENDER
COMO JÁ SÃO SOBRENATURAIS. É MUITO DIGNO DE NOTA

1. Então já ficou dito o trabalho com que se rega esse jardim, e com quanta força dos braços, tirando água do poço. Falemos agora do segundo modo de tirar a água que o Senhor do jardim ordenou, para que com o engenho de uma roda e canais tire o jardineiro mais água com menos trabalho e possa descansar sem estar continuamente trabalhando. Então, desse modo, aplicado à oração que chamam de quietude, é que agora quero tratar.

2. Aí começa a se recolher a alma. Já toca aí alguma coisa sobrenatural, porque de jeito nenhum ela pode ganhar aquilo por esforços que faça. É verdade que parece que por algum tempo se cansou a mover a roda e trabalhar com o entendimento e se encheram os canais. Mas neste caso a água está mais no alto e assim se trabalha muito menos do que tirando-a do poço. Digo que está mais perto a água porque a graça se dá mais claramente a conhecer à alma. Trata-se de recolherem-se as potências da alma dentro de si para gozar daquela alegria com mais gosto. Mas não se perdem, nem dormem. Só a vontade se ocupa, de um modo que — sem saber como — se

cativa. Só dá consentimento para que a encarcere Deus, como quem bem sabe ser cativo de quem ama. Oh, Jesus e Senhor meu, quanto nos vale aqui vosso amor! Porque esse mantém o nosso tão atado que não deixa liberdade para amar, naquele momento, a outra coisa senão a Vós.

3. As outras duas potências ajudam a vontade para que se vá tornando hábil para gozar de tanto bem. Embora, às vezes, mesmo estando unida a vontade, acontece de atrapalharem muito. Mas então não faça caso delas. Fique em seu gozo e em sua quietude. Porque se quiser recolhê-las, todas se perderão, pois são, então, como pombas que não se contentam com a ração que o dono do pombal lhes dá sem que elas tenham trabalho, e vão procurar comida em outro lugar. E acham tão pouco que voltam. E assim vão e vêm, para ver se a vontade lhes dá um pouco daquilo de que goza. Se o Senhor quer, joga-lhes ração e elas param. E, se não, voltam a procurar. E devem pensar que trazem proveito à vontade. E, às vezes, querendo a memória ou a imaginação representar para ela o que ela goza, lhe causarão dano. Então tenha cuidado para lidar com elas como direi.

4. Bem, tudo isso que se passa aqui é com enorme consolo e com tão pouco trabalho, que a oração não cansa, ainda que dure muito tempo. Porque o entendimento age aqui muito passo a passo. E tira muito, muito mais água do que tirava do poço. As lágrimas que Deus dá aqui já são com gozo. Ainda que se sintam, não são buscadas.

5. Esta água de grandes bens e dádivas que o Senhor dá aí faz crescer as virtudes muito mais, sem comparação, do que na oração passada. Porque a alma já se vai erguendo de sua miséria e já se lhe dá um pouco de noção dos prazeres da glória. Isso, creio, faz com que ela cresça mais e chegue mais perto da verdadeira virtude de onde vêm todas as virtudes, que é Deus. Porque Sua Majestade começa a se comunicar a essa alma e quer que sinta como se comunica.

Começa ela logo, chegando a esse ponto, a perder a cobiça pelas coisas e as poucas graças daqui, porque vê claramente que um momento daquele gozo não se pode ter aqui. E não há riquezas, nem propriedades, nem honras, nem deleites que bastem para dar o que um piscar de olhos dessa satisfação dá, porque é verdadeira e se vê que nos satisfaz. Porque os prazeres daqui, me parece uma maravilha que percebamos onde está essa satisfação. Porque nunca falta um "sim e não". Aí tudo é "sim", durante aquele tempo. O "não" vem depois, por ver que se acabou e não pode voltar a recuperar, nem sabe como. Porque se se faz em pedaços graças a penitências e oração e todas as outras coisas, se o Senhor não quiser dar, pouco adianta. Quer Deus, por sua grandeza, que essa alma entenda que já não precisa enviar mensageiros, mas sim falar ela mesma com Ele, e não em voz alta porque já está tão perto dele que apenas movendo os lábios a entende.

6. Parece impertinente dizer isso, já que sabemos que sempre nos entende e está conosco. Quanto a isso não há dúvida de que é assim. Mas esse Imperador e Senhor nosso quer que saibamos, nesse ponto, que nos entende e o que causa a sua presença. E que saibamos que quer particularmente começar a operar na alma, na grande satisfação interior e exterior que lhe dá e na diferença que — como já disse — há entre esse deleite e satisfação e os daqui, pois parece que se enche o vazio que, por nossos pecados, tínhamos feito na alma.

É no mais íntimo dela, essa satisfação. E não sabe por onde nem como veio a ela. Nem, muitas vezes, sabe o que fazer, nem o que querer, nem o que pedir. Tudo, parece, acha junto e não sabe o que achou, e nem eu mesma sei como explicar, porque para muitas coisas seria necessário erudição. Porque aqui iria bem explicar o que é auxílio geral ou particular, pois há muitos que o ignoram e com este auxílio particular quer o Senhor que a alma quase lhe veja pela vista dos olhos, como dizem.

E também para muitas coisas que ficarão erradas seria necessária a erudição. Mas como vão ver o manuscrito pessoas que saberão se houver erro, fico despreocupada. Porque assim de erudição como de espírito sei que posso ficar, indo às mãos de quem vai, pois entenderão e cortarão o que for ruim.

7. Então, queria fazer entender isso porque são começos. E quando o Senhor começa a fazer essas dádivas, a própria alma não as entende, nem sabe o que fazer de si. Porque se a levar Deus pelo caminho do temor, como fez comigo, será com grande trabalho, se não houver quem a entenda. E é para ela um grande gosto ver-se retratada, pois então vê claramente aonde vai por ali. E é um grande bem saber o que deve fazer para ir progredindo em qualquer estado desses. Porque eu passei por muitas coisas e perdi muito tempo por não saber o que fazer. E tenho muita pena das almas que se veem sozinhas quando chegam a esse ponto. Porque ainda que eu tenha lido muitos livros espirituais, mesmo que toquem no que vem ao caso, explicam muito pouco. E se não for uma alma muito experimentada, mesmo explicando muito, terá muito o que fazer para entender.

8. Quereria muito que o Senhor me favorecesse para expor os efeitos que produzem na alma essas coisas que já começam a ser sobrenaturais, para que se saiba pelos efeitos quando é o espírito de Deus. Digo, saiba conforme o que aqui se pode saber, ainda que seja sempre bom que ande com temor e recato. Pois, ainda que seja de Deus, algumas vezes o demônio pode se transfigurar em anjo de luz e, se não for uma alma muito experimentada, não perceberá. E tão exercitada que, para perceber isso, é preciso chegar ao cume da oração.

Ajuda-me pouco o pouco tempo que tenho — e assim é preciso Sua Majestade fazê-lo — porque devo caminhar com a comunidade e com outras muitas ocupações, uma vez que estou numa casa que está começando agora,[1] como se verá depois. E, assim, é sem ter muito tempo para sentar que escrevo, mas aos pouquinhos. E queria ter tempo, porque quando o Senhor dá espírito, expõe-se com facilidade e melhor. Parece como quem tem um modelo na frente, de onde copia o trabalho. Mas se falta o espírito, não se harmoniza essa linguagem mais do que se fosse uma algaravia, por assim dizer, ainda que tenham se passado muitos anos e oração. E assim me parece uma enorme vantagem, quando escrevo, estar nele. Porque vejo claramente que não sou eu quem diz, que nem ordeno com a inteligência nem sei depois como acertei em dizê-lo. Isso me acontece muitas vezes.

9. Agora voltemos à nossa horta e jardim e vejamos como começam essas árvores a se fecundarem para florescer e dar, depois, fruto, e as flores e os cravos a mesma coisa para dar aroma. Agrada-me essa comparação porque muitas vezes no meu início (e queira o Senhor que eu tenha agora começado a servir à Sua Majestade. Digo início do que direi daqui para a frente sobre a minha vida) era um grande deleite para mim considerar ser a minha alma um jardim e que o Senhor passeava nele. Suplicava-lhe que aumentasse o aroma das florzinhas de virtude que começavam, pelo que parecia, a querer brotar. E que fosse para sua glória e as sustentasse — pois eu não queria nada para mim — e cortasse as que quisesse, pois já sabia que iam brotar outras melhores. Digo "cortar", porque vêm momentos na alma em que não há memória desse jardim. Tudo parece estar seco e parece que não haverá água para sustentá-lo. Nem parece que houve jamais na alma alguma coisa de virtude. Passa-se muito trabalho, porque quer o Senhor que pareça ao pobre jardineiro que tudo o que ele fez para sustentá-lo e regá-lo está perdido. É então o verdadeiro capinar e arrancar pela raiz as ervinhas, ainda que sejam pequenas, que ficaram ruins, sabendo que não há esforço que baste se Deus nos tirar a água da graça. E ter em pouca conta

nosso nada, e até menos que nada. Ganha-se aqui muita humildade. Voltam de novo a crescer as flores.

10. Oh, Senhor meu e Bem meu! Não posso dizer isso sem lágrimas e grande prazer de minha alma! Que queirais Vós, Senhor, ficar assim conosco, e estais no Sacramento, que com toda verdade se pode crer, porque é, e com grande verdade podemos fazer essa comparação, e se não for por culpa nossa, podemos gozar convosco e vos alegrais conosco, pois dizeis ser vosso deleite estar com os filhos dos homens.[2]

Oh, Senhor meu, o que é isso? Sempre que ouço essa palavra me dá grande consolo, mesmo quando eu estava muito perdida. É possível, Senhor, que haja alma que chegue a que Vós façais dádivas semelhantes e presentes, e chegue a saber que vos alegrais com ela, que vos torne a ofender depois de tantos favores e de tão grandes mostras do amor que tendes por ela, de que não se pode duvidar porque se vê claramente a obra? Sim, há, com certeza, e não uma vez, mas muitas, que sou eu. E queira vossa bondade, Senhor, que seja só eu a ingrata e a que tenha feito tão grande maldade e tenha tido tão excessiva ingratidão. Porque até dela vossa infinita bondade já tirou algum bem. E quanto maior o mal, mais resplandece o bem de vossas misericórdias. E com quanta razão posso eu para sempre cantá-las![3]

11. Suplico-vos, Deus meu, que seja assim e que eu as cante sem fim, já que houvestes por bem fazê-las tão enormes comigo que espantam aos que as veem e me tira de mim muitas vezes para louvar-vos, pois estando em mim, sem Vós, não poderia, Senhor meu, nada, a não ser voltar a ser cortadas essas flores desse jardim, de maneira que essa terra miserável voltasse a servir de fossa como antes. Não o permitais, Senhor, nem queirais que se perca uma alma que com tantos trabalhos comprastes e tantas vezes de novo voltastes a resgatar e tirar dos dentes do dragão assustador.

12. O senhor me perdoe, pois me desvio do assunto. E como falo a propósito de mim, não se espante, pois é como a alma toma o que se escreve, e, às vezes, faz bem de parar em louvores a Deus, quando se apresenta, escrevendo, o muito que lhe deve. E não creio que dará desgosto ao senhor porque entre nós dois, me parece, podemos cantar a mesma coisa, ainda que de maneiras diferentes, já que é muito mais o que eu devo a Deus, porque me perdoou mais, como sabe o senhor.

CAPÍTULO 15

PROSSEGUE NA MESMA MATÉRIA E DÁ ALGUNS AVISOS DE COMO SE DEVE COMPORTAR NESSA ORAÇÃO DE QUIETUDE. TRATA DE COMO HÁ MUITAS ALMAS QUE CHEGAM A TER ESSA ORAÇÃO E POUCAS QUE PASSAM ADIANTE. SÃO MUITO NECESSÁRIAS E PROVEITOSAS AS COISAS DE QUE AQUI SE TRATA

1. Agora voltemos ao assunto. Essa quietude e recolhimento da alma é uma coisa que se sente muito na satisfação e paz que nela se apresenta com enorme alegria e sossego das potências e muito suave deleite. Parece-lhe — já que não chegou mais longe — que não sobra o que desejar e que de boa vontade diria com são Pedro que seria ali sua morada.[1] Não ousa agitar-se nem sair do lugar, pois lhe parece que aquele bem vai lhe escapar das mãos. Nem respirar quereria, às vezes. Não entende a pobrezinha que, já que não pôde fazer nada para trazer a si aquele bem, menos ainda poderá fazer para interrompê-lo enquanto o Senhor não quiser.

Já falei que, nesse primeiro recolhimento e quietude, não estão ausentes as potências da alma. Mas ela está tão satisfeita com Deus que, enquanto aquilo durar, ainda que as potências se desbaratem, como a vontade está unida com Deus, não se perde a quietude e o sossego. Antes volta ela pouco a pouco a recolher o entendimento e a memória. Porque, mesmo que ela não esteja totalmente envolvida, está tão bem ocupada sem saber como, que — por mais esforço que elas façam — não podem tirar dela sua alegria e seu gozo. Antes, muito sem trabalho, se vai ajudando para que essa centelhinha de amor de Deus não se apague.

2. Queira Sua Majestade me dar graça para que eu faça entender bem isso, porque há muitas, muitas almas que chegam a esse estado e poucas as que passam adiante, e não sei quem tem a culpa. Com certeza não é culpa de Deus, pois já que Sua Majestade faz a dádiva de que se chegue a esse ponto, não creio que cessaria de fazer muitas mais a não ser por nossa culpa.

É muito importante que a alma que chega aqui conheça a dignidade grande em que está, e a grande dádiva que lhe fez o Senhor. E como, com boa razão, não havia de ser da terra. Porque parece que a bondade d'Ele já a faz vizinha do céu, se não ficar por culpa sua. E desventurada será se voltar atrás. Eu penso que será para ir para baixo — como eu ia, se a misericórdia do Senhor não me tivesse virado — porque, na maior parte das vezes, será por culpas graves, ao que me parece, e nem é possível deixar tão grande bem sem grande cegueira vinda de muito mal.

3. E assim peço eu, por amor do Senhor, às almas a quem Sua Majestade fez a tão grande dádiva de chegar a esse estado, que se conheçam e tenham-se em alta conta, numa humilde e santa presunção, para não voltar às panelas do Egito.[2]

E se por sua fraqueza e maldade e natureza ruim e miserável caírem — como eu fiz —, tenham sempre diante dos olhos o bem que perderam. E suspeitem e andem com temor, pois têm razão para temer, de que, se não voltarem à oração, irão de mal a pior. Esta eu chamo de verdadeira queda, a que repudia o caminho pelo qual ganhou tanto bem, e com essas almas falo. Não digo que não vão ofender a Deus e cair em pecados, ainda que fosse motivo para se guardar muito deles quem começou a receber essas dádivas, mas somos miseráveis. O que aconselho muito é que não deixe a oração, pois ali entenderá o que faz e ganhará arrependimento do Senhor e fortaleza para levantar-se. E acredite, acredite que, se se afastar dessa, corre, na minha opinião, perigo. Não sei se entendo do que falo, porque — como disse — julgo por mim.

4. É então essa oração uma centelhinha do seu verdadeiro amor que o Senhor começa a acender na alma. E quer que a alma vá entendendo que coisa é esse amor, com júbilo. Essa quietude e recolhimento e centelhinha, se for espírito de Deus e não prazer dado pelo demônio ou procurado por nós mesmos (ainda que, para quem tem experiência, seja impossível não saber logo que não é coisa que se possa obter. Mas essa nossa natureza é tão sôfrega de coisas saborosas que experimenta tudo. Fica, porém, muito fria bem rápido, porque, por muito que queira começar a fazer arder o fogo para atingir esse gosto, não parece que faz outra coisa a não ser jogar água para extingui-lo); então, essa centelhinha colocada por Deus, por pequena que seja, faz muito barulho. E se não a extingue por sua culpa, ela é que começa a acender o grande fogo que faz brotar de si chamas, como direi no lugar apropriado, do enorme amor de Deus que Sua Majestade faz que as almas perfeitas tenham.

5. Essa centelha é um sinal ou um penhor que Deus dá a essa alma, de que já a escolheu para grandes coisas, se ela se preparar para recebê-las. É um grande dom, muito maior do que eu poderia dizer. É uma grande pena para mim, porque — como digo — conheço muitas almas que chegam aqui, mas que passem daqui, como têm que passar, são tão poucas que me dá vergonha dizer. Não digo que haja poucas, pois deve haver muitas, pois por algum motivo nos sustenta Deus. Falo do que vi. Quereria muito aconselhá-las a prestar atenção em não esconder

o talento, já que parece que Deus quer escolhê-las para proveito de muitas outras, especialmente nesses tempos em que são necessários amigos fortes de Deus para sustentar os fracos. E os que perceberem essa dádiva em si, considerem-se tais, se souberem responder com as leis que a boa amizade mesmo no mundo pede. E, se não, como já disse, temam e tenham medo para que não façam mal a si mesmos, e queira Deus que seja só a si mesmos!

6. O que deve fazer a alma nos períodos dessa quietude não é mais do que agir com suavidade e sem ruído. Chamo de "ruído" ficar buscando com o entendimento muitas palavras e considerações para dar graças por esse benefício e amontoar seus pecados e defeitos para ver que não o merece. Tudo isso se move aqui e o entendimento imagina e a memória se agita. E, com certeza, essas potências me cansam, às vezes, pois, mesmo tendo pouca memória, não consigo subjugá-la. A vontade, com sossego e delicadeza, entenda que não se negocia bem com Deus à força dos braços. Esses são como umas achas de lenha grandes postas sem cuidado de modo a abafar essa centelha, e saiba-o, e com humildade diga: Senhor, o que posso eu aqui? O que tem a ver a serva com o Senhor e a terra com o céu? Ou palavras de amor que ocorrem aqui. Muito apoiada em saber que é verdade o que diz e não faça caso do entendimento que é um importuno. E se a vontade quiser comunicar a ele aquilo de que goza ou se esforça para recolher o entendimento, pois muitas vezes se verá nessa união da vontade e nesse sossego, mas com o entendimento muito desbaratado, vale mais que o deixe, do que ir atrás dele. Mas a vontade, ia eu dizendo, fique gozando daquela dádiva, e recolhida como uma abelha sábia, porque, se nenhuma entrasse na colmeia, mas, levando umas às outras todas se fossem, mal se poderia fazer o mel.

7. Assim perderá muito a alma que não tiver cuidado com isso. Especialmente se a inteligência for aguçada, pois, quando começa a ordenar imagens e procurar ra-

zões em insignificâncias, se forem bem-compostas, achará que faz alguma coisa. A razão que se deve entender aqui é perceber com clareza que não há nenhuma para que Deus nos faça tão grande dádiva, a não ser sua bondade. E é ver que estamos tão perto e pedir a Sua Majestade dádivas e rogar-lhe por sua Igreja e pelos que se encomendaram a nós e pelas almas do purgatório, não com ruído de palavras, mas sim com o sentimento de desejar que nos ouça. É oração que abarca muito e alcança-se mais do que por muito refletir a inteligência. Desperte em si a vontade algumas razões para avivar esse amor, das quais a própria razão se utilizará ao ver-se tão melhorada, e faça alguns atos amorosos que fará por aquele a quem tanto deve, sem — como disse — admitir ruído da inteligência em procurar grandes coisas. Vêm mais ao caso aqui umas palhinhas postas com humildade, e serão menos do que palha se as pusermos nós mesmos, e a ajudarão a acender mais do que muita lenha de razões muito doutas, na nossa opinião, que no tempo que se leva para rezar um Credo a abafarão.

Isso é bom para os letrados que me mandam escrever, porque, pela bondade de Deus, todos chegam aqui e pode ser se gaste o tempo em aplicar Escrituras. E ainda que não deixem de ser de muito proveito as letras, antes e depois, aqui, nesses momentos de oração, pouca necessidade há delas, na minha opinião, se não for para enfraquecer a vontade. Porque o entendimento fica, então, ao ver-se perto da luz, com enorme claridade. Até eu, mesmo sendo quem sou, pareço outra.

E é assim que me aconteceu, estando nessa quietude, mesmo não entendendo quase nada do que rezo em latim, especialmente do Saltério, não só entender o verso como se estivesse em espanhol, mas ir adiante e entender o que o espanhol queria dizer.

Deixemos de lado se tiverem que pregar ou ensinar, pois então é bom se valer daquele bem para ajudar os pobres de pouco saber como eu. Pois é uma grande coisa a caridade e este fazer progredir as almas sempre, indo com simplicidade por Deus.

8. Assim, nesses períodos de quietude, deixe-se descansar a alma com seu descanso. Fiquem as letras de lado. Tempo virá em que sejam proveitosas ao Senhor e as tenham em tão alta conta que por nenhum tesouro quereriam deixar de tê-las, só para servir a Sua Majestade, porque ajudam muito. Mas diante da Sabedoria infinita, creiam-me que vale mais um pouco de esforço de humildade e um ato dela do que toda a ciência do mundo. Aqui não há o que discutir, mas basta conhecer o que somos com franqueza, e com simplicidade apresentar-nos diante de Deus, que quer que a alma se faça boba — como na verdade ela é diante de sua presença —, já que Sua Majestade se humilha tanto que a tolera junto de si, sendo nós o que somos.

9. Também se move a inteligência a dar graças muito compostas. Mas a vontade, com sossego, com um não ousar erguer os olhos como o publicano,[3] faz mais ação de graças do que o entendimento, ao transtornar a retórica, pode fazer.

Enfim, aqui não se deve deixar de todo a oração mental, nem algumas palavras, mesmo ditas em voz alta, se quiserem algumas vezes ou puderem, porque se a quietude for grande, mal se poderá falar a não ser com muito esforço.

10. Sente-se, me parece, quando é espírito de Deus ou procurado por nós, com o começo de devoção que dá Deus. Quando queremos, como já disse, passar nós mesmos a essa quietude da vontade, não faz efeito nenhum, acaba logo, deixa secura.

Se for do demônio, alma exercitada, parece-me, perceberá. Porque deixa inquietação e pouca humildade e pouco preparo para os efeitos que causa o que vem de Deus. Não deixa luz no entendimento nem firmeza na verdade. Pode fazer pouco dano ou nenhum, aí, se a alma endereçar seu deleite e a suavidade que sente ali, a Deus, e puser n'Ele seus pensamentos e desejos, como foi aconselhado. Não pode ganhar nada o demônio. Antes Deus permitirá que, com o próprio deleite que o demônio causa na alma, perca muito, porque esse ajudará a fazer com que a alma, como pensa que se trata de Deus, venha muitas vezes à oração com cobiça d'Ele. E se for uma alma humilde, e não curiosa nem interessada em deleites, ainda que sejam espirituais, mas amiga de cruz, fará pouco caso do gosto que o demônio dá, o que não poderá fazer se for espírito de Deus, porém, ao contrário, tê-lo em muito grande conta. Mas coisa que ponha o demônio, como ele é todo mentira, ao ver que a alma com o gosto e deleite se humilha (pois nisso há de importar muito, em todas as coisas de oração e gostos, procurar sair humilde), não voltará muitas vezes o demônio, vendo sua derrota.

11. Por isso, e por muitas outras coisas, eu avisei no primeiro modo de oração, na primeira água, que é grande negócio começar as almas oração começando a desprender-se de todo tipo de alegria e entrar determinadas só a ajudar Cristo a levar a cruz. Como bons cavaleiros que, sem soldo, querem servir a seu rei, pois o têm bem seguro. Os olhos no verdadeiro e eterno reino que pretendemos ganhar. É muito grande coisa trazer isso sempre diante dos olhos. Especialmente no começo, porque, depois, se vê tão claramente, que antes é preciso esquecer para poder viver, do que trazer na memória o pouco que dura tudo e como não é tudo nada e a ninharia que se vai considerar o descanso.

12. Parece que isso é uma coisa muito baixa, e assim é de verdade, que os que estão avançados em mais perfeição tomariam como afronta e entre si se envergonhariam se as pessoas pensassem que deixam os bens deste mundo porque vão acabar. Ao contrário, ainda

que durassem para sempre, alegram-se em deixá-los por causa de Deus. E quanto mais perfeitos forem e quanto mais durarem mais se alegram em deixá-los. Aí, nesses, já cresceu o amor e é ele que opera. Mas para os que começam é coisa importantíssima — e não a considerem baixa, pois é grande bem que se ganha — e por isso eu aconselho tanto. Pois será necessário para eles, mesmo nos muito elevados na oração, alguns tempos em que os quer provar Deus e parece que Sua Majestade o deixa. Pois, como já disse — e não quereria que isso fosse esquecido —, nesta vida que vivemos a alma não cresce como o corpo, ainda que digamos que sim, e, de fato, cresça. Mas um menino, depois que cresce e deita um bom corpo e já tem corpo de homem, não volta a decrescer e ter um corpo pequeno. Aí o Senhor quer que sim, pelo que vi por mim, pois não sei por nenhum outro motivo. Deve ser para humilhar-nos, para nosso grande bem e para que não descuidemos enquanto estivermos neste desterro, pois aquele que estiver mais no alto mais deve temer e menos deve confiar em si.

Há vezes em que, para livrar-se de ofender a Deus, mesmo esses cuja vontade já está tão posta na de Deus que, para não fazer uma imperfeição, deixar-se-iam atormentar e passariam por mil mortes, para não cometer pecados — conforme se veem combatidos por tentações e perseguições —, precisam usar das primeiras armas da oração e voltar a pensar que tudo se acaba e que há céu e inferno e outras coisas desse tipo.

13. Voltando, então, ao que dizia, é um grande fundamento, para se livrar dos ardis que arma o demônio, começar com a determinação de levar caminho de cruz desde o princípio e não desejar alegrias, já que o próprio Senhor nos mostrou esse caminho de perfeição dizendo: "Toma tua cruz e segue-me". É o nosso modelo. Não tem o que temer quem, só para agradá-lo, seguir seus conselhos.

14. No aproveitamento que virem em si entenderão que não é o demônio, pois, ainda que voltem a cair, fica um sinal de que esteve aí o Senhor, que é levantar-se depressa, e estas coisas que agora direi. Quando é o espírito de Deus, não é preciso ficar rastreando coisas de onde tirar humildade e embaraço. Porque o próprio Senhor as dá, de maneira bem diferente da que nós podemos ganhar com nossas consideraçõezinhas, que não são nada em comparação com uma verdadeira humildade, com a luz que mostra aí o Senhor, que causa um embaraço que nos faz desfazer. Isto é uma coisa muito conhecida: o conhecimento que Deus dá para que conheçamos que nenhum bem temos por nós mesmos, e quanto maiores as dádivas, mais conhecemos. Dá um grande desejo de ir adiante na oração e não a deixar por nenhum infortúnio que venha a suceder. A tudo se oferece a alma. Uma segurança de que há de salvar-se com humildade e temor. Joga logo fora o temor servil da alma e põe o fiel em um temor muito mais maduro. Vê que começa um amor com Deus muito sem interesse seu. Deseja períodos de solidão para gozar mais daquele bem. Enfim, para não me cansar, é um princípio de todos os bens. Um estar já as flores numa situação que não lhes falta quase nada para brotar. E isso verá muito claramente a alma e de jeito nenhum, então, poderá se convencer de que não esteve Deus com ela, até que volte a se ver com quebras e imperfeições, pois então teme tudo. E é bom que tema, ainda que existam almas para as quais é muito mais proveitoso crer com certeza que é Deus, do que seriam todos os temores que se possam pôr nela. Porque, se for amorosa e agradecida, mais a faz voltar-se para Deus a memória da dádiva que Ele fez, do que todos os castigos do inferno que lhe mostrem. Ao menos à minha, mesmo tão ruim, isso acontecia.

15. Porque os sinais do bom espírito se irão dizendo, mas como a quem muito trabalho custa tirá-los a limpo,

não digo agora aqui. Creio, com o favor de Deus, atinarei algo nisso. Porque, à parte a experiência, na qual aprendi muito, sei-o por alguns letrados muito letrados e pessoas muito santas, a quem é razoável dar crédito. E não andem as almas tão desanimadas, quando chegarem aqui pela bondade do Senhor, como andei eu.

CAPÍTULO 16

TRATA DO TERCEIRO GRAU DE ORAÇÃO E VAI EXPLICANDO COISAS MUITO ELEVADAS E O QUE PODE A ALMA QUE CHEGA AQUI E OS EFEITOS QUE PRODUZEM ESSAS DÁDIVAS TÃO GRANDES DO SENHOR. É MUITO PARA ELEVAR O ESPÍRITO EM LOUVORES A DEUS E PARA GRANDE CONSOLO DE QUEM CHEGAR AQUI

1. Vamos agora falar da terceira água com que se rega este jardim, que é água corrente de rio ou de fonte, com que se rega com muito menos trabalho, ainda que se tenha algum para encaminhar a água. Quer o Senhor aqui ajudar o jardineiro de uma maneira que é Ele, quase, o jardineiro e quem faz tudo. É um sono das potências, que nem se perdem de todo, nem sabem como operam. O gosto, a suavidade e o deleite é mais sem comparação do que o anterior. É que dá água até o pescoço dessa alma — água da graça — e já não pode ir em frente, nem sabe como, nem voltar atrás. Quereria gozar de enorme glória. É como alguém que está com a vela na mão, a quem falta pouco para morrer a morte que deseja: está gozando naquela agonia o maior deleite que se pode dizer. Não me parece que seja outra coisa senão um morrer quase de todo para todas as coisas do mundo e estar gozando de Deus. Não sei como dizer ou como explicar em outros termos, nem, então, sabe a alma o

que fazer. Porque nem sabe se fala ou se cala. Nem se ri, nem se chora. É um glorioso desatino, uma celestial loucura onde se aprende a verdadeira sabedoria e é uma deleitosíssima maneira de a alma se regozijar.

2. E assim é que me deu o Senhor em abundância essa oração, creio, há cinco ou seis anos. Muitas vezes. E eu não a entendia nem saberia falar dela. E assim tinha decidido, tendo chegado a este ponto, dizer muito pouco ou nada. Bem percebia eu que não era união total de todas as potências e que era mais do que a passada, muito claramente. Mas eu confesso que não conseguia determinar nem entender essa diferença. Creio que, pela humildade que o senhor teve em querer se valer de uma parvoíce tão grande como a minha, me deu o Senhor hoje, acabando eu de comungar, essa oração, e sem poder eu ir em frente. E me expôs essas comparações e mostrou a maneira de dizer e o que há de fazer aqui a alma, que, com certeza, eu me espantei e entendi, aqui, em um instante. Muitas vezes ficava assim como desatinada e embriagada neste amor e jamais tinha conseguido entender como era. Bem sabia que era Deus, mas não conseguia entender como operava aqui. Porque de fato, de verdade, estão quase totalmente unidas as potências, mas não tão absorvidas que não operem. Gostei extremamente de ter entendido isso agora. Bendito seja o Senhor que me agradou assim!

3. Só têm habilidade, as potências, para ocupar-se todas com Deus. Parece que não ousa se mexer nenhuma nem as podemos mover, se com muito esforço quisermos nos desviar. E me parece que, mesmo assim, não se poderia então de todo fazer isso. Dizem-se aqui muitas palavras de louvor a Deus, sem coordenação, se o próprio Senhor não as coordenar. Pelo menos o entendimento não vale nada aqui. A alma quereria soltar a voz em louvores e fica que não cabe em si: um desassossego gostoso.

Já, já se abrem as flores, já começam a dar perfume. Aqui quereria a alma que todos a vissem e percebessem

sua glória para louvor de Deus, e que a ajudassem, e dar-
-lhes parte de seu gozo, porque não aguenta regozijar-se
tanto. Parece-me que é como a que diz o Evangelho que
queria chamar ou chamava suas vizinhas.[1] Isso, me parece, devia sentir o admirável espírito do profeta Davi,
quando tangia e cantava com a harpa em louvor a Deus.
Desse rei glorioso eu sou muito devota, e quereria que
todos fossem, especialmente os que somos pecadores.

4. Oh, valha-me Deus! Como é uma alma quando
está assim! Toda ela quereria transformar-se em línguas
para louvar o Senhor. Diz mil desatinos santos, atinando
sempre a contentar quem a mantém assim. Eu conheço
uma pessoa[2] que, mesmo não sendo poeta, lhe acontecia fazer de repente poemas muito sentidos explicando
bem sua pena. Não feitos por sua inteligência, mas sim
para usufruir mais a glória que uma tão saborosa pena
lhe dava, queixava-se dela a seu Deus. Todo o seu corpo e alma quereriam se despedaçar para mostrar o gozo
que com essa pena se sente. O que se poderia apresentar
então de tormentos que não lhe fosse saboroso passar
por seu Senhor? Vê claramente que não faziam nada os
mártires por sua parte em passar tormentos, pois sabe
bem a alma que vem de outra parte a fortaleza. Mas o
que sentirá de voltar a ter juízo para viver no mundo e
ter que tomar os cuidados e cumprir as obrigações dele?

Então não me parece que eu tenha feito elogio que
não fique baixo nesse modo de gozo de que o Senhor
quer que uma alma goze neste desterro. Bendito sejais
para sempre, Senhor! Louvem-vos todas as coisas para
sempre, Senhor! Queirais agora, Rei meu, suplico-vos
eu, já que, quando escrevo isto, não estou fora dessa santa loucura celestial por vossa bondade e misericórdia —
pois tão sem méritos meus me fazeis esta dádiva —, que,
ou estejam todos com quem eu falar loucos pelo vosso
amor, ou permitais que eu não fale com ninguém. Ou
ordenai, Senhor, que já não seja da minha conta nenhuma

coisa do mundo. Ou tirai-me dele. Já não pode, Deus meu, esta vossa serva suportar tantas aflições como as que lhe vêm de ver-se sem Vós. Se tem que viver, não quer descanso nessa vida nem se Vós o derdes. Quereria já esta alma ver-se livre. Comer mata-a. Dormir a angustia. Vê que se passa o tempo de sua vida em passá-la em regalos e que nada pode regalá-la fora de Vós. Parecer que vive contra sua natureza, uma vez que já não quereria viver em si, mas em Vós.

5. Oh, verdadeiro Senhor e glória minha! Que delgada e pesadíssima cruz tendes preparada para os que chegam a este estado! Delgada, porque é suave. Pesada porque há vezes em que não há paciência que a aguente, e não se quereria jamais se ver livre dela se não fosse para ver-se já convosco. Quando se lembra de que não vos serviu em nada e que vivendo poderia servir-vos, quereria carregar uma muito mais pesada e nunca, até o fim do mundo, morrer. Não conta nada seu descanso em troca de fazer-vos um pequeno serviço. Não sabe o que desejar. Ou melhor, entende bem que não deseja outra coisa senão a Vós.

6. Oh, meu filho, que é tão humilde que assim quer se chamar aquele a quem isso vai dirigido e me mandou escrever, sejam só para o senhor algumas coisas em que vir que saio dos limites. Porque não há razão que baste para eu não sair dela quando a tira o Senhor de mim. Nem creio que seja eu quem fala desde que, esta manhã, comunguei. Parece que sonho o que vejo e quereria ver apenas enfermos deste mal em que estou eu agora. Suplico ao senhor sejamos todos loucos por amor daquele que por nós foi chamado de louco.

Já que o senhor diz que gosta de mim, gostaria que me mostrasse dispondo-se para que Deus lhe faça essa dádiva. Porque vejo muito poucos que não veja com demasiado juízo para o que lhes compete. Pode ser que eu tenha mais do que todos, o senhor não me consinta isso, meu pai, pois também o é, sendo filho, já que é meu confessor a quem confiei minha alma. Tire-me do engano com a verdade, pois usam-se muito pouco essas verdades.

7. Queria que fizéssemos este acerto os cinco que no momento nos amamos em Cristo:[3] que, assim como outros nestes tempos se juntam em segredo contra Sua Majestade e para ordenar maldades e heresias, procurássemos juntar-nos algumas vezes para tirar uns aos outros dos enganos e dizer o que poderíamos emendar em nós e alegrar mais a Deus. Pois não há quem conheça tão bem a si como conhecem aqueles que nos veem, se for com amor e cuidado de nos beneficiar. Digo "em segredo", porque já não se usa essa linguagem. Até os pregadores vão compondo seus sermões para não desagradar. Boa intenção hão de ter, e a obra também o será. Mas assim poucos se emendam. Mas como não são muitos os que por causa dos sermões deixam os vícios públicos? Sabe o que me parece? Porque têm muito juízo os que pregam. Não estão sem ele, com grande fogo de amor de Deus como estavam os apóstolos, e, assim, aquece pouco essa chama. Não digo que deva ser tanta quanto eles tinham, mas queria que fosse mais do que vejo. Sabe o senhor o que deve ter muito peso? Ter já aversão à vida e em pouca estima a honra. Porque não importava mais aos apóstolos — em troca de dizer uma verdade e sustentá-la para glória de Deus — ganhar tudo ou perder tudo. Pois quem de verdade arrisca tudo por Deus leva igualmente uma e outra coisa. Não digo que eu seja assim, mas queria ser.

8. Oh, grande liberdade é considerar cativeiro ter que viver e conviver conforme as leis deste mundo! Pois como se consegue esta liberdade do Senhor, não há escravo que não arrisque tudo para se resgatar e voltar à sua terra. E já que este é o verdadeiro caminho, não se deve parar nele, pois nunca chegaremos a ganhar tão grande tesouro até que se acabe nossa vida. O Senhor nos dê para isso seu favor.

Risque o senhor isso que disse, se lhe parecer bem, e considere como uma carta para si, e perdoe-me, porque fui muito atrevida.

CAPÍTULO 17

PROSSEGUE NA MESMA MATÉRIA DE EXPLICAR ESSE TERCEIRO GRAU DE ORAÇÃO. ACABA DE EXPLICAR O DANO QUE CAUSAM AQUI A IMAGINAÇÃO E A MEMÓRIA

1. Está razoavelmente dito este modo de oração e o que há de fazer a alma, ou, melhor dizendo, o que Deus faz nela. Pois é Ele, já, que assume o ofício de jardineiro e quer que ela tire folga. A vontade só consente aquelas dádivas de que goza, e deve se oferecer a tudo o que nela quiser fazer a verdadeira sabedoria. Porque é preciso coragem, com certeza, porque é tão grande o gozo que parece às vezes que não falta um instante para a alma acabar de sair deste corpo. E que morte feliz seria!

2. Aqui me parece que vai bem, como se disse ao senhor, deixar-se de todo nos braços de Deus: se quiser levá-la ao céu, vá; se ao inferno, não tem problema, desde que vá com seu Bem; se a vida acabar totalmente, é isso que quer; se for para viver mil anos, isso também. Faça Sua Majestade como com uma coisa que lhe pertence, já não é sua, de si mesma, a alma. Foi dada totalmente ao Senhor. Despreocupe-se de tudo.

Digo que, em oração tão alta quanto essa, quando Deus a dá à alma, ela pode fazer tudo isso e muito mais, esses são seus efeitos. E ela entende que o faz sem nenhum cansaço do entendimento. Só me parece que ela fica um pouco espantada com quanto o Senhor é bom jardineiro e não quer que ela tenha trabalho nenhum, mas apenas que se deleite em começar a cheirar as flores. Pois numa proximidade dessas, por pouco que dure, como se trata de um tal jardineiro, o criador da água, afinal, Ele a dá sem medida. E o que a pobre da alma com trabalho talvez de vinte anos de cansar o entendimento não conseguiu acumular, faz esse jardineiro celestial em um instante. E cresce a fruta e amadurece de maneira que a alma pode se sustentar com seu jardim, se o Senhor quiser. Mas Ele não permite que a alma reparta a fruta até que esteja tão forte com o que comeu dela que não a desperdice só em degustações sem tirar proveito nenhum. Nem mesmo se pagasse aquele a quem ela a der, mas quer sim que a alma a mantenha. E que não dê de comer à sua custa, pois talvez fique morta de fome.

Isso fica bem entendido por tais inteligências[1] e saberão aplicá-lo melhor do que eu saberei dizer, e me canso.

3. Por fim, o fato é que as virtudes ficam agora tão mais fortes do que na oração de quietude anterior, que a alma não pode ignorá-las, porque se vê outra e não sabe como. Começa a operar por si mesma grandes coisas com o aroma que as flores dão. Pois o Senhor quer que se abram para que ela veja que tem virtudes, ainda que veja muito bem que não as tinha ela mesma, nem conseguiu ganhar em muitos anos, e que naquele pouquinho o jardineiro celestial as deu.

Aqui é muito maior a humildade, e mais profunda, do que a anterior. Tanto que a alma se tranquiliza. Porque vê mais claramente que não fez nada, a não ser consentir que o Senhor fizesse dádivas e a vontade as abraçasse.

Parece-me esse modo de oração união muito evidente de toda a alma com Deus, só que parece que Sua Majestade quer dar licença às potências para que entendam e se regozijem com o muito que opera ali.

4. Acontece às vezes, e muitas e muitas vezes, estando unida a vontade (para que o senhor veja que isso pode

acontecer e perceba quando tiver. Ao menos a mim, deixou-me tonta, e por isso falo disso aqui): vê-se claramente e compreende-se que a vontade está atada e regozijando-se. Digo que "vê-se claramente" e está em muita quietude só a vontade. Por outro lado, estão o entendimento e a memória tão livres que podem tratar de negócios e se envolver em obras de caridade.

Isso, ainda que pareça tudo uno, é diferente da oração de quietude de que falei. Em parte porque lá a alma fica que não quer se mexer gozando daquele ócio santo de Maria. Nesta oração também pode ser Marta,[2] de forma que está quase operando juntamente em vida ativa e contemplativa. E pode compreender sobre obras de caridade e afazeres que convenham a seu estado e ler, ainda que não de todo esteja senhor de si e percebe bem que a melhor parte da alma está em outro extremo. É como se estivéssemos falando com alguém e, de outro lado, outra pessoa falasse conosco, de modo que nem bem estaremos com uma nem com outra. É uma coisa que se sente muito claramente e dá muita satisfação e alegria quando se a tem. E é uma disposição muito grande para que, tendo tempo de solidão e desocupação dos afazeres, venha a alma a uma quietude muito sossegada. É ir como uma pessoa que está satisfeita, que não tem necessidade de comer. Ao contrário, tem o estômago satisfeito, de forma que não encararia qualquer iguaria, mas não está tão farta que, se vê que ela é boa, deixe de comer de muito boa vontade. Assim, não a satisfaz nem quereria então alegria do mundo, porque em si tem o que a satisfaz mais: maiores alegrias de Deus desejos de satisfazer Seu desejo, de regozijar-se mais, de estar com Ele. É isso o que quer.

5. Há uma outra forma de união que ainda não é união completa, mas é mais do que a que acabo de dizer e não tanto como a que se disse sobre esta terceira água.

O senhor gostará muito de que o Senhor lhe dê todas, se é que já não as tem, de achar isto escrito e entender o que é. Porque uma dádiva é dar o Senhor a dádiva, e outra é entender que dádiva é, e que graça. Outra é saber falar dela e fazer entender como é. E ainda que não pareça, é mais necessária do que a primeira, para não ficar a alma confusa e medrosa e ir com mais coragem pelo caminho do Senhor deixando debaixo dos pés todas as coisas do mundo. É um grande avanço entender isso e uma dádiva, por cada uma ser razão para que louve o Senhor quem a tem. E, quem não tem, porque a deu Sua Majestade a algum dos que vivem para proveito nosso.

Agora, então, acontece muitas vezes esse modo de união de que quero falar, especialmente a mim, pois me faz Deus essa dádiva deste tipo muito, muito. Pois Deus toma a vontade e também o entendimento, me parece, porque não raciocina, mas fica ocupado em fruir de Deus. Como quem está olhando e vê tanto que não sabe para onde olhar. Em uma coisa e outra se perde a vista, a ponto de não poder dar notícia de coisa alguma. A memória fica livre, e junto com a imaginação deve ser. E ela, quando se vê sozinha, é para louvar a Deus a guerra que move e o modo como tenta desassossegar tudo. A mim, me deixa cansada e eu me aborreço com ela, e muitas vezes suplico ao Senhor que tire ela de mim nesses períodos, se vai me estorvar tanto. Às vezes digo a Ele: "Quando, meu Deus, vai estar finalmente unida toda a minha alma em vosso louvor, e não aos pedaços, sem poder se valer?". Aqui vejo o mal que nos causa o pecado, já que nos sujeitou dessa forma a não fazer o que queremos, que é estar sempre ocupados em Deus.

6. Digo que me acontece às vezes — e hoje foi uma e, assim, tenho bem fresco na memória — ver minha alma se desmanchar por ver-se unida onde está a melhor parte, e vejo ser impossível, porque a memória e a imaginação movem uma tal guerra contra ela que não a deixam prevalecer. E como faltam as outras potências, não conseguem, mesmo para fazer o mal, nada. Fazem

muito para desassossegar. Digo que não "para fazer o mal" porque não têm força nem param em coisa alguma. Como a inteligência não a ajuda em nada com o que se lhe apresenta, a memória não para em nada, indo de uma coisa a outra. Não parece ser outra coisa senão uma dessas mariposas da noite, importunas e desassossegadas. Anda de um lado a outro assim. Essa comparação, parece-me, vem bem ao ponto, porque, ainda que não tenha força para fazer nenhum mal, importuna aos que a veem.

Para isso não sei que remédio há, pois até agora Deus não me deu a conhecer. De boa vontade o tomaria eu, pois me atormentam, como disse, muitas vezes. Mostra-se aqui nossa miséria, e muito claramente o grande poder de Deus, porque essa, que fica solta, muito nos prejudica e cansa, e as outras, que estão com Sua Majestade, é o descanso que nos dão.

7. O último remédio que encontrei, ao cabo de ter me cansado muitos anos, é o que disse na oração de quietude: que não se faça caso dela mais do que de um louco. Antes, deixe-se ela com sua mania que só Deus pode tirar e, afinal, aí fica por ser escrava. Temos que aguentar com paciência como fez Jacó com Lia, pois grande dádiva nos faz Deus de que nos regozijemos com Raquel.[3]

Digo que "fica escrava" porque, no fim, não consegue — por mais que faça — trazer para si as outras potências. Antes, elas é que, sem nenhum trabalho, fazem-na vir muitas vezes a si. Às vezes Deus resolve ter pena de vê-la tão perdida e desassossegada, com desejo de estar com as outras e consente que se queime no fogo daquela vela divina onde as outras estão já tornadas pó, perdido seu ser natural, quase estando sobrenatural, gozando de tão grandes bens.

8. Em todas essas maneiras que falei dessa última água de fonte, é tão grande a glória e o descanso da alma que, muito evidentemente, daquele gozo e deleite

participa[4] o corpo. Isso: "muito evidentemente". E as virtudes ficam muito aumentadas, como já disse.

Parece que quis o Senhor explicar esses estados em que a alma se vê, na minha opinião, o máximo que entre nós se pode entender. Converse o senhor com pessoa espiritual que tenha chegado até esse ponto e tenha erudição. Se lhe disser que está bom, creia que foi Deus que o disse e tenha em muita consideração Sua Majestade. Porque — como disse — passando o tempo se alegrará muito de entender o que é, enquanto não lhe der a graça para entender, ainda que dê a de fruir. Quando Sua Majestade der a primeira, com sua inteligência e erudição, entenderá pelo que está aqui. Seja louvada por todos os séculos dos séculos, amém.

CAPÍTULO 18

EM QUE TRATA DO QUARTO GRAU DE ORAÇÃO. COMEÇA A EXPLICAR DE UMA MANEIRA EXCELENTE A GRANDE DIGNIDADE QUE O SENHOR PÕE NA ALMA QUE ESTÁ NESSE ESTADO. É PARA ANIMAR MUITO OS QUE TRATAM DE ORAÇÃO, PARA QUE SE ESFORCEM PARA CHEGAR A TÃO ALTO ESTADO, POIS PODE-SE ALCANÇÁ-LO NA TERRA, AINDA QUE NÃO POR MERECÊ-LO, MAS SIM PELA BONDADE DO SENHOR. LEIA-SE COM DISCERNIMENTO, PORQUE SE EXPLICA DE UM MODO MUITO DELICADO, E TEM MUITAS COISAS NOTÁVEIS

1. O Senhor me ensine as palavras com que se possa dizer algo da quarta água. É bem necessário seu favor, mais ainda do que para a anterior. Porque nela a alma ainda sente que não está morta de todo, podemos dizer assim, já que está morta para o mundo. Mas, como disse, tem os sentidos para perceber que está nele e sentir sua solidão, e aproveita-se do exterior para fazer entender o que sente, ao menos por sinais.

Em toda a oração e tipos dela de que já se falou, em alguma coisa trabalha o jardineiro, ainda que nessas últimas o trabalho ande acompanhado de tanta glória e consolo da alma que ele jamais quereria sair dele e, assim, não sente como trabalho, mas como glória. Aqui não há sentir, mas apenas fruir, sem entender o que se frui. Entende-se que se frui um bem, no qual, juntos, se incluem todos os bens, mas não se compreende esse bem. Ocupam-se todos os sentidos nesse fruir, de maneira que não fica nenhum desocupado para poder ocupar-se em outra coisa exterior nem interiormente.

Antes, dava-se licença a eles para que, como digo, dessem alguma mostra do grande gozo que sentem. Aqui a alma regozija-se mais, sem comparação, e pode dar a perceber muito menos, porque não fica poder no corpo nem a alma o tem para poder comunicar aquele gozo. Naquele momento, tudo seria um grande entrave e tormento e estorvo de seu descanso. E digo que, se for união de todas as potências, ainda que quisesse — enquanto está nisso, digo —, não conseguiria. E, se conseguir, já não será união.

2. O como é esta que chamam união e o que é, eu não sei explicar. Na teologia mística se explica. Eu não saberei nomear os vocábulos, nem sei entender o que é mente, tampouco que diferença têm alma ou espírito. Tudo me parece uma coisa só. Se bem que, às vezes, a alma sai de si mesma, à maneira de uma fogueira que está ardendo e com chamas e, às vezes, essa fogueira cresce com ímpeto. Essa chama sobe muito acima da fogueira, mas não por isso é uma coisa diferente, mas sim a mesma chama que está na fogueira. Isso os senhores entenderão — pois eu não sei dizer melhor — com sua erudição.

3. O que eu pretendo explicar é o que a alma sente quando está nessa divina união. O que é união já está entendido, pois são duas coisas divinas fazer-se uma. Oh, Senhor meu, que bom sois! Bendito sejais para sempre! Louvem-vos, Deus meu, todas as coisas, pois nos amastes de tal maneira que podemos com verdade falar dessa comunicação que mesmo neste desterro tendes com as almas. E mesmo com as que são boas é uma grande liberalidade e magnanimidade vossa, meu Senhor, que dais como quem sois. Oh, liberalidade infinita, quão magníficas são

vossas obras!¹ Espanta a quem não tem a inteligência tão ocupada com as coisas da terra que não tenha nenhuma para entender verdades. Agora, que façais a almas que tanto vos ofenderam dádivas tão elevadas, com certeza para mim isso ultrapassa a inteligência. E quando venho a pensar nisso, não consigo seguir em frente. Onde se poderá ir que não seja voltar para trás? Porque não sabe como dar-vos graças por tão grandes dádivas. Eu me socorro às vezes dizendo disparates.

4. Acontece muitas vezes, quando acabo de receber essas dádivas ou começa Deus a me fazê-las, pois, estando nelas, já disse que não há como conseguir fazer nada, dizer: Senhor, olhai o que fazeis, não esqueçais tão depressa tão grandes males meus. Ainda que para me perdoar os esquecestes, para pôr limite às dádivas suplico-vos que vos lembreis. Não ponhais, Criador meu, tão precioso licor em copo tão quebrado, pois já vistes de outras vezes que eu volto a derramá-lo. Não ponhais semelhante tesouro onde ainda não está, como deve estar, perdida toda a cobiça de consolações da vida, pois o gastará mal gasto. Como dais a força dessa cidade e a chave da fortaleza a um alcaide tão fraco que, ao primeiro combate do inimigo, deixa-o entrar dentro? Não seja tão grande o amor, oh Rei eterno, que ponhais em risco joias tão preciosas. Parece, meu Senhor, que assim se dá ocasião para que sejam tidas em pouca conta, já que as pondes em poder de uma coisa tão ruim, tão baixa, tão fraca e miserável e de tão pouca importância que, ainda que trabalhe com vosso favor para não as perder, e não é necessário pouco favor, sendo como sou, não consegue beneficiar ninguém com elas. Enfim, mulher, e não boa, mas ruim. Parece que não só se escondem os talentos, mas se sepultam pondo-os em terra tão malcuidada. Não costumais fazer, Senhor, semelhantes liberalidades e dar tais dádivas a uma alma a não ser que beneficie a muitas. Já sabeis, meu Deus, pois suplico com toda boa

vontade e de coração, e já supliquei várias vezes, e considero um bem perder o maior bem da terra para que Vós façais isso a quem aproveite melhor esse bem para que cresça vossa glória.

5. Dizer essas e outras coisas me aconteceu muitas vezes. Depois eu via minha burrice e pouca humildade, porque o Senhor sabe bem o que convém e sabe que não havia forças em minha alma para salvar-se, se Sua Majestade, com tantas dádivas, não as pusesse nela.

6. Também pretendo explicar as graças e efeitos que ficam na alma e o que ela pode fazer por si mesma, ou se tem alguma função em chegar a tão grande estado.

7. Acontece vir uma elevação do espírito ou junção com o amor celestial. No meu entender, a união é diferente da elevação nessa mesma união. A quem não tiver provado da última parecerá que não. Mas, na minha opinião, mesmo sendo tudo uno, opera o Senhor de maneiras diferentes. E muito mais quanto ao crescimento do desprender-se das criaturas no voo do espírito. Vi muito claramente ser uma dádiva particular, ainda que — como digo — seja tudo uno, ou pareça ser. Mas um fogo pequeno também é fogo, como um grande, e já se vê a diferença que há entre um e outro. Em um fogo pequeno, antes que um ferro pequeno se faça brasa, passa muito tempo. Mas se o fogo for grande, ainda que o ferro seja maior, em muito pouquinho perde totalmente seu ser, parece. Assim me parece nessas duas maneiras de dádivas do Senhor e sei que quem tiver chegado ao arrebatamento entenderá bem. Se não tiver experimentado, vai lhe parecer desatino. E pode bem ser, porque alguém como eu querer falar de tal coisa, e explicar algo sobre aquilo que parece ser impossível até mesmo haver palavras com que começar, não é de estranhar que cause desatino.

8. Mas creio no Senhor, pois sabe Sua Majestade que, depois de obedecer, minha intenção é atrair as almas com um bem tão alto que me ajudará nisso. Não

direi nada que não tenha experimentado muito. Assim é que, quando comecei a escrever sobre essa última água, parecia-me impossível saber tratar disso mais do que falar grego, pois é difícil assim. Com isso, deixei a coisa e fui comungar. Bendito seja o Senhor que favorece assim os ignorantes! Oh, virtude de obedecer que podes tudo! Clareou Deus minha inteligência umas vezes com palavras e outras pondo diante de mim como havia de dizer. Como fez na oração anterior, Sua Majestade parece querer dizer o que eu não consigo nem sei.

Isso que digo é a inteira verdade e, assim, o que for bom é a sua doutrina. O mau, está claro, é do oceano de males que eu sou. E assim digo que, se houver pessoas que tenham chegado às coisas de oração de que o Senhor fez dádiva a esta miserável — pois deve haver muitas — e quiserem conversar comigo sobre essas coisas, parecendo-lhes que estão desencaminhadas, o Senhor ajudará sua serva a ir avançando com Sua verdade.

9. Agora, falando dessa água que vem do céu, para, com sua abundância, encher e fartar todo o jardim de água, se, havendo necessidade, nunca deixar de dá-la o Senhor, já se vê que descanso terá o jardineiro. E se não houver inverno, mas ficar o tempo sempre temperado, nunca faltarão flores e frutas. Já se vê o deleite que teria. Mas enquanto vivemos é impossível. Sempre terá que haver cuidado para, quando faltar uma água, procurar a outra. Esta do céu vem muitas vezes quando o jardineiro está mais despreocupado. É verdade que, no começo, quase sempre é depois de longa oração mental, pois de um degrau a outro vem o Senhor a tomar essa avezinha e colocá-la no ninho para que descanse. Como a viu voar por um longo período, procurando com inteligência e vontade e com todas as suas forças buscar a Deus e alegrá-lo, quer dar-lhe o prêmio nesta vida mesmo. E que grande prêmio, pois basta um momento para que fiquem apagados todos os trabalhos que pode haver nela!

10. Estando assim a alma buscando a Deus, sente, com um deleite enorme e suave, quase desfalecer-se toda, com um jeito de desmaio, pois vai faltando o fôlego e todas as forças corporais de modo que, se não for com muito esforço, não conseguirá nem mesmo mexer as mãos. Os olhos se fecham sem querer fechá-los ou, se os mantém abertos, não vê quase nada. Nem, se ler, consegue dizer a letra e quase nem atina a reconhecê-la bem. Vê que há letra, mas, como a inteligência não ajuda, não sabe lê-la, mesmo que queira. Ouve, mas não entende o que ouve. Assim, não se beneficia em nada dos sentidos, a não ser para não conseguir deixá-la a seu prazer, e, assim, antes a prejudicam. Falar seria demais, porque não atina com formar as palavras. Nem tem força, mesmo que atinasse, para poder pronunciá-la, porque toda força exterior se perde e aumentam as da alma para poder fruir sua glória. O deleite exterior que se sente é grande e muito conhecido.

11. Essa oração não causa dano, por mais longa que seja. Pelo menos a mim nunca causou. Nem me lembro de fazer-me alguma vez o Senhor essa dádiva, por pior que estivesse, que me sentisse mal. Antes, ficava com uma grande melhora. Mas que mal pode fazer um bem tão grande? As operações exteriores são uma coisa tão evidente que não se pode duvidar de que tenha havido uma grande ocasião, já que tirou as forças dessa forma com tanto deleite para deixá-las maiores.

12. É verdade que no início passa em tão pouco tempo — ao menos a mim acontecia assim — que esses sinais exteriores e essa falta dos sentidos nem se dá tanto a perceber, quando passa depressa. Mas muito se percebe, pela sobra das dádivas, que foi grande a claridade do sol que esteve ali, já que a derreteu tanto. E note-se que — na minha opinião —, por mais longo que seja o espaço de tempo que fica a alma nessa suspensão de todas as potências, é bem curto. Se ficar meia hora é muito, muito.

Eu nunca fiquei tanto tempo, parece-me. É verdade que mal se pode sentir o tempo que se fica, já que não se sente nada. Mas digo que, de cada vez é muito pouco tempo sem voltar a si alguma potência. A vontade é a que mantém a firmeza, mas as outras logo voltam a importunar. Como a vontade está tranquila, volta a suspendê-las, e ficam mais um pouco, depois voltam a viver.

13. Nisto podem se passar algumas horas de oração, e passam-se. Começando as duas potências a se embriagar e saborear aquele vinho divino, voltam com facilidade a se perder para ganhar muito mais. E acompanham a vontade e se deliciam todas as três. Mas este estar de todo perdidas e sem nenhuma imaginação em nada — pois, no meu entender, também ela se perde totalmente — digo que é por pouco tempo, ainda que não totalmente voltem a si que não possam ficar algumas horas como desatinadas, voltando de tempos em tempos a tomá-las Deus consigo.

14. Agora vamos ao interior do que a alma sente aqui. Diga-o quem o souber, pois não se pode entender, quanto mais dizer! Estava eu pensando, quando quis escrever isso, tendo acabado de comungar e de estar nessa mesma oração sobre a qual escrevo, no que fazia a alma durante aquele tempo. Disse-me o Senhor essas palavras: "Desfaz-se toda, filha, para pôr-se mais em mim. Já não é ela quem vive, mas sim Eu. Como não pode compreender o que entende, é não entender entendendo".

Quem tiver experimentado vai entender alguma coisa disso, porque não se pode dizer com mais clareza, por ser tão obscuro o que se passa ali. Só posso dizer que se imagina estar junto de Deus e fica uma certeza que, de maneira nenhuma, se pode deixar de crer. Aqui faltam todas as potências e ficam suspensas de um modo que, de modo nenhum, como eu disse, se percebe que operam. Se estava pensando num passo da Paixão, perde-se da memória assim, como se nunca tivesse tido lembrança dele. Se lendo, não há compreensão nem atenção no que lê. Se rezar, tampouco. Assim, essa borboletinha importuna da memória queima suas asas aí. Não pode mais bulir. A vontade tem que estar bem ocupada em amar, mas não entende como ama. O entendimento, se entende, não entende como entende. Ao menos não consegue compreender nada do que percebe. A mim não parece que entende porque — como digo — não se entende. Eu não consigo entender isso.

15. Aconteceu-me uma ignorância no princípio, pois não sabia que Deus estava em todas as coisas. E como me parecia estar tão presente, parecia-me impossível. Deixar de acreditar que estava ali eu não podia, por me parecer que havia percebido quase com clareza estar ali sua presença própria.

Os que não tinham erudição me diziam que Ele estava só por meio da graça. Eu não podia acreditar, porque — como disse — parecia estar presente e assim ficava aflita. Um grande letrado da Ordem do glorioso são Domingos[2] me tirou essa dúvida, pois me disse estar presente e como se comunicava conosco, de modo que me consolou muito. É de notar e entender que sempre essa água do céu, esse enorme favor do Senhor, deixa a alma com enormes ganhos, como direi agora.

CAPÍTULO 19

PROSSEGUE NA MESMA MATÉRIA. COMEÇA A EXPLICAR OS EFEITOS QUE PRODUZ NA ALMA ESSE GRAU DE ORAÇÃO. EXORTA MUITO A QUE NÃO VOLTEM ATRÁS, AINDA QUE DEPOIS DESSA DÁDIVA VOLTEM A CAIR, NEM DEIXEM A ORAÇÃO. FALA DOS DANOS QUE VIRÃO POR NÃO SE FAZER ISSO. É PARA TER MUITO EM CONTA E DE GRANDE CONSOLAÇÃO PARA OS FRACOS E PECADORES

1. Fica a alma por essa oração e união com enorme ternura, de modo que quereria se desfazer, não de tristeza, mas sim de lágrimas de regozijo. Acha-se banhada nelas sem sentir nem saber quando nem como as chorou, mas dá-lhe grande deleite ver aplacado aquele ímpeto do fogo com uma água que o faz crescer mais.

Isso parece uma algaravia, mas é assim que se passa. Aconteceu-me algumas vezes no término de oração estar tão fora de mim, que não sabia se era sonho ou se acontecia de verdade a glória que eu havia sentido. E ao ver-me cheia de água que sem tristeza destilava, com tanto ímpeto e presteza que até parecia que aquela nuvem do céu a jogava de si, via que não tinha sido sonho. Isso era no começo, pois passava depressa.

2. Fica a alma tão valente, que, se naquele momento fizessem-na em pedaços por Deus, seria para ela um grande consolo. Aí estão as promessas e decisões heroicas, a

vivacidade dos desejos, o começar a abominar o mundo e ver muito claramente sua vaidade. Está muito mais avançada, e altamente, do que nas orações anteriores. E a humildade, muito mais crescida. Porque vê claramente que, para aquela excessiva dádiva, e grandiosa, não houve providência sua, nem tomou parte em trazê-la ou mantê-la. Vê-se claramente indigníssima, porque, em um cômodo em que entra muito sol não há nem teia de aranha escondida. Vê sua miséria. Está tão longe a vanglória que não lhe parece que poderia tê-la, porque salta aos olhos o pouco ou nada que pode. Pois ali quase nem houve consentimento. Parece, sim, que, ainda que não quisesse, se fecharia a porta para todos os sentidos para que pudesse gozar mais do Senhor. Fica sozinha com Ele, que há de fazer senão amá-lo? Não vê nem ouve, a não ser com muito esforço. Há pouco a agradecê-la. Sua vida passada se lhe apresenta, depois, e a grande misericórdia de Deus, com grande verdade e sem haver necessidade de que a inteligência vá à caça, pois ali vê já cozido o que há de comer e entender. Vê por si mesma que merece o inferno e que a castigam com a glória. Desfaz-se em louvores a Deus. E eu quereria me desfazer agora. Bendito sejais, Senhor meu, pois tirais de lodo tão sujo quanto eu água tão clara que serve para vossa mesa! Sede louvado, oh, delícia dos anjos, pois quereis erguer assim um verme tão vil!

3. Permanece algum tempo esse avanço da alma. Já pode, desde que entenda claramente que a fruta não é sua, começar a reparti-la e não faltará para si. Começa a dar sinais de alma que guarda tesouros do céu, e a ter desejo de reparti-los com outros, e suplicar a Deus que não seja só ela a rica. Começa a ser proveitosa para os que estão próximos, quase sem perceber nem fazer nada por si. Eles percebem, porque as flores já têm tão crescido o aroma que os faz desejar aproximar-se delas. Percebem que tem virtudes e veem a fruta que é apetitosa e quereriam ajudá-la a comer.

Se essa terra está muito cavada por trabalhos e perseguições e murmurações e doenças — pois poucos devem chegar a esse ponto sem isso — e se está lavrada graças a ir muito desapegada do interesse próprio, a água a embebe tanto que quase nunca seca. Mas se for terra que ainda está na terra e com tantos espinhos quanto eu estava no começo, e ainda não tirada das ocasiões de pecado, nem tão agradecida como merece uma dádiva tão grande, a terra volta a secar. E se o jardineiro se descuidar e o Senhor não voltar a querer chover só por sua bondade, dê por perdida a horta, pois assim me aconteceu algumas vezes. Porque, com certeza, me espanto e, se não tivesse se passado comigo, não conseguiria acreditar.

Escrevo isso para consolo das almas fracas como a minha. Que nunca desesperem nem deixem de confiar na grandeza de Deus. Ainda que, depois de tão elevadas — como é tê-las levado o Senhor a esse ponto —, caiam, não desanimem, se não quiserem se perder totalmente, pois as lágrimas ganham tudo. Uma água atrai a outra.

4. Uma das coisas graças às quais me animei — sendo eu quem sou — a escrever isso e dar conta da minha vida ruim e das dádivas que me fez o Senhor sem eu o servir, mas sim ofendê-lo, foi essa. Por certo eu queria aqui ter grande autoridade para que acreditassem em mim nisso. Ao Senhor suplico que Sua Majestade a dê a mim.

Digo que não desanime ninguém que tenha começado a ter oração dizendo: "se voltar a ser mau, é pior ir em frente com a prática dela". Eu creio que sim, se deixar a oração e não se emendar do mal. Mas, se não a deixar, acredite que ela o levará a porto de luz.

Nisso me deu grande combate o demônio e passei tanto tempo em achar que era pouca humildade ter oração sendo tão ruim que, como já disse, deixei-a por um ano e meio. Pelo menos um ano, pois do meio eu não me lembro bem. E não teria sido, e não foi, mais do que meter-me eu mesma no inferno, sem ter necessidade de demônios que me fizessem ir. Oh, valha-me Deus, que cegueira tão grande! E como acerta bem o demônio para seu propósito em pesar a mão aqui! O traidor sabe que terá perdido a alma que mantiver a oração com perseverança. E sabe que todas as quedas que a faz dar a ajudam, por bondade de Deus, a dar, depois, um salto maior no que é serviço a Ele. Alguma coisa o demônio perde nisso.

5. Oh meu Jesus! O que é ver uma alma que chegou até aqui caída em um pecado quando Vós, por vossa misericórdia, voltais a lhe dar a mão e a levantais! Como conhece a multidão de vossas grandezas e misericórdias e sua miséria! Aí está o desfazer-se de verdade e conhecer vossas grandezas. Aí o não ousar erguer os olhos. Aí está o levantá-los para saber o que vos deve. Aí se torna devota da Rainha do Céu, para que ela vos aplaque. Aí evoca os santos que caíram depois de Vós os terdes chamado, para que a ajudem. Aí está o parecer amplo tudo o que dais, porque vê que não merece a terra que pisa. O acudir aos Sacramentos. A fé viva que aqui lhe fica por ver a virtude que Deus pôs neles. O louvar-vos, porque deixastes um remédio e unguento tal para nossas chagas, que não as fecha, mas, sim, tira totalmente. Espanta-se por isso. E quem, Senhor de minha alma, não se há de espantar com misericórdia tão grande e dádiva tão crescida a uma traição tão feia e abominável? Não sei como não se me parte o coração quando escrevo isso, porque sou ruim.

6. Com essas lagriminhas que aqui choro, dadas por Vós — água de tão mau poço, no que vem da minha parte —, parece que vos faço o pagamento de tantas traições, sempre fazendo males e tentando desfazer as dádivas que me fizestes. Ponde Vós, Senhor meu, valor nelas. Clareai água tão turva. No mínimo para que não dê a alguém a tentação de julgar — como deu a mim — pensando: por que, Senhor, deixais pessoas muito san-

tas, que sempre vos serviram e por Vós trabalharam? Criadas na vida religiosa e sendo religiosas, não como eu, que não tinha de religiosa mais do que o nome. E se vê claramente que não fazeis a elas as dádivas que fazeis a mim. Bem via eu, meu Bem, que guardais para elas o prêmio para dá-lo de uma vez, e que minha fraqueza tem necessidade disso. Já eles, por serem fortes, vos servem sem prêmio e Vós os tratais como gente esforçada e não interesseira.

7. Mas, com tudo isso, sabeis Vós, Senhor meu, que eu clamava muitas vezes diante de Vós, desculpando as pessoas que murmuravam contra mim, porque me parecia que tinham razão de sobra. Isso já era, Senhor, depois que me seguráveis por vossa bondade para que não vos ofendesse tanto, e eu já estava me desviando de tudo o que me parecia que podia desgostar-vos. Pois fazendo eu isso, começastes, Senhor, a abrir vossos tesouros para vossa serva. Parece que não esperáveis outra coisa, a não ser que houvesse vontade e preparação em mim para receber-vos. Então, rapidamente começastes não só a dá-los, mas também a querer que notassem que dáveis.

8. Percebido isso, começou-se a ter boa opinião sobre aquela que todos ainda não tinham entendido bem quão má era, ainda que muita coisa transparecesse. Começou a murmuração e a perseguição de repente e — na minha opinião — com muito motivo. E assim eu não pegava inimizade com ninguém, antes suplicava a Vós que vísseis como elas tinham razão. Diziam que eu queria me fazer de santa e que inventava novidades. Não tendo chegado, então, nem de longe a cumprir toda a minha regra. Nem chegava perto das muito boas e santas monjas que havia em casa. Nem chegarei, creio, se Deus, por sua bondade, não fizer tudo por sua conta. Mas sim que eu estava lá para tirar o bom e pôr costumes que não o eram. Ao menos, fazia o que podia para pô-los, e no mal podia muito. Assim, sem culpa sua, me culpavam. Não digo que

fossem só as monjas, mas também outras pessoas. Descobriam verdades sobre mim porque Vós permitíeis.

9. Uma vez, rezando as horas, no tempo em que, às vezes, tinha essa tentação, cheguei ao verso que diz: "Justus es, Domine, e teus juízos".[1] Comecei a pensar que grande verdade era. Porque, nisso, não tinha nunca o demônio força para me tentar, de maneira que eu duvidasse de que Vós tendes, meu Senhor, todos os bens. Nem de nenhuma coisa da fé. Antes me parecia que, quanto mais sem caminho natural eram as coisas da fé, mais firme eu as tinha, e me davam grande devoção. Em ser Todo-poderoso ficavam resumidas para mim todas as grandezas que Vós fizestes. E disso — como disse — jamais tinha dúvidas.

Oh, pensando então como, com justiça, permitíeis a muitas, pois havia — como já disse — muitas que eram muito vossas servas, e que não tinham os presentes e as dádivas que fazíeis a mim, sendo eu quem era, respondestes-me, Senhor: "Serve-me tu a mim, e não te metas nisso". Foi a primeira palavra que vos ouvi dizer-me, e, assim, assustou-me muito.

Porque depois explicarei essa maneira de ouvir, junto com outras coisas. Não falo disso aqui porque é fugir do assunto e creio que já saí muito. Eu quase não sei o que disse. Não tem outro jeito, meu filho, a não ser que o senhor tem que aguentar essas interrupções. Porque, quando vejo o que Deus aguentou de mim, e me vejo neste estado, não é grande coisa que eu perca o tino do que digo e deva dizer. Queira o Senhor que sejam sempre esses meus desatinos e já não permita Sua Majestade que eu tenha poder para ser contra Ele em algum momento, antes me consuma neste em que estou.

10. Já basta, para ver suas grandes misericórdias, que não uma, mas muitas vezes perdoou tanta ingratidão. A são Pedro foi uma, a mim, muitas. E com razão me tentava o demônio a não pretender amizade estreita com

Aquele a quem eu tratava tão publicamente com inimizade. Que cegueira tão grande a minha, Senhor! Onde eu pensava, meu Senhor, encontrar remédio senão em Vós? Que disparate fugir da luz para andar sempre tropeçando! Que humildade tão orgulhosa inventava em mim o demônio: afastar-me de estar apoiada na coluna e no báculo que havia de me sustentar, para não sofrer uma queda tão grande! Agora faço o sinal da cruz, e não me parece que tenha corrido perigo tão perigoso como essa invenção que o demônio me ensinava pelo caminho da humildade. Punha-me no pensamento: como uma coisa tão ruim e tendo recebido tantas dádivas, haveria de me aproximar da oração? Que me bastava rezar o que devia, como todas. Que, já que nem isso eu fazia bem, como queria fazer mais? Que era falta de respeito e fazer pouco das dádivas de Deus.

Era bom pensar e entender isso. Mas, pôr isso em prática foi o maior dos males! Bendito sejais Vós, Senhor, que me remediastes assim!

11. Me parece o princípio da tentação que fazia a Judas, só que não ousava o traidor agir tão às claras. Mas ele viria, pouco a pouco, a dar comigo onde deu com ele. Atentem para isso, pelo amor de Deus, todos os que falam de oração. Saibam que, no tempo em que estive sem ela, era muito mais perdida a minha vida. Veja-se que bom remédio me dava o demônio e que graciosa humildade: um desassossego grande em mim. Mas como haveria de sossegar minha alma? Afastava-se a coitada de seu sossego, tinha presentes as dádivas e os favores, via serem asco as alegrias daqui. Como pude passar por isso me espanta.

Era com esperança que eu nunca pensava em deixar de estar decidida a voltar à oração, pelo que me lembro agora, porque isso já deve fazer mais de vinte anos. Mas esperava para estar muito limpa de pecados. Oh, que mal encaminhada ia nessa esperança! Até o dia do juízo me manteria nela o demônio, para dali levar-me ao inferno.

Então, tendo oração e leitura — pois via as verdades e o caminho ruim em que andava — e importunando o Senhor com lágrimas muitas vezes, era tão ruim que não conseguia me valer. Afastada disso, punha-me em passatempos e ocasiões de pecado e poucas ajudas, e, ousarei dizer, nenhuma ajuda a não ser para cair. O que eu esperava, senão aquilo que disse?

12. Creio que tem muito mérito diante de Deus um frade de são Domingos,[2] grande letrado, pois ele me despertou desse sono. Ele me fez, como creio que já disse, comungar de quinze em quinze dias. E o mal já não era tanto. Comecei a voltar a mim, ainda que não deixasse de fazer ofensas ao Senhor. Mas, como não havia perdido o caminho, ainda que pouco a pouco, caindo e levantando, ia por ele. E aquele que não deixa de andar e ir em frente, ainda que demore, chega. Parece-me que perder o caminho não é outra coisa que deixar a oração. Deus nos livre, por quem Ele é!

13. Fica aqui entendido — e repare bem pelo amor de Deus — que, ainda que Deus chegue a fazer tão grandes dádivas a uma alma, não confie ela em si, pois pode cair, nem se ponha em ocasião de pecado de maneira nenhuma.

Observe-se muito, pois é muito importante. O engano que pode fazer o demônio aí, depois, ainda que a dádiva seja certamente de Deus, é aproveitar-se o traidor da própria dádiva, como puder, e de pessoas não maduras na virtude, nem mortificadas, nem desapegadas. Porque nisso não ficam fortalecidas o quanto baste, como direi mais adiante, para se pôr em ocasiões e perigos, por grandes que sejam os desejos e a determinação que tenham.

14. É uma excelente doutrina essa, e não minha, mas ensinada por Deus. E, assim, quereria que pessoas ignorantes como eu a soubessem. Porque, ainda que esteja uma alma nesse estado, não deve confiar em si para sair em combate, porque já fará bastante em defender-se. Aí são necessárias armas para defender-se dos demônios. E

a alma ainda não tem forças para lutar contra eles e pô-los debaixo dos pés, como fazem os que estão no estado de que falarei depois.

Esse é o engano com que o demônio pega, pois, quando se vê uma alma tão próxima de Deus, e vê a diferença que há entre o bem do céu e o da terra, e o amor que mostra o Senhor, desse amor nasce a confiança e segurança de não cair do estado de que goza. Parece-lhe que vê claramente o prêmio, que já não é possível deixar coisa que mesmo na vida é tão deleitosa e suave em troca de coisa tão baixa e suja como é o deleite. E com essa confiança tira o demônio a pouca que deve ter em si. E, como disse, põe-se nos perigos e começa, com zelo, a dar sem medida da fruta, crendo que não há o que temer por si. E isso não é com soberba, pois a alma entende bem que nada pode por si mesma, mas sim por muita confiança em Deus, porém sem discernimento, porque não vê que ainda tem só penugem. Pode sair do ninho, e Deus a tira dele, mas ainda não está pronta para voar, porque as virtudes ainda não estão fortes, nem tem a experiência para conhecer os perigos, nem sabe o dano que causa confiar em si.

15. Isso foi o que me destruiu. E para isso e para tudo há necessidade de mestre e conversa com pessoas espirituais. Bem creio que a alma que Deus faz chegar a esse estado, se não abandonar Sua Majestade muito totalmente, não deixará Ele de favorecer e não a deixará se perder. Mas quando cair, como disse, veja, veja pelo amor do Senhor, que não a enganem a deixar a oração, como faziam a mim com humildade falsa, como já disse e muitas vezes quereria dizer. Confie na bondade de Deus, que é muito maior do que todos os males que podemos fazer, e não se lembra de nossa ingratidão quando nós, reconhecendo-nos, queremos voltar à sua amizade, nem das dádivas que nos fez para castigar-nos por elas. Antes ajudam-no a nos perdoar mais depressa, como

pessoas que já eram de sua casa e comeram, como se diz, de seu pão. Lembrem-se de suas palavras e vejam o que fez comigo, que me cansei de ofendê-lo antes que Sua Majestade deixasse de me perdoar. Nunca se cansa de dar, nem se podem esgotar suas misericórdias. Não nos cansemos nós de receber. Seja bendito para sempre, amém, e louvem-no todas as coisas.

CAPÍTULO 20

EM QUE TRATA DA DIFERENÇA QUE HÁ ENTRE UNIÃO E ARREBATAMENTO. EXPLICA QUE COISA É ARREBATAMENTO E DIZ ALGO SOBRE O BEM QUE TEM A ALMA QUE O SENHOR, POR SUA BONDADE, APROXIMA DELE. DIZ OS EFEITOS QUE PRODUZ. É ADMIRÁVEL

1. Quereria saber explicar, com o favor de Deus, a diferença que há entre união e arrebatamento ou elevação ou voo de espírito ou arroubo, pois é tudo uma coisa só. Digo, esses nomes diferentes todos são uma coisa só e também se chama êxtase. É grande a vantagem que leva sobre a união. Causa efeitos muito maiores e outras muitas operações. Porque a união parece no princípio, no meio e no fim ser no interior. E é. Mas, assim como esses outros fins são em mais alto grau, produzem os efeitos interior e exteriormente. Explique-o o Senhor, como fez com o resto, pois, com certeza, se Sua Majestade não me tivesse dado a entender por que meios e maneiras se pode dizer algo, eu não teria sabido.

2. Consideremos agora que esta última água é tão copiosa que, se não fosse por não o consentir a terra, poderíamos acreditar que está conosco essa nuvem da grande Majestade por aqui na terra. Mas quando agradecemos esse grande bem, valendo-nos de obras segundo nossas forças, colhe o Senhor a alma, digamos agora,

da mesma maneira que as nuvens colhem os vapores da terra, e ergue-a toda daí. Ouvi dizer isso assim, que as nuvens colhem os vapores, ou o sol.[1] E sobe a nuvem ao céu e leva-a consigo e começa a mostrar-lhe coisas do reino que preparou para ela. Não sei se a comparação se encaixa, mas o fato é assim, de verdade.

3. Nesses arrebatamentos parece que a alma não anima o corpo e assim se sente muito faltar o calor natural dele. Vai esfriando, ainda que com enorme suavidade e deleite.

Aí não adianta nada resistir. Já na união, como estamos na nossa terra, há meios. Ainda que com sacrifício e força, pode-se quase sempre resistir. Nesses arrebatamentos, na maior parte das vezes, não há meio algum. Antes, muitas vezes sem o pensamento prevenir, nem ser de nenhuma ajuda, vem um ímpeto tão acelerado e forte que você[2] vê e sente levantar-se essa nuvem ou essa águia poderosa e colher você com suas asas.

4. E digo que você compreende e se vê levar e não sabe para onde. Porque ainda que seja com deleite, a fraqueza de nossa natureza faz ter medo no começo. E é necessária uma alma determinada e valorosa — muito mais do que para o que já foi dito — para arriscar tudo, venha o que vier, e deixar-se nas mãos de Deus e ir aonde nos levarem de bom grado. Porque levam, ainda que apesar de você. E é tão extremo que muitas, muitas vezes eu quereria resistir. E ponho todas as minhas forças, em especial algumas vezes em que ocorre em público, e, outras muitas, em segredo, temendo ser enganada. Algumas vezes conseguia algo, com grande exaustão, como quem lutasse com um gigante forte. Ficava depois cansada. Outras vezes era impossível, levava-me a alma e, quase corriqueiramente, até a cabeça depois dela, sem que eu pudesse segurá-la e algumas vezes o corpo todo, até levantá-lo.

5. Isso foi poucas vezes. Porque como uma vez foi onde estávamos juntas no coro e prestes a comungar,

estando de joelhos, dava-me enorme aflição, porque me parecia uma coisa muito extraordinária e que logo haveria muito comentário. Assim, mandei às monjas, porque isso foi agora depois que tenho ofício de priora, que nada dissessem. Outras vezes, quando começava a ver que o Senhor ia fazer o mesmo, e uma vez foi estando senhoras importantes, pois era a festa da Vocação,[3] durante um sermão, largava-me no chão e aproximavam-se para segurar meu corpo e mesmo assim dava para ver. Supliquei muito ao Senhor que não me quisesse mais dar dádivas que tivessem sinais exteriores, porque eu já estava cansada de que se reparasse tanto em mim e que aquela dádiva podia Sua Majestade fazer sem que se percebesse. Parece que, por sua bondade, houve por bem ouvir-me, pois nunca mais, até agora, tive isso. É verdade que faz pouco tempo.

6. Assim, parecia-me, quando queria resistir, que de debaixo dos pés me levantavam forças tão grandes que não sei com que comparar. Pois era com muito mais ímpeto do que essas outras coisas de espírito e, assim, ficava em pedaços. Porque é uma luta grande e, no fim, adianta pouco, quando o Senhor quer, pois não há poder contra seu poder. Outras vezes ele decide se contentar com que vejamos que quer fazer a dádiva e que não é por causa de Sua Majestade que ela falta. E resistindo-se por humildade, deixa os mesmos efeitos que deixaria se se consentisse de todo.

7. Para aqueles a quem faz isso, são grandes esses efeitos. Primeiro, mostram o grande poder do Senhor e como não tomamos parte, quando Sua Majestade quer, em controlar tanto o corpo quanto a alma, nem somos senhores deles. Antes vemos que — ainda que nos pese — há um superior e que essas dádivas são dadas por Ele e que nós não podemos nada em nada, e imprime-se muita humildade. E eu até confesso que me deu muito medo. No começo, enorme. Porque ver levantar-se assim

um corpo da terra! Pois, ainda que o espírito o leve atrás de si e seja com grande suavidade, se não se resistir, não se perdem os sentidos. Ao menos eu ficava em mim, de maneira que podia perceber que era levada. Mostra-se uma majestade de quem pode fazer aquilo que arrepia os cabelos. E fica um grande temor de ofender a um tão grande Deus. Isso envolto em enorme amor, que se toma de novo a quem vemos ter um amor tão grande por um verme tão podre, pois não parece que se contenta em levar tão de verdade a alma para si, mas quer o corpo, mesmo sendo tão mortal e de terra tão suja por tantas ofensas que se fizeram.

8. Também deixa um desapego estranho que eu não conseguirei dizer como é. Parece-me que posso dizer que é diferente de alguma maneira — digo, é maior do que essas outras coisas só de espírito. Porque, ainda que nelas esteja-se, quanto ao espírito, com todo o desapego das coisas, aqui parece querer o Senhor que o próprio corpo participe. E faz-se uma estranheza nova para com as coisas da terra. Fica muito mais penosa a vida.

Depois dá uma dor que nem podemos buscar por nós mesmos, nem, uma vez vinda, se pode tirar. Quisera muito explicar essa grande dor e creio que não conseguirei, mas direi algo, se souber.

9. Note-se que essas coisas são de agora, muito posteriores, depois de todas as visões e revelações sobre as quais escreverei. E depois do tempo que eu costumava ter oração, quando o Senhor me dava tão grandes prazeres e presentes.

Agora, já que isso não cessa, às vezes, na maior parte delas, o mais comum é essa dor sobre a qual falarei. Pode ser maior ou menor. De quando é maior, quero falar agora. Porque, ainda que mais adiante eu vá falar desses grandes ímpetos que me dava quando o Senhor quis me dar os arrebatamentos, eles não têm mais a ver do que uma coisa muito corporal tem a ver com uma muito espiritual, e creio que não exagero. Porque aquela dor parece, ainda que a alma a sinta, ser em companhia do corpo. Ambos participam dela, parece, e não é com um desamparo tão extremo quanto nesta, para a qual — como disse — não contribuímos. Antes, muitas vezes vem fora de hora um desejo que eu não sei como se move. E desse desejo, que penetra a alma toda em um instante, começa a se cansar tanto, que sobe muito acima de si e de tudo o que foi criado. E Deus a põe como em um deserto, tão afastada de todas as coisas que, por muito que ela se esforce, não lhe parece que haja na terra nenhuma que a acompanhe. Nem ela quereria que acompanhasse, mas gostaria, isso sim, de morrer naquela solidão. Que falem com ela e ela queira fazer toda a força possível para falar, adianta pouco, pois seu espírito, por mais que ela faça, não se retira daquela solidão. E, ao mesmo tempo que parece que Deus está longíssimo, às vezes comunica suas grandezas pelo modo mais estranho que se possa pensar. E, assim, não se sabe dizer. Nem acredito que acreditará, nem entenderá, a não ser aquele que tiver passado por isso. Porque não é a comunicação para consolar, mas sim para mostrar a razão que tem de se cansar de estar ausente de bem que em si tem todos os bens.

10. Com essa comunicação cresce o desejo e o extremo de solidão em que se vê. Com uma dor tão aguda e penetrante que, ainda a alma posta naquele deserto, ao pé da letra se pode dizer então (e talvez o tenha dito o real Profeta[4] estando na mesma solidão. Só que, como se tratava de um santo, Deus lhe daria sentir de maneira mais excessiva): "Vigilavi ed fatus sun sicud passer solitarius yn tecto".[5] E assim me lembro desse verso, então, que parece que eu o vejo em mim. E consola-me ver que outras pessoas sentiram um tão grande extremo de solidão, ainda mais pessoas tais. Assim, parece que a alma está não em si, mas no teto ou no telhado de si mesma

e de todas as coisas criadas. Porque até acima da parte mais superior da alma me parece que está.

11. Outras vezes parece que a alma anda como se necessitadíssima, dizendo e perguntando a si mesma: "Onde está teu Deus?".[6] Veja-se que a tradução desses versos eu não sabia bem qual era. E depois que compreendi, consolei-me de que o Senhor os tivesse trazido à minha memória sem que eu os procurasse. Outras vezes me lembrava do que diz São Paulo, que está crucificado para o mundo.[7] Não digo eu que isso seja assim, que eu já veja isso. Mas parece-me que a alma fica assim, pois nem lhe vem o consolo do céu e nem está nele. Nem quer que venha da terra e nem está nela. Mas, sim, como crucificada entre o céu e a terra, padecendo sem vir a ela socorro de nenhum lado. Porque o que vem do céu, que é, como já disse, uma notícia de Deus, tão admirável, muito acima de tudo o que podemos desejar, é para maior tormento. Porque aumenta o desejo de modo que — ao que me parece — a grande dor tira os sentidos, embora fique pouco tempo sem eles. Parecem trânsitos da morte, salvo que esse padecer traz consigo uma alegria tão grande que eu não sei com que compará-la. É um duro martírio saboroso. Então, de tudo o que a alma possa imaginar da terra, ainda que seja o que costuma ser a coisa mais saborosa, nada admite, logo, parece, joga para longe de si. Bem sabe que não quer senão a seu Deus, mas não ama nada em particular d'Ele, mas todo inteiro o quer, e não sabe o que quer. Digo "não sabe" porque a imaginação não representa nada. Nem, ao que me parece, durante muito tempo que está assim, operam as potências. Assim como na união e no arrebatamento é o gozo, aqui é a dor que as suspende.

12. Oh, Jesus, quem poderia explicar isso bem ao senhor, até para que o senhor me dissesse o que é, porque é nisso que agora anda sempre a minha alma! O mais comum é que, vendo-se desocupada, seja posta nessas ânsias de morte. E tem medo quando vê que começam,

porque não vai morrer. Mas, quando chega a isso, o tempo que tivesse que viver quereria viver nesse padecer, ainda que seja tão excessivo que quem está sujeito a ele mal o consegue levar. E, assim, algumas vezes perco o pulso quase, segundo dizem as pessoas que às vezes se aproximam de mim, dentre as irmãs que entendem já um pouco mais sobre isso. E os membros muito abertos e as mãos tão rígidas, que eu não consigo às vezes juntá--las, e assim me ficam dores até o dia seguinte nos pulsos e no corpo e me parece que me desconjuntaram.

13. Eu bem que penso alguma vez o Senhor há de haver por bem, se continua como agora, acabar de acabar a vida, pois — ao que me parece — é suficiente para isso uma tão grande dor, apenas não o mereço eu. Toda a ânsia é de morrer, então. Nem me lembro do purgatório, nem dos pecados que cometi, pelos quais mereceria o inferno. Esqueço-me de tudo naquela ânsia de ver a Deus e aquele deserto e solidão parecem melhores do que toda a companhia do mundo. Se alguma coisa pudesse dar consolo, seria conversar com quem tivesse passado por esse tormento. E ver que, ainda que se queixe dele, ninguém, parece, vai acreditar nela!

14. Também a atormenta ser tão crescida essa dor, que não quereria solidão, como nas outras, nem companhia, mas sim alguém com quem se pudesse queixar. É como alguém que está com a corda no pescoço e está sufocando, que procura tomar fôlego. Assim me parece que esse desejo de companhia é nossa fraqueza, pois, como a dor nos põe em perigo de morte (o que, sim, ela faz. Eu me vi nesse perigo algumas vezes com grandes doenças e ocasiões — como já contei — e creio que poderia dizer que este é tão grande como os outros), assim o desejo que a alma e o corpo têm de não se separar é o que pede socorro para tomar fôlego. E falando, queixando-se e divertindo-se, busca remédio para viver. Muito contra a vontade do espírito, que não quereria sair dessa dor.

15. Não sei se atino com o que digo, ou se sei dizer. Mas, com toda minha convicção, é assim que acontece. Veja o senhor que descanso se pode ter nessa vida. O que eu tinha — que era a oração e a solidão, porque ali me consolava o Senhor — é já, mais frequentemente, esse tormento. E é tão saboroso e a alma vê que é de preço tão alto que já o quer mais do que a todos os presentes que costumava ter. Parece-lhe mais seguro, porque é caminho de cruz. E tem em si um prazer de muito valor, porque não reparte com o corpo a não ser a dor. A alma é que padece e regozija-se sozinha com o gozo e a alegria que dá esse padecer. Eu não sei como pode ser isso, mas assim se passa, pois, parece-me, não trocaria essa dádiva que o Senhor me faz (que é bem de sua mão — como já disse — e nada adquirido por mim, porque é muito, muito sobrenatural) por todas as que depois direi. Não digo juntas, mas sim tomadas cada uma por si.

E não deixe de se lembrar que isso é agora, depois de tudo o que vai escrito neste livro, e no que me mantém o Senhor agora. Digo que esses ímpetos foram depois das dádivas que aqui vão ditas, que o Senhor me fez.

16. Estando eu, no início, com medo, como me acontece quase em cada dádiva que me faz o Senhor, até que, indo adiante, Sua Majestade me reassegura, disse-me que não tivesse medo. E que tivesse em conta mais essa dádiva do que todas as que me havia feito, pois nessa dor se purificava a alma. E se lavra ou purifica como o ouro no crisol, para poder pôr melhor os esmaltes de seus dons, e que se purgava ali o que deveria estar no purgatório. Eu percebia bem que era uma grande dádiva, mas fiquei com muito mais segurança, e meu confessor me diz que é bom. E ainda que tenha tido medo, por eu ser tão ruim, nunca pude acreditar que era mau. Antes, o bem tão superabundante me fazia ter medo, lembrando-me de quão mal eu o tinha merecido. Bendito seja o Senhor, que é tão bom!

17. Parece que saí do assunto, porque comecei a falar de arrebatamentos e isso de que falei é ainda mais do que arrebatamento e, assim, deixa os efeitos que eu disse.

18. Agora voltemos ao arrebatamento, sobre o que nele é mais comum. Digo que muitas vezes me parecia que deixava o meu corpo tão leve que todo o peso dele tirava, e às vezes era tanto que eu quase não percebia estar pondo os pés na terra.

Então, quando está no arrebatamento, o corpo fica como morto, sem poder nada por si mesmo, muitas vezes, e do jeito que o toma, fica: se em pé, se sentado, se as mãos abertas, se fechadas. Porque, ainda que poucas vezes, se perdem os sentidos, algumas vezes me aconteceu perdê-los totalmente. São poucas e por pouco tempo. Mas o normal é se turbar. E ainda que não consiga fazer nada sozinha quanto ao exterior, não deixa de perceber e ouvir como se fosse uma coisa de longe. Não digo que perceba e ouça quando está no alto do arrebatamento (digo alto, sobre os tempos que se perdem as potências porque estão muito unidas com Deus), pois então não vê, nem ouve, nem sente, ao que me parece. Mas, como disse na oração de união anterior, essa transformação da alma totalmente em Deus dura pouco. Mas isso que dura, nenhuma potência se sente nem sabe o que se passa ali. Não deve ser possível entender enquanto vivemos na terra. Ao menos não o quer Deus, pois não devemos ser capazes disso. Isso eu vi por mim mesma.

19. O senhor me perguntará como dura, às vezes, tantas horas o arrebatamento, e muitas vezes. O que acontece comigo é que — como já disse sobre a oração anterior — experimenta-se o gozo com intervalos. Muitas vezes a alma mergulha ou, para dizer melhor, mergulha-a o Senhor em si e, mantendo-a assim um pouco, só a vontade permanece. Parece-me que o bulício das duas outras potências é como o que tem a linguazinha desses relógios de sol, que nunca para. Mas, quando quer,

o Sol de Justiça as faz deterem-se. Digo que isso é por pouco tempo. Mas como foi grande o ímpeto e o levantamento do espírito, e ainda que essas potências voltem a bulir, a vontade fica mergulhada. E faz, como senhora do conjunto, aquela operação no corpo para que, já que as outras duas potências buliçosas querem estorvar, não a estorvem também os sentidos, que, dos inimigos, são os menores. E na maior parte do tempo ficam fechados os olhos, ainda que não queiramos fechá-los, e se ficam abertos alguma vez — como já disse —, não atinam nem discernem o que veem.

20. Aqui é muito menos o que pode fazer por si, para que quando voltarem a se juntar as potências não haja tanto o que fazer. Por isso, aquele a quem o Senhor der isso não se desconsole quando vê o corpo atado assim por muitas horas, e às vezes a inteligência e a memória desviadas. É verdade que o mais comum é elas estarem embebidas em louvores de Deus ou em querer compreender e entender o que aconteceu com elas. E mesmo para isso não estão bem acordadas, mas sim como uma pessoa que dormiu e sonhou muito e ainda não acabou de despertar.

21. Explico-me tanto em relação a isso, porque sei que há agora — até neste lugar[8] — pessoas a quem o Senhor faz essas dádivas. E se os que as governam não passaram por isso, talvez lhes pareça que elas devem estar como mortas no arrebatamento, em especial se não forem letrados, dá pena o que se sofre com os confessores que não entendem, como direi depois.

Talvez eu não saiba o que digo. O senhor entenderá, se atino em alguma coisa, pois o Senhor já lhe deu experiência disso, ainda que, como não é de muito tempo, talvez o senhor não a tenha considerado tanto quanto eu. Assim, ainda que eu tente muito, por longos períodos não há força no corpo para poder se mexer. A alma levou todas consigo.

Muitas vezes fica são — ele que estava bem enfermo e cheio de grandes dores — e com mais habilidade, porque é uma coisa grande o que ali se dá. E o Senhor quer algumas vezes — como digo — que o corpo aproveite, pois já obedece ao que quer a alma. Depois que volta a si, se tiver sido grande o arrebatamento, acontece de andar um dia ou dois, e até três, tão absortas as potências ou tão abobadas, que não parece que está em si.

22. Aí vem o tormento de ter que voltar a viver. Aí nasceram as asas para voar bem. Já caiu a penugem. Aí já se levanta totalmente a bandeira de Cristo, pois não parece outra coisa senão que o alcaide dessa fortaleza sobe, ou o elevam, à torre mais alta, para hastear a bandeira por Deus. Olha para os de baixo como quem está a salvo. Já não teme os perigos, antes os deseja, como quem, de certa maneira, tem ali segurança da vitória. Vê-se aí muito claramente o pouco que se deve estimar tudo o que é daqui e o nada que é. Quem está no alto enxerga muitas coisas. Já não quer querer, nem quereria ter livre-arbítrio e isso pede ao Senhor. Dá a Ele as chaves da sua vontade.

Eis aí o jardineiro feito alcaide. Não quer fazer outra coisa a não ser a vontade do Senhor. Nem quer ser senhor de si, nem de nada, nem de uma uva desse jardim, mas sim que, se houver nele algo de bom, que Sua Majestade reparta. Pois desse ponto em diante não quer coisa própria, mas sim que se faça tudo conforme a glória e a vontade d'Ele.

23. De fato, passa-se assim tudo isso, de verdade, se os arrebatamentos forem verdadeiros, pois a alma fica com os efeitos e os proveitos que foram ditos. E se não forem esses, eu duvidaria que é da parte de Deus. Antes teria medo de que fossem os desvarios de que fala são Vicente.[9] Isso eu sei e vi por experiência: ficar a alma totalmente senhora de si e com liberdade em uma hora ou menos, a ponto de não conseguir se reconhecer. Bem vê

que não é por si mesma, nem sabe como lhe foi dado tão grande bem, mas percebe claramente o enorme proveito que cada arroubo desses lhe traz.

Não há quem acredite, se não tiver passado por isso. E assim não acreditam na pobre alma, como a viram tão ruim, tão depressa pretender coisas tão valorosas. Porque logo ela dá para não se contentar em servir pouco ao Senhor, mas sim no máximo que puder. Pensam que é tentação e disparate. Se entendessem que não nasce dela, mas do Senhor a quem já deu as chaves de sua vontade, não se espantariam.

24. Tenho para mim que uma alma que chega a esse estado já não fala nem faz nada por si mesma, mas, de tudo o que tem que fazer, cuida esse soberano Rei. Oh, valha-me Deus, pois se vê claramente aqui a explicação do verso e como se entende que tinham razão e a terão todos em pedir asas de pomba![10] Entende-se claramente que é voo, o que dá o espírito para erguer-se acima de todas as coisas criadas. E de si mesmo em primeiro lugar. Mas é voo suave, é voo deleitoso, voo sem ruído.

25. Que soberania tem uma alma que o Senhor faz chegar até aqui, pois vê tudo sem estar enredada! Como está longe do tempo em que esteve enredada! Como está espantada de sua cegueira! Como está penalizada daqueles que estão nela, especialmente se for gente de oração a quem Deus já presenteia! Quereria gritar para mostrar como estão enganados. E até faz assim, às vezes, e chovem mil perseguições em sua cabeça. Consideram-na pouco humilde, e acham que quer ensinar às pessoas de quem deveria aprender, especialmente se for mulher. Aí vem a condenação — e com razão —, porque não sabem o ímpeto que a move, pois às vezes não pode se conter, e não aguenta não tirar do engano aqueles a quem quer bem e deseja ver soltos da prisão — pois não lhe parece ser menos do que isso — dessa vida em que ela esteve.

26. Desanima-se do tempo em que prestou atenção

em questões de honra e do engano que cometia em acreditar que era honra o que o mundo chama de honra. Vê que é uma enorme mentira, que todos estamos nela. Entende que a verdadeira honra não é mentirosa, mas verdadeira, tendo como alguma coisa o que é alguma coisa, e o que não é nada, como nada. Pois é tudo nada e menos do que nada o que se acaba e não alegra a Deus.

27. Ri-se de si mesma, do tempo em que tinha em alguma conta o dinheiro e a cobiça dele, ainda que, disso, acredito que nunca — e assim é, de verdade — confessei ser culpada. Grande culpa era considerar o dinheiro alguma coisa. Se com ele se pudesse comprar o bem que agora vejo em mim, teria em alta conta o dinheiro. Mas vê que, esse bem, ganha-se abandonando tudo. O que é que se compra com o dinheiro que desejamos? É coisa cara? É coisa durável? Ou, para que a queremos? Um pesado sossego se busca, pois nos custa tão caro. Muitas vezes se busca com ele o inferno, e compra-se fogo eterno e castigo sem fim. Oh, se todos dessem para considerar o dinheiro como terra sem proveito, como o mundo ficaria em harmonia, como ficaria sem tribulações! Com que amizade todos se tratariam, se não houvesse interesse de honras e dinheiro. Tenho para mim que tudo se remediaria.

28. Vê a grande cegueira dos prazeres, e como compra trabalhos com eles, mesmo para esta vida, e desassossego. Que inquietação! Quão pouca alegria! Quanto trabalho em vão!

Aqui não vê apenas as teias de aranha de sua alma e os pecados grandes, mas um pozinho que haja, por pouco que seja, porque o sol está muito claro. E assim, por muito que trabalhe uma alma para se aperfeiçoar, se esse Sol a toma de verdade, vê-se toda muito turva. É como a água que está num copo, pois se o sol não bater, fica muito límpida, mas, se bater, vê-se que está toda cheia de sujeira.

Essa comparação é ao pé da letra. Antes de estar a alma nesse êxtase, parece que tem cuidado em não ofender a Deus e que, segundo suas forças, faz o que pode. Mas, tendo chegado aqui, onde bate esse Sol de Justiça que a faz abrir os olhos, vê tantas manchas que quereria voltar a fechá-los. Porque ainda não é tão filha dessa águia poderosa para que possa olhar esse Sol cara a cara. Mas, por pouco que tenha os olhos abertos, vê-se toda turva. Lembra-se do verso que diz: "Quem será justo diante de Ti?".[11]

Quando olha esse divino Sol, ofusca-lhe a claridade. Quando olha para si, o barro tapa seus olhos: cega está essa pombinha. Assim, acontece muitas e muitas vezes de ficar cega assim, totalmente, absorta, desvanecida por tantas grandezas que vê. Aí ganha-se a verdadeira humildade, para não se importar nem um pouco em falar bem de si ou que falem os outros. O Senhor reparte a fruta do jardim e não ela, e assim não pega nada em suas mãos. Todo o bem que tem dirige-se a Deus. Se diz algo por si, é para glória d'Ele. Sabe que ela não tem nada ali, e ainda que quisesse não poderia ignorar isso. Porque vê com os próprios olhos que, ainda que lhe pese, faz com que se fechem para as coisas do mundo e se mantenham abertos para entender verdades.

CAPÍTULO 21

PROSSEGUE E TERMINA ESSE ÚLTIMO GRAU DE ORAÇÃO. DIZ O QUE SENTE A ALMA QUE ESTÁ NELE POR TER QUE VOLTAR A VIVER NO MUNDO E FALA SOBRE A LUZ QUE DÁ O SENHOR SOBRE OS ENGANOS QUE HÁ NELE. CONTÉM BOA DOUTRINA

1. Terminando, então, aquilo em que estava, digo que não é necessário aqui o consentimento dessa alma. Já foi dado, e sabe que, por sua vontade, se entregou em suas mãos e que não pode enganá-lo porque Ele sabe tudo. Não é como aqui, onde se passa a vida toda cheia de enganos e dubiedades. Quando você acha que ganhou a vontade de uma pessoa, pelo que ela mostra a você, percebe que é tudo mentira. Não há quem viva em tanta tribulação. Especialmente quando há algum interesse em jogo, mesmo que pouco. Bem-aventurada a alma que o Senhor leva a perceber verdades! Oh, que estado, esse, para os reis! Como valeria muito mais para eles procurá-lo, em vez de buscar grandes domínios! Que retidão haveria nos reinos! Que males se evitariam e já teriam sido evitados! Desse modo não se tem medo de perder a vida e a honra por amor de Deus. Que grande bem para quem tem mais obrigação de cuidar da honra do Senhor, do que todos os que são menos, já que são os reis que eles seguirão! Por um instante de aumento na fé e de ter dado luz

sobre alguma coisa para os hereges, perderia mil reinos, e com razão. Um reino que não se acaba é um outro tipo de ganho, pois com uma só gota desta água que a alma prove parecerá um asco para ela tudo o que há por aqui. O que será, então, quando for totalmente mergulhada?

2. Oh, Senhor, se me désseis condição de dizer isso com clareza, não acreditariam em mim — como fazem com muitos que sabem falar de outra maneira que eu. Mas, pelo menos, eu me satisfaria. Parece-me que teria em pouca conta a vida em troca de explicar uma só verdade destas. Não sei depois o que faria, porque não dá para confiar em mim. Mesmo sendo quem sou, me dá um grande ímpeto, que me consome, de dizer isso aos que mandam. Já que não posso mais do que isso, volto-me a Vós, Senhor, a pedir-vos remédio para tudo. E Vós bem sabeis que eu, de muito boa vontade, me despojaria de todas as dádivas que me fizestes, em troca de ficar em estado em que não vos ofendesse, e as daria aos reis. Porque sei que, então, seria impossível consentir coisas que agora se consentem e deixar de haver enormes bens.

3. Oh, Deus meu, dai-lhes a entender a que estão obrigados, já que Vós os assinalastes na terra de tal maneira que até ouvi dizer que há sinais no céu quando levais a algum. Com certeza isso me desperta a devoção, pois Vós quereis, Rei meu, que até nisso entendam que vos devem imitar em vida, pois de alguma maneira há um sinal no céu em sua morte,[1] como quando Vós morrestes.

4. Sou muito atrevida. Rasgue isso, se parecer que está ruim, e creia-me que eu falaria melhor em pessoa, se eu pudesse ou achasse que os reis acreditariam em mim, porque eu os encomendo muito a Deus e quereria que fosse proveitoso. Arriscar a vida consegue tudo, a tal ponto que eu desejo muitas vezes estar sem ela. E seria baixo preço arriscar para ganhar muito, pois já não há quem viva vendo com os próprios olhos o grande engano em que vamos e a cegueira de que sofremos.

5. Chegada uma alma a esse ponto não tem só desejos de Deus: Sua Majestade lhe dá forças para transformá-los em obras. Não se apresenta a ela nenhuma coisa em que crê servir a Deus a que não se lance. E não faz nada de mais, porque — como disse — vê claramente que tudo é nada, a não ser contentar a Deus. O duro é que não há o que se ofereça às que são de tão pouco proveito quanto eu. Sede servido, Bem meu, em que eu possa pagar algum tostão do muito que vos devo. Ordenai, Senhor, como vos agradar, como esta serva vos há de servir em alguma coisa. Outras eram mulheres também, mas fizeram coisas heroicas por amor de Vós. Eu não sirvo para nada além de falar e, assim, Vós não quereis, Senhor meu, pôr-me em obras. O quanto hei de servir-vos vai-se todo em palavras e desejos, e até para isso não tenho liberdade, porque talvez falhasse em tudo. Fortalecei minha alma e disponde-a primeiro, Bem de todos os bens e Jesus meu, e ordenai logo os modos pelos quais eu faça algo por Vós, pois não há quem aguente receber tanto e não pagar nada. Custe o que custar, Senhor, não queirais que eu vá diante de Vós de mãos tão vazias, porque conforme as obras é que se há de dar o prêmio. Aqui está minha vida, aqui está a minha honra e minha vontade. Tudo vos dei. Sou vossa. Disponde de mim conforme a vossa vontade. Bem sei o pouco que posso, Senhor. Mas aproximada de Vós, erguida a esta atalaia de onde se veem verdades, não vos separando de mim, tudo poderei. Pois se vos separardes, por pouco que seja, irei para onde estava antes, que era o inferno.

6. Oh, o que é uma alma que se vê nesse ponto ter que voltar a conversar com todos, a olhar e ver essa farsa dessa vida tão mal-arranjada, em gastar o tempo a cumprir as obrigações para com o corpo, dormindo e comendo! Tudo a cansa. Não sabe como fugir. Vê-se acorrentada e presa. Então sente mais verdadeiramente o cativeiro que carregamos com o corpo e a miséria da

vida. Entende como tinha razão São Paulo em suplicar a Deus que o livrasse dela.[2] Grita com ele, pede a Deus liberdade, como disse outras vezes, mas aí é com ímpeto tão grande que parece que a alma quer sair do corpo para buscar essa liberdade, já que não a tiram. Anda em terra alheia como vendida, e o que mais a desanima é não achar muitos que se queixem como ela e peçam a mesma coisa. Antes o mais comum é desejar viver. Oh, se não fôssemos apegados a nada, nem tivéssemos posto nossa alegria em coisas da terra, como o tormento de viver sempre sem Ele atenuaria o medo da morte com o desejo de gozar a vida verdadeira!

7. Às vezes penso: quando uma como eu, com uma caridade tão morna e tão incerto o descanso verdadeiro por não tê-lo merecido minhas obras, muitas vezes sinto tanto ver-me neste desterro, qual devia ser o sentimento dos santos? O que deviam passar São Paulo e a Madalena e outros semelhantes em quem tão crescido estava esse fogo do amor de Deus? Devia ser um martírio contínuo. Parece-me que quem me dá algum alívio e com quem não me canso de conversar são as pessoas que acho com esses desejos. Digo desejos com obras. Digo obras porque há pessoas que, em sua própria opinião, estão desapegadas e assim anunciam, e assim deveria ser porque seu estado pede isso e os muitos anos que já começaram caminho de perfeição. Mas conhece bem esta alma de longe os que são da boca para fora e os que já confirmaram essas palavras com obras, porque entendeu o pouco proveito que fazem uns e o muito que fazem os outros. E é coisa que quem tem experiência vê muito claramente.

8. Então, ditos já esses efeitos que fazem os arrebatamentos que são do espírito de Deus, é verdade que há maiores e menores. Digo menores porque, no começo, ainda que se produzam esses efeitos, não estão experimentados com obras e não se pode perceber, assim, que os têm. E também vai crescendo a perfeição e procuran-

do que não haja nem lembrança de teia de aranha e isso requer algum tempo. E quanto mais cresce o amor e a humildade na alma, mais aroma dão por si mesmas essas flores de virtudes, para si e para os outros. É verdade que o Senhor pode operar na alma durante um arroubo desses de maneira que fique pouco para a alma trabalhar em adquirir perfeição. Porque ninguém poderia acreditar, se não experimentasse, o que o Senhor dá a ela aí. Pois não há providência nossa que chegue a isso, na minha opinião. Não digo que, com o favor do Senhor, servindo-se por muitos anos de todos os meios sobre os quais escrevem os que escreveram sobre oração, seus princípios e métodos, não cheguem à perfeição e a muito desapego com grandes trabalhos. Mas não em tão pouco tempo como, sem nenhum esforço nosso, opera o Senhor aí, e tira com determinação a alma da terra e lhe dá soberania sobre o que há nela. Ainda que nessa alma não haja mais merecimento do que havia na minha, e não posso exagerar isso, porque o meu merecimento era nenhum.

9. O porquê de Sua Majestade fazê-lo é porque quer e, como quer, faz. E ainda que não haja na alma disposição, Ele a dispõe para receber o bem que Sua Majestade lhe dá. Assim, nem sempre os dá porque mereceram por cuidar bem do jardim — ainda que seja muito certo que a quem faz isso bem e procura desapegar-se, Ele não deixa de presentear —, mas sim porque é sua vontade mostrar sua grandeza, às vezes, na terra que é pior, como já disse. E prepara-a toda para o bem, de maneira que parece que ela já não toma parte, de certa maneira, em voltar a viver nas ofensas de Deus em que costumava viver. Tem o pensamento tão habituado a entender o que é a verdadeira verdade, que todo o resto lhe parece brincadeira de criança. Ri consigo mesma, muitas vezes, quando vê pessoas graves de oração e de vida religiosa fazer muito caso de questões de honra que essa alma tem já debaixo dos pés. Dizem que é discernimento e autori-

dade de seu estado para maior bem. Ela sabe muito bem que teriam mais proveito em um dia que dispensassem aquela autoridade de estado por amor de Deus, do que se ficassem com ela por dez anos.

10. Assim vive uma vida trabalhosa e sempre com cruz, mas vai com grande crescimento. Quando parece àqueles que convivem com ela que está no auge, depois de um pouco está muito melhorada, porque Deus a vai favorecendo sempre mais. É uma alma sua. É Ele que a tem já a seu cargo e, assim, brilha. Porque parece que a está sempre guardando de modo assistente[3] para que não o ofenda, e favorecendo-a e despertando-a para que lhe sirva.

Tendo chegado minha alma a ponto de que Deus lhe fizesse essa dádiva tão grande, cessaram os meus males, e me deu o Senhor fortaleza para sair deles. E não me fazia mais estar em ocasião de pecado. E com gente que costumava me distrair, era como se não estivesse. Antes me ajudava o que costumava me causar dano. Tudo me servia de meio para conhecer mais a Deus e amá-lo e ver o que devia a Ele e sentir pesar por quem eu havia sido.

11. Eu sabia bem que aquilo não vinha de mim, nem havia ganhado aquilo com meu esforço, pois até não tinha tido tempo para tanto. Sua Majestade me havia dado fortaleza para isso só por sua bondade.

Até agora, desde que o Senhor começou a me fazer essa dádiva desses arrebatamentos, tem crescido sempre a fortaleza. E, por sua bondade, tem me segurado pela mão para que eu não volte atrás. Nem me parece, quando é assim, que faço nada, quase, de minha parte, mas entendo claramente que é o Senhor que opera. E por isso me parece que as almas a quem o Senhor faz essas dádivas, avançando com humildade e temor, entendendo sempre que é o próprio Senhor que o faz, e nós mesmos não fazemos quase nada, poderiam se colocar entre todo tipo de pessoas. Ainda que sejam as mais distraídas e viciosas, não lhes fará caso, nem a abalarão em nada. Antes, como disse, isso a ajudará e será meio de tirar muito maior aproveitamento. São, já, almas fortes, que o Senhor escolhe para serem de proveito a outras, ainda que essa fortaleza não venha delas mesmas. Pouco a pouco, aproximando o Senhor uma alma desse estado, vai comunicando a ela segredos muito grandes.

12. Aí se dão as verdadeiras revelações, nesse êxtase. E as grandes dádivas e visões. E tudo se aproveita para tornar humilde e fortalecer a alma. E fazer com que tenha em menor consideração as coisas desta vida e conheça mais claramente as grandezas do prêmio que o Senhor preparou para os que o servem. Queira Sua Majestade que a enorme largueza que teve com esta miserável pecadora contribua para que os que lerem isto se esforcem e criem coragem de deixar tudo totalmente por Deus. Já que Sua Majestade paga tão plenamente, que ainda nesta vida se vê claramente o prêmio e o ganho que têm aqueles que o servem, o que será na outra?

CAPÍTULO 22

EM QUE TRATA SOBRE QUÃO SEGURO CAMINHO É, PARA OS CONTEMPLATIVOS, NÃO ERGUER O ESPÍRITO A COISAS ALTAS SE O SENHOR NÃO O ERGUER, E COMO HÁ DE SER O MEIO PARA A MAIS ELEVADA CONTEMPLAÇÃO A HUMANIDADE DE CRISTO. FALA DE UM ENGANO EM QUE ELA ESTEVE POR UM TEMPO. É MUITO PROVEITOSO ESTE CAPÍTULO

1. Quero dizer uma coisa que, na minha opinião, é importante. Se parecer bem para o senhor, servirá de aviso, pois pode ser que haja necessidade. Porque em alguns livros que foram escritos sobre oração diz-se que, ainda que a alma não possa por si mesma chegar a esse estado — porque é tudo obra sobrenatural que o Senhor opera nela —, poderia ajudar-se elevando o espírito acima de todas as coisas criadas e erguendo-o com toda a humildade, depois de muitos anos que tenha ido pela vida purgativa e progredindo pela iluminativa.

Eu não sei bem por que dizem "iluminativa". Entendo que é sobre os que vão progredindo. E avisam muito para que afastem de si toda imaginação corpórea e que se aproximem de contemplar a Divindade. Porque dizem que, mesmo que seja a Humanidade de Cristo, aos que chegam a ponto tão avançado, ela atrapalha ou impede a contemplação mais perfeita. Citam o que disse o Senhor aos Apóstolos[1] sobre a vinda do Espírito Santo — digo, quando subiu aos céus — para esse propósito.

A mim me parece que, se tivessem a fé, como tiveram depois que veio o Espírito Santo, de que era Deus e homem, não lhes atrapalharia. Porque não se disse isso à Mãe de Deus, ainda que ela o amasse mais que todos.

É que parece a esses autores que, como toda essa obra é do espírito, qualquer coisa corpórea pode estorvá-la ou impedir. E que considerar de maneira direta que Deus está em toda parte e ver-se mergulhado n'Ele é o que devem procurar.

O que me parece bem, às vezes. Mas afastar-se totalmente de Cristo, e que esse divino Corpo entre na conta de nossas misérias e de todas as coisas criadas não posso aguentar. Queira Sua Majestade que eu sabia me fazer entender.

2. Não os estou contradizendo, porque são letrados e espirituais, e sabem o que dizem e por muitos caminhos e vias Deus leva as almas. Quero dizer agora como levou a minha — no resto não me intrometo — e no perigo em que me vi por querer me amoldar ao que lia. Acredito bastante que quem chegar a ter união e não passar adiante, digo a arrebatamentos e visões e outras dádivas que Deus faz às almas, teria o que foi dito como o que há de melhor. E se eu tivesse ficado nisso, creio que nunca teria chegado ao de agora, porque, na minha opinião, é um engano. Pode bem ser que seja eu a enganada, mas direi o que me aconteceu.

3. Como eu não tinha mestre e lia esses livros, pelos quais pouco a pouco eu pensava saber alguma coisa (depois percebi que, se o Senhor não tivesse me mostrado, eu poderia ter aprendido pouco com os livros, porque era nada o que eu sabia até que Sua Majestade por experiência me fez entender. Eu nem sabia o que fazia), começando a ter alguma coisa de oração sobrenatural, quero dizer, de quietude, procurava desviar toda coisa

corpórea, ainda que eu não ousasse ir erguendo a alma, pois, como eu era sempre tão ruim, via que seria atrevimento. Mas parecia-me sentir a presença de Deus, como de fato acontece, e procurava ficar recolhida com ele. E é oração saborosa, se Deus ajuda, e grande o deleite.

E quando se vê aquele ganho e aquele prazer, já não havia quem me fizesse voltar à Humanidade; antes, de fato, me parecia que seria um impedimento.

Oh Senhor de minha alma e Bem meu, Jesus Cristo crucificado! Não me lembro nem uma vez dessa opinião que tive sem que fique triste. E me parece que cometi uma grande traição, ainda que por ignorância.

4. Eu tinha sido tão devota em toda a minha vida de Cristo (porque isso já era depois — digo, depois, mas antes que o Senhor me tivesse feito essas dádivas de arrebatamentos e visões — e durou muito pouco ser dessa opinião em tal extremo) e, assim, sempre voltava ao meu costume de me alegrar com o Senhor, especialmente quando comungava. Quisera eu trazer sempre diante dos olhos seu retrato e imagem, já que não podia trazê-lo esculpido na alma como queria.

É possível, Senhor meu, que tenha cabido em meu pensamento, por uma hora sequer, que Vós me havíeis de impedir um bem maior? De onde me vieram todos os bens, senão de Vós? Não quero pensar que tive culpa nisso, porque me entristeço muito. Pois com certeza era ignorância, e assim quisestes Vós, por vossa bondade, remediá-la, dando-me quem me tirasse desse erro. E, depois, fazendo com que eu Vos visse tantas vezes, como direi adiante, para que entendesse com mais clareza quão grande erro era. E que eu o dissesse a muitas pessoas, pois eu o disse. E para que eu pusesse isso agora aqui.

5. Tenho para mim que a causa de não aproveitarem mais muitas almas e não chegarem a uma liberdade de espírito muito grande, quando chegam a ter oração de união, é por isso. Parece-me que há duas razões em que

posso fundamentar meu argumento. E, talvez, não esteja dizendo nada, mas o que disser, eu vi por experiência, pois se encontrava muito mal a minha alma até que o Senhor deu luz a ela. Porque todos os seus gozos eram aos goles, e, saída dali, não se achava na companhia que, depois, para sofrimentos e tentações, achava.

Uma razão é que vai nisso um pouco de pouca humildade, tão dissimulada e escondida que não se percebe. E quem será o soberbo e miserável, como eu, que, quando tiver trabalhado toda a sua vida com quantas penitências e orações e perseguições se puderem imaginar, não se dê por muito rico e por muito bem pago, quando o Senhor lhe consentir estar ao pé da cruz como são João? Não sei em que mente cabe não se contentar com isso, a não ser na minha, que de todas as maneiras se perdeu no que devia ganhar.

6. Então, se não se aguenta sempre a condição ou a doença, por ser penoso pensar na Paixão, quem nos impede de estar com Ele depois de ressuscitado, uma vez que tão perto o temos no Sacramento, onde está já glorificado, e não o veremos tão aflito e feito em pedaços, derramando sangue, cansado pelos caminhos, perseguido por aqueles a quem fazia tanto bem, não crido pelos apóstolos? Porque com certeza não há quem aguente pensar todas as vezes em tantos sofrimentos como Ele passou. Ei-lo aqui sem sofrimento, cheio de glória, dando força a uns, animando a outros, antes de subir aos céus, companheiro nosso no Santíssimo Sacramento. Parece que não esteve em seu poder afastar-se de nós nem por um momento. E que tenha estado no meu afastar-me de Vós, Senhor meu, para mais vos servir! Pois quando vos ofendia, eu não vos conhecia, mas que, conhecendo-vos, pensasse ganhar mais por esse caminho! Oh, que mau caminho percorria, Senhor! Parece-me até que ia sem caminho, se Vós não me tivésseis feito voltar a ele, pois ao ver-vos junto a mim, vi todos os bens. Não me vieram

tormentos que, olhando para Vós do jeito que estivestes diante dos juízes, não se tenham tornado bons de sofrer. Com tão bom amigo presente, com tão bom capitão, que se pôs primeiro no sofrimento, tudo se pode aguentar: é ajuda e dá forças, nunca falta, é amigo verdadeiro. E eu vejo claramente — e vi depois — que, para contentar a Deus e para que nos faça grandes dádivas, Ele quer que seja por mãos dessa Humanidade sacratíssima, em quem Sua Majestade disse que se deleita. Muitas e muitas vezes eu vi isso por experiência. O Senhor me disse. Vi claramente que temos que entrar por essa porta, se quisermos que a soberana Majestade nos mostre grandes segredos.

7. Assim, não queira o senhor, padre, outro caminho, ainda que esteja no ápice da contemplação. Por aí vai com segurança. Esse Senhor nosso é aquele por quem nos vêm todos os bens. Ele o ensinará. Olhando sua vida, será o melhor modelo. O que mais queremos de um tão bom amigo ao lado, que não nos deixará nos trabalhos e nas tribulações, como fazem os do mundo? Bem-aventurado quem o amar de verdade e sempre o trouxer junto de si. Olhemos o glorioso São Paulo, pois não parece que lhe saía da boca Jesus. Como quem o tinha sempre bem no coração. Eu observei com cuidado, depois que percebi isso em alguns santos, grandes contemplativos, e não iam por outro caminho: são Francisco dá mostra disso nas chagas; santo Antônio de Pádua, o Menino; são Bernardo se deleitava na Humanidade; santa Catarina de Siena, muitos outros, o senhor saberá melhor do que eu.

8. Isso de se afastar do corpóreo deve ser bom, com certeza, pois gente tão espiritual o diz. Mas, na minha opinião, há de ser estando a alma muito avançada, porque, até então, está claro que se deve buscar ao Criador pelas criaturas. Tudo é como a dádiva que o Senhor faz a cada alma. Nisso eu não me intrometo. O que eu queria explicar é que não há de entrar nessa conta a sacratíssi-

ma Humanidade de Cristo. E entenda-se bem esse ponto, que eu quereria saber explicar.

9. Quando Deus quer suspender todas as potências, como vimos nos modos de oração que ficam ditos, está claro que, ainda que não queiramos, se tira essa presença. Então vai em boa hora. Feliz perda essa, pois é para mais gozar daquilo que nos parece que se perde. Porque então emprega-se toda a alma em amar a quem a inteligência trabalhou para conhecer. E ama o que não compreendeu. E goza daquilo de que não poderia gozar tão bem se não fosse perdendo-se a si mesma, para, como disse, ganhar-se mais. Mas que nós mesmos, com manha e com cuidado, nos acostumemos a não procurar com todas as nossas forças trazer sempre diante de si — e quisesse o Senhor que fosse sempre — essa sacratíssima Humanidade, isso eu digo que não me parece bem e que é andar a alma no ar, como dizem. Porque parece que não tem apoio, por muito que lhe pareça que está plena de Deus. É uma grande coisa, enquanto vivemos e somos humanos, trazer-lhe humano diante dos olhos. Pois este é o outro inconveniente que digo que há. O primeiro, já comecei a dizer, é um pouco de falta de humildade de querer erguer-se a alma antes que o Senhor a eleve, e não se contentar em meditar coisa tão preciosa, e querer ser Maria, antes que tenha trabalhado com Marta.[2] Quando o Senhor quiser que seja, mesmo que seja desde o primeiro dia, não há o que temer. Mas sejamos nós comedidos, como creio que já disse uma outra vez. Esse fiapinho de pouca humildade, ainda que pareça não ser nada, para quem quer avançar na contemplação, causa muito dano.

10. Voltando ao segundo ponto, nós não somos anjos, ao contrário, temos corpo. Querer fazer-nos anjos estando na terra — e tão na terra quanto eu estava — é desatino. Ao contrário, é preciso ter apoio, o pensamento, para a vida normal. Ainda que algumas vezes a alma saia de si, ou ande muitas vezes tão plena de Deus

que não tem necessidade de coisa criada para colhê-la, isso não é tão comum. Nos afazeres e perseguições e tormentos, quando não se pode ter tanta quietude, e em tempo de secura, é muito bom amigo Cristo, porque o vemos Homem e o vemos com fraquezas e tormentos, e faz companhia. E tendo o hábito, é muito fácil achá-lo junto a si, ainda que vezes virão em que nem um nem outro se possa. Para isso é bom o que eu já disse: não nos expor a procurar consolações de espírito. Venha o que vier, abraçados à cruz, será coisa grande. Desertado ficou esse Senhor de toda a consolação. Sozinho o deixaram em meio aos tormentos. Não o deixemos nós, pois, para subir mais. Ele nos dará melhor mão do que nossa iniciativa, e se ausentará quando vir que convém e que quer o Senhor tirar a alma de si, como eu disse.

11. Alegra muito a Deus ver uma alma que, com humildade, põe como terceiro a seu Filho e o ama tanto que, ainda querendo Sua Majestade elevá-lo a uma contemplação muito grande — como já disse — sabe-se indigna, dizendo com são Pedro: "Afastai-vos de mim, Senhor, porque sou um homem pecador".[3] Eu provei disso. Desta forma levou Deus minha alma. Outros irão, como já disse, por outro atalho.

O que eu aprendi é que todo o alicerce da oração funda-se em humildade, e que quanto mais se abaixa uma alma na oração, mais a eleva Deus. Não me lembro de ter me feito dádiva muito notável, das que adiante falarei, que não fosse estando eu aniquilada por ver-me tão ruim. E até procurava Sua Majestade fazer-me entender coisas para ajudar-me a me conhecer, pois eu não saberia imaginá-las. Tenho para mim que, quando a alma faz de sua parte algo para se ajudar nessa oração de união, ainda que lhe pareça que é com proveito, como coisa não bem fundada voltará muito depressa a cair. E tenho medo de que nunca chegará à verdadeira pobreza de espírito, que é não procurar consolo nem prazer na oração — pois os da terra já foram deixados —, mas sim consolação nos tormentos por amor d'Ele que sempre viveu neles, e ficar quieta neles e na secura. Ainda que se sinta alguma coisa, não é para dar a inquietação e a tristeza que dá a algumas pessoas que, se não estiverem sempre trabalhando com o entendimento e com ter devoção, pensam que estará tudo perdido. Como se por seu trabalho merecessem tanto bem. Não digo que não se procurem essas coisas e estejam com cuidado diante de Deus, mas que se não puderem ter nem mesmo um bom pensamento, como de uma outra vez disse, não se matem. Servos sem utilidade somos, o que é que pensamos poder?

12. O Senhor quer mais é que reconheçamos isso e andemos transformados em asninhos para puxar a roda-d'água de que falamos. Porque, ainda que de olhos fechados e não sabendo o que fazem, tirarão mais água do que o jardineiro com todo seu esforço. Com liberdade se deve andar nesse caminho, postos nas mãos de Deus. Se Sua Majestade quiser nos elevar a ser de sua câmara e intimidade, devemos ir de boa vontade. Se não, é servir em ofícios baixos e não sentar no melhor lugar, como eu já disse algumas vezes. Deus tem mais cuidado do que nós e sabe para que serve cada um. De que adianta governar-se a si quem já deu toda a sua vontade a Deus? Na minha opinião, é muito menos aceitável aí do que no primeiro grau de oração e causa muito mais dano. São bens sobrenaturais. Se alguém tem voz ruim, por muito que se esforce para cantar, não a tornará boa. Se Deus a quiser dar, não há necessidade de gritar antes. Então, peçamos sempre que nos faça dádivas, rendida a alma, confiando na grandeza de Deus. Já que para estar aos pés de Cristo lhe dão licença, que procure não sair dali. Fique como quiser. Imite a Madalena, que, assim que estiver forte, Deus a levará ao deserto.

13. Assim, o senhor, padre, até que ache quem tenha mais experiência do que eu e saiba mais, fique nisso. Se

forem pessoas que estão começando a saborear Deus, não acredite nelas, pois lhes parece que lhes traz mais proveito e têm mais gosto ajudando-se. Oh, quando Deus quer, como se manifesta sem essas ajudazinhas! Pois, por mais que façamos, arrebata o espírito como um gigante pegaria uma palha, e não há resistência que baste. Que maneira de crer, pois espera que o sapo voe por si mesmo quando quiser! E me parece ainda mais difícil e pesado de se erguer o nosso espírito do que um sapo, porque está carregado de terra e de mil impedimentos. E adianta-lhe pouco querer voar, porque, ainda que seja mais da sua natureza do que da do sapo, já está tão metido na lama que perdeu essa natureza por sua culpa.

14. Quero então concluir com isto: sempre que se pense em Cristo, recordemo-nos do amor com que nos fez tantas dádivas, e de quão grande nos mostrou ser o amor que nos tem ao dar-nos uma tal prenda. Pois amor gera amor. E ainda que estejamos bem no começo e sejamos muito ruins, procuremos ir olhando sempre para isso e despertando-nos para amar. Porque, se uma vez nos fizer o Senhor a dádiva de que se grave no coração esse amor, tudo nos será fácil e faremos obras muito rapidamente e muito sem esforço. Sua Majestade nos dê esse amor — já que sabe o muito que nos convém — pelo amor que Ele teve por nós e por seu glorioso Filho, que, com tanto custo, no-lo mostrou, amém.

15. Eu gostaria de perguntar uma coisa ao senhor: como, ao começar o Senhor a fazer dádivas tão elevadas a uma alma, como é o pô-la em perfeita contemplação, já que com razão devia ficar logo totalmente perfeita (com razão, sim, com certeza, porque quem recebe dádiva tão grande não deveria mais querer consolos da terra), então, por que, no arrebatamento e quando a alma já está mais habituada a receber dádivas, parece que a dádiva traz consigo efeitos tão mais elevados, e, quanto mais habituada, mais desapegada fica? Já que em um instante

que o Senhor se aproxima poderia deixá-la santificada, como, depois, passando o tempo, deixa-a o Senhor com maior perfeição nas virtudes?

Isso é o que eu quero saber, pois não sei. Mas sei bem que é diferente o que Deus deixa de fortaleza quando, no princípio, não dura mais do que um piscar de olhos e quase não se sente, a não ser nos efeitos que deixa, ou quando dura mais tempo essa dádiva. E ocorre-me muitas vezes se não seria o não se dispor logo totalmente a alma, até que o Senhor, pouco a pouco, acostuma-a, e a faz decidir-se e dá forças masculinas para que jogue de uma vez tudo no chão. Como fez com a Madalena, rapidamente, faz com outras pessoas, conforme o que elas fazem para deixar Sua Majestade fazer. Não conseguimos acreditar que, ainda nesta vida, Deus dá a cento por um.[4]

16. Eu também pensava nesta comparação: embora seja tudo uma coisa só que se dá a quem vai mais além do que o princípio, é como uma iguaria da qual comem muitas pessoas. Para as que comem um pouquinho, fica só o sabor bom por um tempo. Às que comem mais, ajuda a sustentar. Às que comem muito, dá vida e força. E tantas vezes se pode comer e tão fartamente dessa iguaria de vida, que já não comem coisa que lhes saiba bem, a não ser ela. Porque veem o bem que faz, e já tomaram tanto gosto pela suavidade dela, que prefeririam não viver mais a ter que comer outras coisas, que não servem para nada a não ser tirar o gosto bom que a iguaria boa deixou.

Também uma companhia santa não traz tanto seu proveito em um dia, mas em muitos. E podem ser tantos os que passemos com ela, que poderemos ser como ela, se Deus nos favorecer. E, no fim, tudo está no que Sua Majestade quer e a quem quer dá-lo. Mas muito importa decidir-se, quem já começa a receber essa dádiva, a desapegar-se de tudo e a tê-la na devida conta.

17. Também me parece que Sua Majestade anda a testar quem o quer, se um, se outro, revelando com de-

leite tão supremo quem Ele é, para avivar a fé — se estiver morta — daquilo que nos há de dar, dizendo: "Olha, pois isto é uma gota do mar enorme de bens", para não deixar nada por fazer com os que ama. E quando vê que o recebem, aí dá e se dá. Quer a quem o quer. E que bem querido e que bom amigo!

Oh, Senhor de minha alma, e quem teria palavras para fazer entender que dais aos que confiam em Vós, e que perdem os que chegam a esse estado e permanecem consigo mesmos! Vós não quereis isso, Senhor, já que mais que isso fazeis, pois vindes a uma pousada tão ruim como a minha. Bendito sejais para sempre e sempre!

18. Volto a suplicar ao senhor que essas coisas que escrevi sobre oração, se tratar delas com pessoas espirituais, que o sejam. Porque, se não souberem mais do que um caminho, ou se tiverem ficado no meio, não poderão atinar com isso. E há algumas que Deus logo leva por caminho muito elevado e parece a elas que os outros poderão tirar proveito ali e acalmar a inteligência e não se aproveitar de meios das coisas corpóreas, mas ficarão secos como um pau. E alguns que tenham tido um pouco de quietude logo pensam que, como têm uma coisa, podem fazer a outra. E, em lugar de avançar, regridem, como eu já disse. Assim, em tudo é necessário ter experiência e discernimento. O Senhor no-las dê, por sua bondade.

CAPÍTULO 23

EM QUE VOLTA A TRATAR DO CURSO DE SUA VIDA E COMO COMEÇOU A FALAR DE MAIOR PERFEIÇÃO E POR QUE MEIOS. É MUITO PROVEITOSO PARA AS PESSOAS QUE TRATAM DE GOVERNAR ALMAS QUE TÊM ORAÇÃO SABEREM COMO DEVEM AGIR NO COMEÇO, E O PROVEITO QUE LHE FEZ SABER LEVÁ-LA

1. Agora quero voltar aonde deixei minha vida — pois me detive, creio, mais do que devia me deter — para que se entenda melhor o que está por vir. É um outro livro novo daqui para a frente, digo, outra vida nova. A de até aqui era minha. A que vivi desde que comecei a explicar essas coisas de oração é a que vivia Deus em mim, pelo que me parecia. Porque eu sei que era impossível sair em tão pouco tempo de tão maus costumes e obras. Seja o Senhor louvado, pois me livrou de mim.

2. Começando, então, a deixar as ocasiões de pecado e dedicar-me mais à oração, começou o Senhor a fazer-me as dádivas como quem desejasse — pelo que me pareceu — que eu as quisesse receber.

Começou o Senhor a me dar muito costumeiramente oração de quietude, e muitas vezes de união, que duravam longo tempo. Como nesse tempo havia acontecido grandes ilusões em mulheres[1] e enganos que lhes havia feito o demônio, sendo grande o deleite e suavidade que eu sentia, e muitas vezes sem poder evitar, comecei a ter medo. Ainda que visse em mim, por outro lado, uma enorme segurança de que era Deus. Especialmente quando estava na oração e via que ali eu ficava muito melhorada e com mais fortaleza. Mas, distraindo-me um pouco, voltava a ter medo. E pensava se o demônio queria, fazendo-me achar que aquilo era bom, suspender o entendimento para tirar-me a oração mental e fazer com que eu não pudesse pensar na Paixão, nem me aproveitar do entendimento, o que, como eu não entendia, me parecia a maior perda.

3. Mas como Sua Majestade já queria dar-me luz, para que não o ofendesse e soubesse o muito que lhe devia, cresceu de tal modo esse medo que me fez procurar com diligência pessoas espirituais com quem conversar, pois eu já tinha notícias de algumas. Porque tinham vindo aqui os da Companhia de Jesus, a quem eu — sem conhecer nenhum — era muito afeiçoada, só por saber o modo de vida e de oração que levavam. Mas não me achava digna de falar com eles, nem forte para obedecê-los, e isso me fazia ter mais medo. Porque conversar com eles e ser quem eu era, era para mim uma coisa dura.

4. Fiquei nisso por algum tempo, até que, com muita carga de artilharia contra mim, pela qual passei, e temores, me decidi a conversar com uma pessoa espiritual. Para perguntar a ela o que era a oração que eu tinha e que me desse luz, se estivesse errada, e fazer todo o possível para não ofender a Deus. Porque a falta de fortaleza que via em mim — como já disse — me deixava muito tímida.

Que grande engano, valha-me Deus, pois por querer ser boa, afastava-me do bem! O demônio deve investir muito nisso no começo da virtude. Porque eu não podia comigo. Ele sabe que todos os recursos de uma alma estão em conversar com amigos de Deus, e, assim, não havia meio para que eu me decidisse a isso. Esperava emendar-me primeiro — como quando deixei a oração — e talvez nunca o tivesse feito, porque já estava tão caída em coisinhas de mau costume que não conseguia entender que eram más, e tinha necessidade de outros e de que me dessem a mão para me levantar. Bendito seja o Senhor, pois, no fim, a dele foi a primeira.

5. Quando eu vi que avançava tanto meu medo, porque crescia a oração, pareceu-me que havia nisso algum grande bem ou enorme mal. Porque eu percebia bem que já era coisa sobrenatural o que eu tinha. Porque algumas vezes não conseguia resistir, e tê-lo quando eu queria, era inútil.

Pensei comigo que não haveria remédio se não procurasse manter a consciência limpa e me afastar de toda ocasião de pecado, ainda que fosse de pecados venais. Porque, se fosse espírito de Deus, estava claro o ganho, se fosse demônio, tentando eu manter contente ao Senhor e não o ofendendo, pouco dano poderia me causar, antes ele é que sairia perdendo. Determinada a isso e suplicando sempre a Deus que me ajudasse, tentando fazer o que disse por alguns dias, vi que minha alma não tinha força para sair-se com tanta perfeição sozinha, por algumas afeições que tinha a coisas que, ainda que, em si, não fossem más, bastavam para estragar tudo.

6. Falaram-me de um clérigo letrado[2] que havia nesse lugar, que o Senhor começava a tornar conhecido das pessoas por sua bondade e por sua vida boa. Eu o procurei por meio de um santo cavalheiro[3] que há nesse lugar. É casado, mas de vida tão exemplar e virtuosa, e de tanta oração e caridade, que nele todo resplandece a sua bondade e perfeição. E com muita razão, porque um grande bem veio a muitas almas por meio dele, por ter tantos talentos, que, mesmo não o ajudando seu estado, não pode deixar de usá-los. Tem muita inteligência e é muito suave com todos. Sua conversa não é pesada, e é tão suave e graciosa, além de ser reta e santa, que dá grande alegria a quem com ele conversa. Tudo ordena para grande bem das almas com que convive, e não parece ter outro empe-

nho que não seja o de fazer a todos que vê o que pode, e contentar a todos.

7. Pois esse bendito e santo homem, com sua capacidade, parece-me que foi o princípio de que minha alma se salvasse. Sua humildade me espanta, pois tem — acredito eu — pouco menos de quarenta anos de oração (não sei se são dois ou três menos), e leva toda a vida de perfeição que seu estado permite. Porque tem uma mulher[4] que é tão grande serva de Deus e de tanta caridade que, por ela, não se perde. Enfim, como uma mulher de quem Deus sabia que havia de ser tão grande servo seu, e a escolheu. Parentes dele estavam casados com parentes meus e também tinha muita comunicação com outro grande servo de Deus que estava casado com uma prima minha.[5]

8. Por essa via procurei fazer com que viesse falar comigo esse clérigo de que falei, tão servo de Deus, e que era muito amigo dele, com quem pensei confessar-me e ter como mestre. Então, trazendo-o para que falasse comigo, e eu numa enorme confusão de me ver na presença de homem tão santo, falei um pouco de minha alma e oração, porque ele não quis ouvir minha confissão. Disse que era muito ocupado, e assim era.

Começou com santa determinação a levar-me como se eu fosse forte. Com razão, pois eu deveria ser, de acordo com a oração que ele viu que eu tinha, para que não ofendesse de nenhuma maneira a Deus. Eu, quando vi sua determinação tão rápida nas ninharias que, como disse, eu não tinha fortaleza para deixar logo com tanta perfeição, afligi-me. E quando vi que tomava as coisas de minha alma como coisa que de uma vez só daria por acabada, eu via que era necessário muito mais cuidado.

9. Por fim, percebi que não era pelos meios que ele me dava que eu haveria de me remediar, porque eram para alma mais perfeita. E eu, ainda que nas dádivas de Deus estivesse avançada, estava muito no princípio nas virtudes e na mortificação. E com certeza, se não tivesse

que falar com ele nunca mais, creio que nunca medraria minha alma. Porque a aflição que me dava ver que eu não fazia — e nem era capaz, parece — o que ele me dizia bastava para perder a esperança e abandonar tudo.

Às vezes me maravilho de como, sendo uma pessoa que tem uma graça particular para se aproximar das almas, não foi capaz de entender a minha e nem quis se encarregar dela. E vejo que foi tudo para meu maior bem. Para que eu conhecesse e conversasse com gente tão santa quanto a da Companhia de Jesus.

10. Dessa vez ficou combinado com esse cavalheiro santo que viesse às vezes me ver. Aí se viu sua grande humildade: querer conviver com pessoa tão ruim quanto eu. Começou a visitar-me e a animar-me e dizer-me que não pensasse que, em um dia, havia de me afastar de tudo. Que pouco a pouco Deus o faria. Que ele mesmo havia passado alguns anos em coisas bem triviais, que ele não tinha conseguido largar por si mesmo. Oh, humildade, que fazes grandes bens onde estás e aos que se aproximam de quem tem! Contava-me esse santo, pois, na minha opinião, com razão posso dar-lhe esse nome, suas fraquezas, pois a ele, com sua humildade, pareciam ser para meu remédio. E levando em conta seu estado, de casado, não eram faltas nem imperfeições, e, levando em conta o meu, de religiosa, era enorme imperfeição mantê-las.

Eu não digo isso sem propósito, ainda que pareça que me estendo em minúcias. Mas elas importam tanto para começar a fazer progredir uma alma e levá-la a voar — pois ainda não tem penas, como dizem — que ninguém acreditará, a não ser quem tenha passado por isso. E, por esperar eu em Deus que o senhor, padre, há de ser de proveito para muitas almas, falo disso aqui. Pois toda a minha salvação foi esse cavalheiro saber curar-me e ter humildade e caridade para ficar comigo, e sofrimento de ver que eu não me emendava de todo. Ia com discernimento, pouco a pouco dando jeito de vencer o demônio. Eu comecei a ter um grande amor por ele, e não havia para mim maior descanso do que os dias em que o via, ainda que fossem poucos. Quando ele demorava, logo me afligia muito, parecendo-me que por eu ser tão ruim ele não vinha.

11. Conforme ele foi percebendo minhas imperfeições tão grandes, até seriam pecados (ainda que, depois que comecei a conviver com ele estivesse mais emendada), e quando lhe contei as dádivas que Deus me fazia para que me esclarecesse, disse-me que não combinava uma coisa com a outra. Que aqueles presentes eram já para pessoas muito avançadas e mortificadas. Que não podia deixar de ter muito medo, porque lhe parecia que, em algumas coisas, era espírito mau — ainda que não conseguisse se decidir —, mas que eu pensasse tudo o que entendia de minha oração e dissesse a ele. E era muito trabalho, pois eu não sabia dizer nada sobre o que era minha oração. Porque essa dádiva de saber entender o que é, e saber dizê-lo, faz pouco tempo que Deus me deu.

12. Quando ele me disse isso, com o medo que eu tinha, foram grandes minha aflição e minhas lágrimas. Porque, com certeza, eu queria alegrar a Deus. E não consegui me convencer de que fosse o demônio. Mas tinha medo de que, por meus grandes pecados, Deus me cegasse para que eu não percebesse.

Olhando nos livros para ver se saberia falar da oração que tinha, achei em um que chamam de *A subida do monte*,[6] no que toca à união da alma com Deus, todos os sinais que eu tinha naquele não pensar nada. Pois isso era o que eu mais dizia: que não podia pensar nada quando tinha aquela oração. E marquei com linhas que partes eram e dei o livro para que ele e o outro clérigo de que falei, santo e servo de Deus, olhassem e me dissessem o que devia fazer. E que se lhes parecesse deixaria totalmente a oração. Pois para que iria eu me meter nesses perigos, já que depois de quase vinte anos que eu a tinha não saíra ganhando nada, a não ser enganos do demônio? Que era melhor não a ter. Ainda que isso também fosse duro para mim, porque eu já tinha experimentado como ficava minha alma sem oração.

Assim, eu via ser tudo penoso. Como quem está dentro de um rio e a qualquer parte que vá dele tem mais medo do perigo e já está quase se afogando. Esse é um tormento muito grande. E como esses eu passei muitos, como direi mais adiante, porque ainda que pareça que não importa, talvez seja proveitoso saber como deve ser provado o espírito.

13. E é grande, com certeza, o trabalho por que se passa, e é preciso tento, especialmente com as mulheres, porque é grande nossa fraqueza e poderia vir muito mal dizendo muito diretamente a elas que é o demônio. Antes deve-se olhar tudo muito bem e afastá-las dos perigos que pode haver e avisá-las em segredo para que tomem muito cuidado e o tenham também eles, pois convém.

E nisso eu falo como alguém a quem custou muito trabalho não ter tido algumas pessoas com quem tivesse conversado sobre minha oração. Perguntando a uns e a outros me causaram, por bem, grande dano, pois se divulgaram coisas que estavam bem secretas — já que não são para todos — e parecia que eu é que as divulgava. Creio que sem culpa dessas pessoas o Senhor permitiu isso para que eu padecesse. Não estou dizendo que eles falavam do que eu conversava com eles na confissão. Mas como eram pessoas a quem eu prestava conta, por meus temores, para que me esclarecessem, parecia-me que deviam ficar caladas. Mesmo com tudo isso, eu nunca ousava calar coisa alguma a pessoas semelhantes.

Então eu digo que aconselhe com muito discernimento, animando-as e aguardando o tempo devido, pois o Senhor as ajudará, como fez a mim. E se não, enorme dano teria me causado, por ser temerosa e medrosa.

Com a doença séria do coração que eu tinha, espantou-me como não me fez muito mal.

14. Então, quando dei o livro, e fiz junto o relato da minha vida e dos meus pecados o melhor que pude (não em confissão, por ser ele secular, mas dei bem a entender quão ruim eu era), os dois servos de Deus olharam com grande caridade e amor o que me convinha.

Vinda a resposta, que eu com muito medo esperava, e tinha me encomendado a muitas pessoas que me encomendassem a Deus, e eu com muita oração naqueles dias, com grande aflição veio a mim e disse-me que no parecer de ambos era o demônio. E que o que convinha era conversar com um padre da Companhia de Jesus, pois quando eu o chamasse dizendo que tinha necessidade, viria. E que eu desse conta de toda a minha vida por uma confissão geral e desse conta de minha condição, e tudo com muita clareza, pois pela virtude do sacramento da confissão Deus daria a ele mais luz, pois eram muito experientes em coisas do espírito. E que eu não saísse do que ele dissesse em relação a todas as coisas, porque estava em grande perigo, se não tivesse quem me governasse.

15. A mim isso deu tanto medo e tristeza que não sabia o que fazer. Só chorava. E estando eu num oratório, muito aflita, não sabendo o que ia ser de mim, li em um livro — e parece que o Senhor o pôs em minhas mãos — em que São Paulo dizia que Deus era muito fiel, pois nunca consentia aos que o amavam ser enganados pelo demônio.[7] Isso me consolou muitíssimo.

Comecei a tratar da minha confissão geral e pôr por escrito todos os males e bens. Um discurso da minha vida o mais claramente que eu entendia e sabia, sem deixar nada por dizer. Lembro-me que, quando vi, depois que escrevi, tantos males e quase nenhum bem, me deu uma aflição e um desânimo enormes. Também me incomodava que me vissem, em casa, conversar com gente tão santa como os da Companhia de Jesus. Porque conservava minha ruindade e parecia-me que ficava mais obrigada a não ser ruim e a afastar-me de meus passatempos, e que, se não fazia isso, era pior. E assim tentei com a sacristã e com a porteira que não dissessem a ninguém. Não adiantou muito, porque acertou de estar à porta quando os da Companhia me chamaram justamente quem contou para todo o convento. Mas que embaraços põe o demônio e que temores para quem quer se aproximar de Deus!

16. Conversando com aquele servo de Deus[8] — pois ele o era muito e bem prudente — sobre toda a minha alma, como quem conhecia bem essa linguagem, me explicou o que era e me animou muito. Disse ser espírito de Deus, muito evidentemente. E que era necessário voltar novamente à oração, porque não estava bem fundada e eu não tinha começado a entender a mortificação. E assim era, pois até a palavra parece que eu não entendia. E que, de maneira nenhuma, deixasse a oração, antes, me esforçasse muito, uma vez que Deus me fazia dádivas tão particulares. Que o que sabia eu, se por meu intermédio queria o Senhor fazer o bem a muitas pessoas? E outras coisas, que parece que profetizou o que depois o Senhor fez comigo. Disse que eu teria muita culpa se não correspondesse às dádivas que Deus me fazia. Em tudo me parecia que falava nele o Espírito Santo, para curar minha alma, conforme ia se gravando nela.

17. Causou-me grande confusão. Levou-me por meios que parecia que me transformavam totalmente em outra. Que grande coisa é entender uma alma! Disse-me para ter todo dia oração em um passo da Paixão. E que me aproveitasse desse passo e que não pensasse em nada a não ser na Humanidade. E que, àqueles recolhimentos e prazeres, eu resistisse o quanto pudesse, de maneira a não dar lugar a eles até que ele me dissesse outra coisa.

18. Deixou-me consolada e fortalecida, e o Senhor, que me ajudou e a ele, para que entendesse minha con-

dição e como devia me governar. Fiquei decidida a não sair do que ele me mandasse em coisa alguma, e assim fiz até hoje. Louvado seja o Senhor que me deu a graça de obedecer a meus confessores, ainda que imperfeitamente — como eu disse — eu os tenha seguido. Evidente melhora começou a ter minha alma, como direi agora.

CAPÍTULO 24

PROSSEGUE NO QUE HAVIA COMEÇADO E DIZ COMO FOI PROGREDINDO A ALMA DEPOIS QUE COMEÇOU A OBEDECER, E O POUCO QUE ADIANTAVA RESISTIR ÀS DÁDIVAS DE DEUS, E COMO SUA MAJESTADE AS IA DANDO MAIS COMPLETAS

1. Minha alma saiu tão branda dessa confissão que me parecia que não havia nada a que eu não me dispusesse. E assim comecei a fazer mudanças em muitas coisas, ainda que o confessor não estivesse me apressando, antes parecia que fazia pouco-caso de tudo. E isso me movia mais, porque ele me conduzia pelo meio do amar a Deus, e como que deixava liberdade e não pressão se eu não me dispusesse por amor.

Fiquei assim quase dois meses, fazendo tudo em meu poder para resistir aos presentes e dádivas de Deus. Quanto ao exterior, via-se a mudança, porque o Senhor já começava a me dar ânimo para passar por algumas coisas que as pessoas que me conheciam, até na própria casa, diziam parecer extremos. Comparado ao que eu fazia antes, tinham razão, pois era extremo, mas ao que eu era obrigada pelo hábito e pela profissão religiosa que tinha feito, ficava aquém.

2. Desse resistir aos gostos e presentes de Deus, ganhei o ensinar-me Sua Majestade. Porque antes me parecia

que, para me dar presentes na oração, era necessário muito recolhimento e eu quase não ousava me mexer. Depois vi o pouco que vinha ao caso. Porque, quanto mais eu procurava me distrair, mais me cobria o Senhor daquela suavidade e glória, que me parecia que me rodeavam toda e que por nenhum lado eu poderia fugir, e era assim.

Eu tomava tanto cuidado que causava tristeza. O Senhor tinha maior cuidado ainda nesses dois meses em fazer-me dádivas e a revelar-se muito mais do que costumava, para que eu entendesse que não estava mais em minhas mãos.

Comecei novamente a ter amor à sacratíssima Humanidade. Começou a se assentar a oração como um edifício que já tinha alicerce. E eu, a afeiçoar-me a mais penitência, de que eu andava descuidada por serem tão graves minhas doenças. Disse-me aquele homem santo que me confessou que algumas coisas não poderiam me causar dano. Que talvez Deus me desse tantos males porque eu não estava fazendo penitência e queria dá-la a mim Sua Majestade. Mandava-me fazer algumas mortificações não muito gostosas para mim. Eu fazia tudo, porque me parecia que o Senhor é que mandava e dava a ele a graça para que mandasse de maneira que eu obedecesse. Minha alma andava já sentindo qualquer ofensa que fizesse a Deus, por menor que fosse, de maneira que, se vestia alguma coisa supérflua, não conseguia recolher-me até que a tirasse. Fazia muitas orações para que Deus me segurasse em sua mão. Já que eu convivia com seus servos, que ele me permitisse não voltar atrás, pois me parecia que seria um grande delito e que eles haveriam de perder crédito por minha causa.

3. Nesse tempo veio a esse lugar o padre Francisco,[1] que era duque de Gandia e havia alguns anos que, deixando tudo, tinha entrado para a Companhia de Jesus. O meu confessor procurou — e também o cavalheiro que eu disse que tinha vindo me visitar — que falasse

com ele e desse conta da oração que eu tinha, porque sabia que ele estava à frente em ser muito favorecido e presenteado por Deus, que, como a alguém que tinha deixado muito por Ele, já nessa vida lhe pagava. Então, depois que me ouviu, disse que era espírito de Deus e que lhe parecia que não era bom eu resistir mais, que até então estava bem feito, mas que sempre começasse a oração em um passo da Paixão. E que, se, depois, o Senhor me levasse o espírito, não resistisse, mas deixasse levá-lo Sua Majestade, não procurando isso eu mesma. Como quem já estava muito mais adiantado, deu o remédio e o conselho, pois tem muito efeito nisso a experiência. Disse que já seria erro eu resistir mais. Eu fiquei muito consolada, e o cavalheiro também se alegrava muito que tivessem dito que era de Deus, e sempre me ajudava e dava conselhos no que podia, o que era muito.

4. Nesse tempo mudaram meu confessor de um lugar para outro, o que eu senti muitíssimo, porque pensei que havia de voltar a ser ruim e não me parecia possível achar outro como ele. Minha alma ficou como num deserto, muito desconsolada e temerosa. Não sabia o que fazer de mim. Uma parenta minha procurou levar-me à sua casa e eu procurei ir logo procurar outro confessor entre os da Companhia.

O Senhor quis que eu começasse a travar amizade com uma senhora[2] viúva de muito altas estirpe e oração, que conversava muito com eles. Fez-me confessar com seu confessor e fiquei na casa dela vários dias. Morava perto. Eu me alegrava por conversar muito com eles, pois só de perceber a santidade de sua conversa era grande o proveito que minha alma sentia.

5. Esse padre[3] começou a me pôr em maior perfeição. Dizia-me que, para alegrar totalmente a Deus, eu não devia deixar nada por fazer. Agia também com grande perícia e brandura, porque minha alma ainda não estava nada forte, mas muito tenra, especialmente para deixar

algumas amizades que tinha, ainda que não ofendesse a Deus com elas. Era muita afeição e parecia-me que seria ingratidão deixá-las. E, assim, dizia que, já que não ofendia a Deus, por que haveria de ser ingrata? Ele me disse que me encomendasse a Deus uns dias e rezasse o hino "Veni Creator"[4] para que Ele me desse luz sobre o que seria melhor.

Tendo estado um dia em muita oração e suplicando ao Senhor que me ajudasse a alegrá-lo em tudo, comecei o hino. E, estando a dizê-lo, veio-me um arrebatamento tão súbito que quase me tirou de mim, coisa de que não pude duvidar, porque foi muito evidente.

Foi a primeira vez que o Senhor me fez essa dádiva de arrebatamento. Ouvi essas palavras: "Já não quero que tenhas conversas com homens, mas sim com os anjos". A mim, causou grande espanto, porque o movimento da alma foi grande. E muito no espírito me foram ditas essas palavras e, assim, me deu medo, ainda que, por outro lado, grande consolo, que ficou comigo, passado o medo que, me parece, a novidade causou.

6. Isso se cumpriu bem, pois nunca mais pude assentar em amizade, nem ter consolação, nem amor particular, a não ser por pessoas que percebo terem amor a Deus e procuram servi-lo. E não é algo que está em meu poder. Nem me importa se são parentes ou amigos. Se não percebo isso, ou se não for pessoa de oração, é uma penosa cruz para mim conversar com alguém. Isso é assim, parece-me, sem nenhuma falha.

7. Desde aquele dia eu fiquei tão animada para deixar tudo por Deus. Como se Ele tivesse querido, naquele momento — e não me parece que foi mais do que um momento —, tornar outra a sua serva. Assim, não foi preciso mandar mais em mim. Pois, como meu confessor me via tão apegada a isso, não tinha ousado dizer terminantemente que o fizesse. Devia esperar que o Senhor operasse, como fez. E nem eu pensei em sair daquilo, porque eu mesma

já havia tentado e era tanta tristeza que me dava. Pois eu deixava as amizades como uma coisa que me parecia não ser inconveniente. Já aí, o Senhor me deu liberdade e força para realizá-lo. Assim eu disse ao meu confessor e deixei tudo, conforme ele mandou. Foi de grande proveito para quem convivia comigo ver em mim essa determinação.

Seja Deus bendito para sempre, pois em um instante me deu a liberdade que eu, com todos os esforços que tinha feito havia muitos anos, não pude alcançar por mim mesma, fazendo muitas vezes tanta força que me custava muito para a saúde. Como foi feito por quem é poderoso e Senhor verdadeiro de tudo, não me causou tormento algum.

CAPÍTULO 25

EM QUE TRATA DO MODO E DA MANEIRA COMO SE ENTENDEM ESSAS FALAS QUE DEUS DIZ À ALMA SEM SE OUVIR, E DE ALGUNS ENGANOS QUE PODE HAVER NISSO, E COMO SE RECONHECERÁ, QUANDO FOR. É DE MUITO PROVEITO PARA QUEM SE VIR NESSE GRAU DE ORAÇÃO, PORQUE SE EXPLICA MUITO BEM, E É DE GRANDE DOUTRINA

1. Parece-me que seria bom explicar como é esse falar que Deus dá à alma e o que ela sente, para que o senhor, padre, entenda. Porque desde essa vez que disse que o Senhor me fez essa dádiva até agora, é muito comum, como se verá no que está por dizer. São palavras muito bem formadas, porém com os ouvidos corporais não se ouvem. Mas entende-se muito mais claramente do que se se ouvissem. E deixar de entender, ainda que se resista muito, está além das forças. Porque no mundo, quando não queremos ouvir, podemos tapar os ouvidos ou prestar atenção em outra coisa de maneira que, ainda que se ouça, não se entenda. Nessa conversa que tem Deus com a alma não há remédio algum, mas, apesar de mim, me fazem escutar e estar o entendimento tão inteiro para compreender o que Deus quer que entendamos, que não adianta querer ou não querer. Porque aquele que pode tudo quer que entendamos, vai se fazer o que quer e mostra ser senhor verdadeiro de nós. Disso tenho

muita experiência, porque me durou quase dois anos a resistência, com o grande medo que tinha, e agora ainda o experimento às vezes, mas de pouco adianta.

2. Eu quereria explicar os enganos que pode haver aqui. Ainda que, para quem tem muita experiência, parece-me que serão poucos ou nenhum, mas terá que ser muita a experiência. E quereria explicar a diferença que há quando é espírito bom ou quando é mau. Ou como pode ser, também, apreensão do próprio entendimento — o que poderia acontecer — ou falar o próprio espírito a si mesmo. Isso eu não sei se pode acontecer, mas hoje mesmo me pareceu que sim. Quando é de Deus, tenho bem provado, por muitas coisas que me foram ditas dois e três anos antes e todas se cumpriram, e, até agora, nenhuma se revelou mentira, e outras coisas em que se vê claramente ser espírito de Deus, como depois se dirá.

3. Parece-me que uma pessoa poderia, estando a encomendar alguma coisa a Deus com grande afeto e temor, parecer-lhe que ouve alguma coisa, sobre se ocorrerá ou não o que pede. E é muito possível, ainda que a quem tenha escutado desse outro jeito, verá claramente do que se trata, porque é muito grande a diferença. E se for uma coisa que o entendimento fabrica, por mais engenhoso que esteja, percebe que ela é que ordena algo e que fala. Pois não é diferente de alguém ordenar uma conversa ou escutar o que outro lhe diz. Verá, o entendimento, que não escuta, então, porque trabalha. E as palavras que ele fabrica são como uma coisa surda, fantasiada, e não com a claridade destas outras. E aqui está em nosso poder tanto nos distrair quanto calar quando falamos. Neste outro caso não há meios.

E outro sinal, maior do que todos, é o entendimento, que não faz nenhuma operação. Porque esta outra, que fala o Senhor, são palavras e obras. E ainda que as palavras não sejam de devoção, mas sim de repreensão, dispõe de uma vez a alma, e a torna hábil, e enternece e dá luz, e agrada e acalma. E se estava com secura, ou alvoroço, ou desassossego, tira como se fosse com a mão, e até melhor, pois parece que o Senhor quer que se perceba que é poderoso e que suas palavras são obras.

4. Parece-me que há a diferença que há se nós falamos ou ouvimos, nem mais nem menos. Porque o que eu falo — como já disse — vou ordenando com o entendimento o que digo. Mas, se falam comigo, não faço mais do que ouvir, sem nenhum trabalho. Um acontece como uma coisa que não podemos determinar bem se é de verdade, como alguém que está meio adormecido. Este outro é uma voz tão clara que não se perde uma sílaba do que se diz. E acontece ser em momentos em que o entendimento e a alma estão tão alvoroçados e distraídos que não acertariam em compor um bom arrazoado e acham já cozidas grandes sentenças que são ditas a ela, e que ela — mesmo estando muito recolhida — não conseguiria entender. E à primeira palavra — como ia dizendo — mudam-na toda. Especialmente se está em arrebatamento, já que as potências estão suspensas. Como poderia entender coisas que não haviam vindo à memória mesmo antes? Como viriam então, pois quase não age e a imaginação está como se abobada?

5. Entenda-se que quando se veem visões ou se ouvem essas palavras, na minha opinião, nunca é em momentos em que a alma está unida no próprio arrebatamento. Pois nesses momentos, como já deixei explicado, creio, na segunda água, perdem-se totalmente essas potências e, ao que me parece, ali não se pode ouvir nem escutar. Está toda em outro poder, e, nesse período, que é muito breve, não me parece que o Senhor deixe alguma liberdade a ela para nada. Passado esse breve tempo que fica ainda no arrebatamento a alma, é isso que ia dizendo. Porque ficam as potências de maneira tal que, ainda que não estejam perdidas, não operam quase nada. Estão como que absortas e incapazes de compor raciocínios.

Há tantos meios de entender a diferença que, se alguém se enganar, não será muitas vezes.

6. E digo que, se uma alma é experiente e está atenta, verá muito claramente. Porque, fora outras coisas, pelas quais se vê o que eu disse, nenhum efeito fazem nem a alma o admite — porque este outro, admite-se ainda que não queiramos — e nem dá crédito. Antes, percebe que são devaneios do entendimento. É quase como não se faria caso de uma pessoa que você sabe estar num frenesi. Este outro é como se ouvíssemos uma pessoa muito santa ou erudita e de grande autoridade, pois sabemos que não há de mentir para nós. E ainda é baixa essa comparação, porque trazem às vezes consigo essas palavras uma majestade que, sem nos lembrar de quem as diz, se forem de repreensão, fazem tremer, e se forem de amor, nos desfazem em amar. E são coisas, como já disse, que estavam bem longe da memória. E tão depressa se dizem sentenças tão grandes que seria preciso muito tempo para ordená-las e de maneira alguma, me parece, pode-se ignorar não ser coisa fabricada por nós mesmos.

De maneira que não preciso me deter nisso porque seria espantoso, me parece, se houvesse engano, para uma pessoa exercitada, se ela mesma não quiser, de propósito, se enganar.

7. Aconteceu-me muitas vezes, se tenho alguma dúvida, não acreditar no que é dito e pensar se não fui eu que botei na cabeça. Isso depois de acontecido, porque no momento em que se ouve é impossível. E, depois de muito tempo, ver cumprido o que me foi dito. Porque o Senhor faz com que fique na memória, de tal modo que não se pode esquecer. Já o que é do entendimento é como um primeiro movimento do pensamento, que passa, e do qual se esquece. Este outro é como uma obra que, ainda que se esqueça de alguma coisa e passe o tempo, não será totalmente que se perca a lembrança do que, enfim, se disse. A não ser que passe muito tempo, ou forem pa-

lavras de favor, ou de doutrina. Mas de profecia, parece-me, não há como esquecer, ao menos comigo, ainda que eu tenha pouca memória.

8. E volto a dizer que, a não ser que uma alma seja tão desalmada que queira fingir — o que seria muito mau — e dizer que ouve não sendo assim, parece-me que não dá para deixar de ver claramente que ela mesma manda e fala consigo mesma, se entendeu o espírito de Deus. Porque senão, poderá ficar toda a sua vida nesse engano e parecer-lhe-á que ouve, ainda que eu não saiba como. Ou esta alma quer ouvir ou não. Se está se aniquilando por causa do que ouve e de nenhuma maneira quereria ouvir, por mil temores e outras muitas causas que há para ter desejo de ficar quieta em sua oração, como dá espaço para que seu entendimento componha argumentos? É necessário tempo para isso. Aqui, sem perder tempo nenhum, ficamos ensinadas e ouvem-se coisas que parece ser necessário um mês para compor. E o próprio entendimento e a alma ficam espantados com algumas coisas que se ouvem.

9. Isso é assim, e quem tiver experiência verá que é ao pé da letra tudo o que eu disse. Louvo a Deus porque eu soube dizer desse modo. E termino com isso: parece-me que, sendo do entendimento, poderíamos ouvir quando quiséssemos, e cada vez que estivéssemos em oração poderia parecer que ouvíamos. Mas neste outro não é assim. Passo muitos dias em que, ainda que quisesse ouvir algo, é impossível. E muitas vezes, quando não quero, tenho que ouvir.

Parece-me que, para quem quisesse enganar os outros, dizendo que ouve de Deus o que é de si próprio, pouco custaria dizer que ouve com os ouvidos corporais. E assim é, certamente, com verdade, porque eu jamais pensei que houvesse outra maneira de ouvir ou de escutar até que vi por mim mesma. E assim, como disse, me dá muito trabalho.

10. Quando é demônio, não só não deixa bons efeitos, como deixa maus. Isso me aconteceu não mais de duas ou três vezes e logo fui avisada pelo Senhor que era demônio. Fora a grande secura que fica, é uma inquietação na alma como em outras muitas vezes em que o Senhor permitiu que eu tivesse grandes tentações e tormentos da alma de diversas maneiras. E ainda que me atormente muitas vezes, como direi adiante, é uma inquietação que não se consegue entender de onde vem. Ao contrário, parece que a alma resiste e se alvoroça e se aflige sem saber por que, porque o que ele diz não é mau, mas bom. Penso que um espírito percebe o outro. O gosto e o prazer que o demônio dá, na minha opinião, é muito diferente. Ele poderia enganar com esses prazeres a quem não tiver tido outros de Deus.

11. Falo de gostos de verdade. Uma suave recreação, forte, marcada, prazerosa, tranquila. Porque umas devoçõezinhas da alma, de lágrimas e outros sentimentos pequenos, que ao primeiro soprinho de perseguição se perdem essas florzinhas, eu não chamo de devoções, ainda que sejam um bom começo e sentimentos santos. Mas não para discernir esses efeitos de bom espírito ou mau. E, assim, é bom andar sempre com grande atenção, porque quando acontece com pessoas que não estão adiantadas na oração até esse ponto, facilmente poderiam ser enganadas, se tivessem visões ou revelações. Eu nunca tive nada dessas últimas até Deus ter me dado, só por sua bondade, oração de união. A não ser a primeira vez de que falei, que faz muitos anos, em que vi Cristo. Quisera Sua Majestade que eu tivesse entendido que era visão verdadeira, como depois entendi, pois não me teria sido pouco bem. Nenhuma suavidade fica na alma, mas fica com jeito de assustada e com grande desgosto.

12. Tenho por muito certo que o demônio não enganará — nem permitirá isso Deus — a uma alma que em nenhuma coisa confia em si e está fortalecida na fé,

que saiba de si que, por um ponto da fé, morrerá mil mortes. E com esse amor pela fé que logo Deus infunde, que é uma fé viva, forte, procura sempre andar conforme ao que a Igreja mantém, perguntando sempre a uns e a outros, como quem já tomou firme assento nessas verdades. E não a afastariam quantas revelações puder imaginar — ainda que visse os céus abertos — daquilo que a Igreja mantém.

Se alguma vez visse vacilar seu pensamento quanto a isso ou se parasse dizendo: "Já que Deus me diz isso, bem poderia ser verdade, como o que dizia aos santos". Não digo que acredite nisso, mas que o demônio comece a tentá-la por um primeiro movimento, pois parar nisso já se vê que é muito mal. Mas, mesmo esses primeiros movimentos, nesses casos, creio que não virão, se a alma estiver tão forte quanto a faz Deus às pessoas a quem dá essas coisas. Pois lhe parece que destruiria os demônios por uma muito pequena das verdades que a Igreja mantém.

13. Digo que, se não vir em si essa grande fortaleza e não vir que a ajuda a devoção ou visão, não tenha por coisa segura. Porque, ainda que não se sinta logo o dano, pouco a pouco poderia se tornar grande. Pois, pelo que eu vejo e sei por experiência, a crença de que é Deus fica conforme estiver tudo de acordo com a Sagrada Escritura. E quando se afasta um tantinho disso, muito mais certeza, sem comparação, me parece, teria de que é demônio do que agora tenho de que é de Deus, por maior que seja a que tenha. Porque então não é preciso ficar procurando sinais nem que espírito seja, já que esse sinal é tão claro para crer que é demônio. Se, então, todo mundo me garantisse que é Deus, eu não acreditaria.

O fato é que, quando é demônio, parece que se escondem todos os bens e fogem da alma, conforme ela fica desabrida e alvoroçada e sem suavidade. Parece-me que quem tem experiência do bom espírito entenderá.

14. Contudo, o demônio pode fazer mil embustes e, assim, não há coisa nisso tão certa que não seja mais certo ter medo e andar sempre com atenção e ter mestre que seja letrado e não deixar de falar nada a ele. Com isso, nenhum mal pode ocorrer, ainda que a mim muitos tenham vindo por esses medos exagerados que têm algumas pessoas.

Especialmente me aconteceu uma vez em que se haviam juntado muitos a quem eu dava muito crédito — e tinha razão em dar. Ainda que eu já não conversasse senão com um deles, e quando ele mandava eu falava com outros, uns com os outros conversavam muito sobre remediar-me, pois tinham muito amor por mim e temiam que eu fosse enganada. Eu também tinha enorme temor quando não estava na oração, pois estando nela e fazendo-me o Senhor alguma dádiva, logo me assegurava.

Creio que eram cinco ou seis,[1] todos muito servos de Deus. E meu confessor disse-me que todos estavam convencidos de que era demônio, que eu não comungasse tão amiúde e que procurasse me distrair de modo que não tivesse chance de ficar em solidão. Eu era medrosa ao extremo, como já disse. Ajudava nisso a doença do coração. Pois muitas vezes eu não ousava ficar sozinha num cômodo durante o dia. Ao ver que tantos afirmavam isso e eu não conseguia acreditar, tive grande escrúpulo, parecendo-me pouca humildade. Porque todos eram, sem comparação, de vida melhor do que a minha e letrados. Então, como não havia de acreditar? Forçava-me o quanto podia para acreditar neles e pensava na minha vida ruim e, de acordo com isso, deviam dizer a verdade.

15. Saí da igreja com essa aflição e entrei em um oratório afastada de comungar muitos dias, forçada a deixar a solidão, que era todo o meu consolo, sem ter ninguém com quem conversar, porque estavam todos contra mim. Uns pareciam zombar de mim quando falava dis-

so, como se fosse algo que eu desejasse ardentemente. Outros diziam que era claramente o demônio. Só o confessor que, ainda que concordasse com eles para provar-me, como depois eu soube, sempre me consolava e dizia que, ainda que fosse demônio, não ofendendo eu a Deus, não podia me fazer nada. Que ele me deixaria se eu pedisse muito a Deus. E ele e todas as pessoas de quem era confessor pediam muito, e outras muitas e todas as que eu sabia que eram servos de Deus, para que Sua Majestade me levasse por outro caminho. E isso durou não sei se uns dois anos, que era um contínuo pedir ao Senhor.

16. Nenhum consolo me bastava quando pensava que tantas vezes havia de falar comigo o demônio. Porque, por causa de eu não usar horas de solidão para a oração, durante a conversa o Senhor me fazia recolher-me e, sem eu poder evitar, me dizia o que queria e, ainda que me pesasse, eu tinha que ouvir.

17. Então, estando sozinha, sem ter ninguém com quem descansar, nem podia rezar nem ler. Estava como uma pessoa assustada por tanta tribulação e medo de que me havia de enganar o demônio. Toda alvoroçada e cansada, sem saber o que fazer de mim. Nessa aflição tinha me visto algumas, muitas vezes, ainda que não me parece que nenhuma tão extrema. Estive assim por quatro ou cinco horas, pois consolo do céu ou da terra não havia para mim, ao contrário, o Senhor me deixou padecer, temendo mil perigos.

Oh, Senhor meu, como sois Vós o amigo verdadeiro, e quão poderoso! Quando quereis podeis, e nunca deixais de querer, se vos querem! Louvem-vos todas as coisas, Senhor do mundo! Oh, quem bradará por si mesmo quão fiel sois a vossos amigos! Todas as coisas falham. Vós, Senhor de todas elas, nunca falhais. É pouco o que deixais padecer a quem vos ama. Oh, Senhor meu, quão delicada e polida e gostosamente sabeis tratá-los! Oh, se alguém nunca tivesse se dedicado a amar senão a Vós! Parece, Senhor, que provais com rigor a quem vos ama, para que no extremo do tormento perceba o extremo maior de vosso amor. Oh, Deus meu, quem teria entendimento e erudição e palavras novas para explicar vossas obras como as entende a minha alma! Falta-me tudo, Senhor meu. Mas, se Vós não me desamparar, não faltarei eu a Vós. Levantem-se contra mim todos os letrados, persigam-me todas as coisas criadas, atormentem-me os demônios, não me falteis Vós, Senhor, pois já tenho a experiência do lucro que tirais para quem só em Vós confia.

18. Então, estando nesse cansaço (ainda não tinha começado a ter nenhuma visão nessa época), só estas palavras bastavam para tirá-lo de mim e tirar-me de tudo: "Não tenhas medo, filha, Eu sou e não te desampararei, não temas".[2]

Parece-me que, como eu estava, seriam necessárias muitas horas para que me persuadissem a sossegar e ninguém seria suficiente. Eis-me aqui sossegada só com essas palavras, com fortaleza, com coragem, com segurança, com tranquilidade e luz, pois num instante vi minha alma mudada e me parece que discutiria com todo mundo que era Deus. Oh, que bom Deus! Oh que bom Senhor e que poderoso! Não dá só o conselho, mas dá o remédio. Suas palavras são obras. Oh, valha-me Deus, e como fortalece a fé e aumenta o amor!

19. É assim, com certeza, que muitas vezes me lembrava de quando o Senhor mandou aos ventos que ficassem quietos no mar, quando se ergueu a tempestade[3] e eu dizia assim: quem é esse que dessa maneira lhe obedecem todas as minhas potências, e dá luz em tão grande escuridão e em um instante, e torna brando um coração que parecia de pedra, dá água de lágrimas suaves onde parecia haver secura havia muito tempo? Quem põe esses desejos? Quem dá essa coragem? Pois aconteceu-me pensar: do que tenho medo? O que é isso? Eu desejo servir esse Senhor. Não pretendo outra coisa senão con-

tentá-lo. Não quero contentamento nem descanso nem outro bem a não ser fazer sua vontade. Pois estava bem certa disso, na minha opinião, para poder afirmá-lo.

Já que esse Senhor é poderoso, como vejo que é, e sei que é, e que são seus escravos os demônios — e disso não há dúvida, pois é artigo de fé —, sendo eu serva desse Senhor e Rei, que mal podem eles fazer a mim? Por que não hei de ter fortaleza para combater contra o inferno inteiro? Pegava uma cruz nas mãos e parecia verdadeiramente dar-me Deus coragem. E me vi outra em pouco tempo, pois não temeria engalfinhar-me com eles. Parecia-me que, facilmente, com aquela cruz, venceria todos. E assim disse: "Agora venham todos, pois sendo serva do Senhor quero ver o que podem me fazer".

20. Sem dúvida me parecia que tinham medo, porque eu fiquei sossegada e tão sem medo de todos eles, pois me foram tirados todos os medos que costumava ter. Até hoje, porque, ainda que algumas vezes eu os visse, como direi depois, nunca mais, quase, tive medo deles. Parecia mais que eles tinham medo de mim. Ficou-me um poder contra eles, bem dado pelo Senhor de todos os poderes, que não me incomodam eles mais do que moscas. Parecem-me tão covardes que, vendo que se os tem em pouca consideração, não lhes resta força.

Não sabem esses inimigos atacar diretamente, mas só a quem veem que se rende a eles, ou quando Deus o permite para maior bem de seus servos que os tentem e atormentem. Quisera Deus que tivéssemos medo de quem devemos temer e entendêssemos que pode nos vir maior dano de um pecado venial que de todo o inferno junto, pois é assim.

21. Que assustados nos trazem esses demônios por querermos nos assustar com outros apegos a honras e riquezas e prazeres! Porque então, juntos eles e nós mesmos, que nos somos contrários, amando e querendo o que devíamos rejeitar, muito dano nos farão. Porque

com nossas próprias armas fazemos com que pelejem contra nós, pondo nas mãos deles aquelas com que deveríamos nos defender.

Essa é a grande lástima. Mas se tudo rejeitarmos por Deus e nos abraçarmos à cruz e tratarmos de servi-lo de verdade, foge o demônio dessa verdade como se de uma pestilência. É amigo de mentiras e é a própria mentira: não fará pacto com quem anda na verdade. Quando ele vê o entendimento obscurecido, ajuda lindamente a que sejam destruídos os olhos. Porque se vê alguém já cego a ponto de pôr seu descanso em coisas vãs, e tão vãs que parecem brincadeira de criança as coisas deste mundo, já ele vê que se trata de uma criança, que se comporta como tal. E atreve-se a lutar o demônio com ele muitas e muitas vezes.

22. Queira Deus que eu não seja uma dessas, mas favoreça-me Sua Majestade para ter por descanso o que é descanso e por honra o que é honra e por deleite o que é deleite e não tudo ao contrário e uma figa para todos os demônios! Porque eles terão medo de mim. Não entendo esses medos: "Demônio! Demônio!", onde podemos dizer "Deus! Deus!", e fazê-lo tremer. Sim, pois já sabemos que ele não pode se mexer se Deus não permitir. O que é isso? Sem dúvida tenho mais medo dos que temem tanto o demônio do que dele mesmo. Porque ele não pode me fazer nada, e esses outros, especialmente se forem confessores, inquietam muito, e passei alguns anos de tão grande tormento que agora me espanto de como pude aguentar. Bendito seja o Senhor que tão de verdade me ajudou!

CAPÍTULO 26

PROSSEGUE NA MESMA MATÉRIA. VAI EXPLICANDO E CONTANDO COISAS QUE LHE ACONTECERAM, QUE A FAZIAM PERDER O MEDO E AFIRMAR QUE ERA BOM ESPÍRITO O QUE FALAVA COM ELA

1. Tenho como uma das grandes dádivas que me fez o Senhor essa coragem que me deu contra os demônios. Porque uma alma andar acovardada e temerosa de qualquer coisa, a não ser de ofender a Deus, é um enorme inconveniente. Já que temos um Rei todo-poderoso e tão grande Senhor que pode tudo e a todos sujeita, não há o que temer, andando — como já disse — em verdade diante de Sua Majestade e com a consciência limpa. Para isso, como disse, quereria eu todos os temores: para não ofender nem por um instante a quem, no mesmo instante, pode nos desfazer. Pois, contente Sua Majestade, não há quem seja contra nós que não leve as mãos à cabeça.

Poderá dizer-se que é assim, mas quem será essa alma tão reta que o contente de todo? E por isso tem medo. Não a minha, com certeza, que é muito miserável e sem proveito e cheia de mil misérias. Mas Deus não age como as pessoas, pois entende nossas fraquezas, porém por grandes sinais a alma sente em si se o ama de verdade. Porque para as que chegam a esse estado, o amor não anda dissimulado como no começo, mas sim com tão grandes ímpetos e desejo de ver a Deus, como direi depois e já disse. Tudo cansa, tudo desanima, tudo atormenta. Se não for com Deus ou por Deus, não há descanso que não canse, porque se vê ausente de seu verdadeiro descanso e, assim, é uma coisa muito clara que, como disse, não se passa despercebidamente.

2. Aconteceu-me outras vezes ver-me em tão grandes tribulações e murmurações sobre um certo negócio que depois contarei, em quase todo lugar em que estivesse e em minha ordem, e aflita com muitas ocasiões que havia para me inquietar e dizer-me o Senhor: "Do que tens medo? Não sabes que sou todo-poderoso? Eu cumprirei o que te prometi". E assim se cumpriu bem depois. E eu ficava logo com uma fortaleza que, de novo, me parece, me teria posto a empreender outras coisas, ainda que me custassem mais tormentos, para servi-lo, e me poria de novo a padecer.

Isso foi tantas vezes que não poderia contar. Muitas foram aquelas em que me fazia repreensões e faz, quando cometo imperfeições, que bastam para destruir uma alma. Ao menos trazem consigo o emendar-se, porque Sua Majestade — como disse — dá o conselho e o remédio. Outras vezes, traz-me à memória meus pecados passados. Especialmente quando o Senhor quer me fazer alguma dádiva notável, pois parece que a alma já se vê no verdadeiro juízo, porque apresentam-lhe a verdade com conhecimento tão claro que não sabe onde se enfiar. Em outras, avisa-me de alguns perigos meus e de outras pessoas, coisas ainda por acontecer, três ou quatro anos antes, muitas, e todas se cumpriram. Poderia contar algumas. Assim, há tantas maneiras de entender que é Deus que não se pode ignorar, na minha opinião.

3. O mais seguro é (eu faço assim, e sem isso não teria sossego, nem é bom que as mulheres o tenhamos, já que não temos instrução), e aqui não pode haver mal, mas sim muito proveito, como muitas vezes me disse o

Senhor: que não deixe de comunicar toda a minha alma e as dádivas que o Senhor me faz, ao confessor, e que este seja letrado, e que eu o obedeça. E isso muitas vezes.

Eu tinha um confessor[1] que me mortificava muito e às vezes me afligia e me dava grande trabalho, porque me inquietava muito, e foi ele quem mais me trouxe proveito, pelo que me parece. E ainda que eu tivesse muito amor por ele, tinha algumas tentações de deixá-lo, e me parecia que me impediam aquelas tristezas que me dava pela oração. Toda vez que estava decidida a isso, ouvia logo que não o fizesse, e ouvia uma repreensão que me aniquilava mais do que tudo o que o confessor fazia. Algumas vezes eu desanimava: questão de um lado e repreensão de outro, e de tudo eu tinha necessidade, por ter pouco subjugada a minha vontade. Disse-me uma vez que não era obediência se não estivesse disposta a sofrer. Que pusesse logo os olhos no que Ele tinha padecido e tudo se tornaria fácil para mim.

4. Aconselhou-me uma vez um confessor que tinha ouvido minhas confissões no começo, que, já que estava provado ser bom espírito, que me calasse e já não prestasse contas a ninguém, porque o melhor era calar essas coisas. A mim não pareceu mau, porque me incomodava tanto cada vez que as contava ao confessor, e era tanta a minha vergonha, que, muito mais do que confessar pecados graves, me incomodava, às vezes. Especialmente se fossem as dádivas grandes, parecia-me que não acreditariam e que zombavam de mim. Incomodava-me tanto isso, pois me parecia ser desrespeito com as maravilhas de Deus. E por isso queria calar. Entendi então que tinha sido muito mal aconselhada por aquele confessor, pois de nenhuma maneira devia calar alguma coisa a quem me confessava, porque nisso havia grande segurança, e fazendo o contrário poderia acontecer de me enganar alguma vez.

5. Sempre que o Senhor me ordenava uma coisa na oração, se o confessor me dizia outra, tornava o próprio

Senhor a dizer que o obedecesse. Depois, Sua Majestade o virava para que tornasse a mandar o mesmo que Ele.

6. Quando tiraram muitos livros em espanhol para que eu não os lesse, eu senti muito, porque ler alguns me distraía, e não poderia mais, porque só deixaram em latim. Disse-me o Senhor: "Não fiques triste que eu te darei um livro vivo". Eu não conseguia entender por que me tinha dito isso, porque ainda não tinha visões. Depois, bem poucos dias depois, entendi muito bem, porque tive tanto em que pensar e recolher-me no que via presente e teve tanto amor o Senhor comigo para me ensinar de muitas maneiras, que muito pouca ou quase nenhuma necessidade tive de livros. Sua Majestade foi o livro verdadeiro onde vi as verdades. Bendito seja tal livro, que deixa impresso o que se há de ler e fazer de um modo que não se pode esquecer! Quem vê o Senhor coberto de chagas e aflito com perseguições que não as abrace e as ame e as deseje? Quem vê algo da glória que dá aos que o servem que não saiba que é tudo ninharia o quanto se possa fazer e sofrer, já que um tal prêmio esperamos? Quem vê os tormentos que passam os condenados que não se tornem deleites os tormentos daqui, em comparação, e saibam o muito que devem ao Senhor por tê-los livrado tantas vezes daquele lugar?

7. Pelo fato de que, com o favor de Deus, se dirá mais sobre algumas coisas, quero ir em frente no desenrolar da minha vida. Queira o Senhor que eu tenha sabido explicar-me nisso que disse. Creio que, quem tiver experiência, entenderá e verá que atinei em dizer algo. Quem não, não me espantarei se lhe parecer tudo um desatino. Basta dizê-lo eu para ficar desculpado, e eu não culparei a quem o disser. O Senhor me deixe atinar em cumprir sua vontade. Amém.

CAPÍTULO 27

EM QUE TRATA DE OUTRO MODO PELO QUAL ENSINA O SENHOR À ALMA E SEM FALAR COM ELA DÁ A ENTENDER SUA VONTADE DE UMA MANEIRA ADMIRÁVEL. TRATA TAMBÉM DE EXPLICAR UMA VISÃO E GRANDE DÁDIVA NÃO IMAGINÁRIA QUE O SENHOR FEZ A ELA. É MUITO NOTÁVEL ESTE CAPÍTULO

1. Então, voltando ao relato da minha vida, com essa aflição de penas e com grandes orações, como disse que se faziam para que o Senhor me levasse por outro caminho que fosse mais seguro, já que esse me diziam que era tão suspeito.[1] É verdade que, ainda que eu pedisse a Deus, por mais que eu quisesse desejar outro caminho, como eu via tão melhorada a minha alma, a não ser em algumas vezes em que estava muito desanimada pelas coisas que me diziam e medos que me punham, não estava em meu poder desejar isso, ainda que sempre pedisse. Eu me via outra em relação a tudo. Não conseguia, mas punha-me nas mãos de Deus. Ele sabia o que me convinha, que cumprisse em mim o que era a sua vontade em tudo. Via que esse caminho levava ao céu, e que antes ia para o inferno. Não conseguia me forçar a desejar isso, ou acreditar que era o demônio. Eu fazia o quanto podia para crer e desejar, mas não estava em meu poder. Oferecia o que fazia, se fosse alguma boa obra, para isso.

Recorria a santos de que era devota para que me livrassem do demônio. Andava em novenas, encomendava-me a santo Hilarião, a são Miguel Arcanjo, por quem, por isso, adquiri novamente devoção, e muitos outros santos eu importunava para que me mostrasse o Senhor a verdade, digo, para que conseguissem isso de Sua Majestade.

2. Ao cabo de dois anos que andava com toda essa minha oração e outras pessoas com a intenção dita, ou que o Senhor me levasse por outro caminho, ou mostrasse a verdade, porque eram muito frequentes as falas que eu disse que me fazia o Senhor, aconteceu isto: estando em um dia do glorioso são Pedro em oração, vi junto a mim, ou senti, melhor dizendo, pois com os olhos do corpo nem com os da alma eu não vi nada, mas pareceu-me que estava junto a mim Cristo e via ser Ele quem falava comigo, me parecia. Eu, como andava ignorantíssima de que podia haver semelhante visão, deu-me grande medo, no começo, e não fazia nada além de chorar, ainda que, dizendo-me uma só palavra para assegurar-me, ficava como costumava, calma e com alegria e sem nenhum temor. Parecia-me que andava sempre a meu lado Jesus Cristo e, como não era visão com imagens, não via de que forma. Mas parecia estar sempre do meu lado direito, sentia muito claramente, e que era testemunha de tudo o que eu fazia e que em nenhuma vez que eu me recolhia um pouco, ou não estivesse muito distraída, podia ignorar que estava junto de mim.[2]

3. Logo fui a meu confessor, muito desanimada, contar-lhe. Perguntou-me de que forma eu o via. Eu disse que não via. Perguntou-me como eu sabia que era Cristo. Eu lhe disse que não sabia como, mas não podia deixar de saber que estava junto de mim e via claramente e sentia e que o recolhimento da alma era muito maior do que em oração de quietude e muito contínuo e que os efeitos eram muito diferentes do que costumava ter e que era uma coisa muito clara. Não fazia nada além de compa-

rações para me fazer entender. E, com certeza, para esse modo de visão, na minha opinião, não há nada que se encaixe muito. Como é das mais elevadas, conforme depois me disse um santo homem de grande espírito chamado frei Pedro de Alcântara,[3] de quem depois farei mais menções, e me disseram outros grandes letrados, e que é, de todas, aquela onde menos o demônio pode se intrometer, não há termos para falar dela aqui no mundo nós, as que pouco sabemos, pois os letrados a explicarão melhor. Porque se digo que nem com os olhos do corpo nem com os da alma o vejo, porque não é uma visão por imagens, como sei e afirmo que está junto de mim com mais clareza do que se o visse? Porque dizer que parece uma pessoa que está no escuro, que não vê a outra que está junto a ela, ou se for cega, não vai bem. Alguma semelhança tem, mas não muita, porque nesse caso sente-se com os sentidos, ou a ouve falar ou se mexer, ou a toca. Aqui não há nada disso, nem se vê escuridão, mas se apresenta para a alma por uma noção mais clara do que o sol. Não digo que se veja sol, nem claridade, mas sim uma luz que, sem ver luz, ilumina a inteligência para que a alma goze de tão grande bem. Traz consigo grandes bens.

4. Não é como uma presença de Deus que se sente muitas vezes — especialmente quem tem oração de união e quietude —, pois parece, começando a ter oração, que achamos com quem falar, e parece que sabemos que nos ouve pelos efeitos e sentimentos espirituais que sentimos, de grande amor e fé e outras determinações com ternura.

Essa grande dádiva é de Deus, e tenha-a em alta conta todo aquele a quem Ele a tiver dado, porque é oração muito elevada. Mas não é visão, porque sabe-se que Deus está ali pelos efeitos que — como disse — causa na alma, pois daquele modo quer Sua Majestade dar-se a sentir. Neste outro caso vê-se claramente que está aqui Jesus Cristo, filho da Virgem. Nesta outra oração apresentam-se certas influências da Divindade. Aqui, junto com essas, vê-se que nos acompanha e quer fazer dádivas também a Humanidade sacratíssima.

5. Então perguntou-me o confessor: quem disse que era Jesus Cristo? Ele me disse muitas vezes, respondi, mas antes que me dissesse, gravou-se no meu entendimento que era ele, e antes disso me dizia e não o via. Se uma pessoa que eu nunca tivesse visto, mas apenas tivesse ouvido notícias dela, viesse falar comigo estando eu cega ou numa grande escuridão e me dissesse quem era, eu acreditaria. Mas não poderia afirmar tão decididamente que era aquela pessoa como se a tivesse visto. Aqui sim, pois, sem ver, grava-se com uma noção tão clara que não parece que se possa duvidar. Pois o Senhor quer que esteja tão esculpido na inteligência, que não se pode duvidar. Menos até do que daquilo que se vê. Porque nisso às vezes fica uma suspeita de que estamos vendo coisas. Lá, ainda que de imediato dê essa suspeita, fica, por outro lado, grande certeza, e não tem força a dúvida.

6. Também é assim nessa outra maneira pela qual Deus ensina a alma e fala com ela sem falar, da maneira como ficou dito. É uma linguagem tão do céu que aqui mal se pode explicar, por mais que queiramos contar, se o Senhor não ensinar por experiência. Põe o Senhor o que quer que a alma entenda na parte muito interior da alma, e ali o apresenta sem imagem nem forma de palavras, mas ao modo dessa visão que foi dita. E repare-se muito nessa maneira de Deus fazer que uma alma entenda o que Ele quer, e grandes verdades e mistérios. Porque muitas vezes é assim que entendo quando o Senhor me explica alguma visão que quer Sua Majestade me apresentar. E parece-me, por essas razões, que é onde menos pode o demônio se intrometer. Se elas não são boas, devo estar enganada.

7. É uma coisa tão do espírito essa maneira de visão e de linguagem, que não há nenhuma agitação nas potên-

cias nem nos sentidos, ao que me parece, por onde o demônio possa tirar vantagem. Isso é assim algumas vezes e com brevidade, pois em outras parece-me que não estão suspensas as potências nem tirados os sentidos, mas muito em si, pois não é sempre em contemplação, mas muito poucas vezes. Mas nessas em que é, como ia dizendo, nós não agimos nada nem fazemos nada: tudo parece obra do Senhor. É como quando já está posto o alimento no estômago sem comê-lo, nem sabemos nós como se pôs ali, mas sabe-se bem que está. Ainda que nesse caso não se saiba que alimento é nem quem o pôs. Aqui sim, sabe-se quem pôs, mas como se pôs não sei, pois nem se vê nem se ouve nem jamais me tinha movido a desejá-lo nem tinha vindo a mim notícia de que isso podia acontecer.

8. Na fala que dissemos antes, Deus faz o entendimento prestar atenção, ainda que não queira, para entender o que se diz, pois lá parece que a alma tem ouvidos com que ouve e que a fazem escutar, e faz com que não se distraia. Como alguém que ouvisse bem e a quem não se consentisse tapar os ouvidos e lhe falassem de perto em voz alta. Ainda que não quisesse, ouviria. E, afinal, faz alguma coisa, já que está atento, ouvindo o que lhe falam. Aqui, nenhuma coisa, pois mesmo esse pouco que é só escutar, que fazia no passado, lhe é tirado. Encontra tudo cozinhado e comido. Não tem nada mais a fazer do que aproveitar. Como alguém que, sem se empenhar nem ter trabalhado nada para saber ler, e tampouco tivesse estudado nada, achasse toda a ciência sabida já em si, sem saber como nem por onde, já que nunca tinha trabalhado nem mesmo para aprender o abecê.

9. Essa última comparação me parece que explica algo desse dom celestial. Porque a alma se vê, em um instante, sábia. E tão explicado o mistério da Santíssima Trindade e de outras coisas muito elevadas, que não há teólogo com quem não se atrevesse a discutir a verdade dessas grandezas. Fica tão espantada de que baste uma

dádiva dessas para mudar uma alma inteira e fazê-la não amar outra coisa senão aquele que ela vê que, sem trabalho algum seu, a faz capaz de tão grandes bens e comunica-lhe segredos e conversa com ela com uma amizade e um amor que não se consegue descrever. Porque faz algumas dádivas que consigo trazem suspeita, por ser tão admiráveis e feitas a quem tão pouco as mereceu, e, se não tiver fé muito viva, não poderá acreditar. E assim eu penso em falar de poucas das que o Senhor me fez — se não me mandarem fazer outra coisa —, a não ser algumas visões que podem ser aproveitadas para alguma coisa, ou para que, aquele a quem o Senhor as der, não se assuste por lhe parecer que é impossível, como eu fazia, ou para explicar-lhe o modo e o caminho por onde o Senhor me levou, que é o que me mandam escrever.

10. Voltando então a essa maneira de entender, o que me parece é que quer o Senhor, de todas as maneiras, que essa alma tenha alguma notícia do que se passa no céu. E parece-me que, assim como lá se entende sem falar (o que eu nunca soube com certeza até que o Senhor por sua bondade quis que eu visse e me mostrou em um arrebatamento), assim também aqui, pois se entendem Deus e a alma apenas com querer Sua Majestade que se entendam, sem outro artifício. Para fazer entender o amor que têm esses dois amigos. É como aqui: se duas pessoas se amam muito e têm bom entendimento, mesmo sem sinais, parece que se entendem apenas com o olhar. Isso deve se passar neste caso, pois sem vermos, olham-se fixamente esses dois amantes, como diz o Esposo à Esposa nos Cantares,[4] pelo que creio. Ouvi dizer que é assim.

11. Oh, benignidade admirável de Deus, que assim vos deixais olhar por uns olhos que tão mal olharam como os da minha alma! Fiquem já, Senhor, desde esta vida, acostumados a não olhar coisas baixas e que não lhes contente coisa alguma fora de Vós. Oh, ingratidão dos mortais, até quando há de durar? Pois eu sei por experiência que

é verdade isso que digo, e que é a menor parte do que podeis fazer a uma alma que trazeis a esse ponto o que se pode dizer. Oh, almas que começaram a ter oração e as que têm verdadeira fé, que bens podem buscar ainda nesta vida — deixemos de lado o que se ganha para a vida sem fim — que seja como o menor destes?

12. Vejam que é seguro, assim que se dá Deus aos que deixam tudo por ele. Não faz acepção de pessoas. A todos ama. Ninguém tem desculpa, por pior que seja, já que faz assim comigo trazendo-me a um tal estado. Vejam que o que digo não é nem uma amostra do que se pode dizer. Só vai dito aqui o que é necessário para se fazer entender esse modo de visão e dádiva que faz Deus à alma. Mas não posso dizer o que se sente quando o Senhor dá a ela entender segredos e grandezas suas, o deleite tão acima dos que aqui se podem entender, que, com muita razão, faz repugnar os prazeres da vida que são lixo todos eles juntos. É um nojo trazê-los aqui a alguma comparação, ainda que fosse para gozar deles sem fim, e desses que dá o Senhor só uma gota de água do grande rio caudaloso que está preparado para nós.

13. É uma vergonha, e eu com certeza a tenho por mim e, se pudesse haver desonra no céu, eu estaria ali mais desonrada do que ninguém. Por que havemos de querer tantos bens e prazeres e glórias sem fim tudo à custa do bom Jesus? Nem sequer choraremos com as filhas de Jerusalém, já que não o ajudamos a levar a cruz como o Cireneu?[5] Com prazeres e passatempos é que iremos gozar do que Ele ganhou para nós à custa de tanto sangue? É impossível. E com grandes honras pensamos remediar um desprezo como o que ele sofreu para que nós reinemos para sempre? Não leva a lugar nenhum. Errado, errado é esse caminho, nunca chegaremos lá.

Brade o senhor[6] essas verdades, já que Deus tirou de mim essa liberdade. Por mim, quereria bradá-las sempre. Mas ouviu-me e tão tarde entendi a Deus — como se verá pelo escrito — que é para mim um grande embaraço falar disso, e, assim, quero calar-me. Só direi o que algumas vezes penso. Queira o Senhor me trazer ao ponto em que eu possa gozar desse bem.

14. Que glória adicional será e que alegria para os bem-aventurados que já gozam disso, quando virem que, ainda que tarde, não lhes ficou nada por fazer por Deus do que era possível, nem deixaram de dar nada a Ele de todas as maneiras que puderam, conforme suas forças e estado, e quem podia mais deu mais! Que rico se encontrará aquele que deixou todas as riquezas por Cristo! Que honrado o que não quis honra por causa d'Ele, mas sim gostava de se ver muito diminuído! Que sábio o que se alegrou de que o considerassem louco, pois chamaram assim a própria Sabedoria! Como há poucos agora, por causa de nossos pecados! Parece que já acabaram os que as pessoas consideravam loucos por vê-los fazer obras heroicas de verdadeiros amadores de Cristo. Oh, mundo, mundo, como vais ganhando honra por haver poucos que te conheçam!

15. Mas pensamos que se serve mais a Deus sermos tidos por sábios e discretos! Assim, assim deve ser, conforme se entenda a discrição. Logo nos parece ser pouco edificante não andar com muita compostura e autoridade, cada um no seu estado. Até frade, clérigo e monja vestir coisa velha e remendada nos parece ser uma novidade e causar escândalo aos fracos. E mesmo ficar muito recolhidos e ter oração, do jeito que está o mundo e tão esquecidas as coisas de perfeição de grandes ímpetos que os santos tinham. Penso que soma mais dano às desventuras que ocorrem nestes tempos. Pois não causaria escândalo a ninguém os religiosos se fazerem entender por obras, do mesmo modo que dizem com palavras, a pouca conta em que se há de ter o mundo. Pois desses escândalos o Senhor tira grandes proveitos e, se uns se escandalizam, outros se remordem. Se ao menos houvesse

um esboço do que se passou com Cristo e os apóstolos, já que agora, mais do que nunca, é necessário!

16. E que bem nos levou agora Deus no bendito frei Pedro de Alcântara! O mundo já não suporta tanta perfeição. Dizem que a saúde das pessoas é mais fraca e já não vivemos nos tempos passados. Esse santo homem era desse tempo. Estava saudável no espírito como em outros tempos e, assim, tinha o mundo debaixo de seus pés. Pois, ainda que não se ande descalço nem se faça penitência tão dura como ele, há muitas coisas — como já disse outras vezes — para pisar o mundo. E o Senhor mostra-as quando vê coragem. E que grande coragem deu Sua Majestade a esse santo de que falo, para fazer durante 47 anos penitência tão dura, como todos sabem.

17. Quero falar algo sobre ela que sei que é totalmente verdade. Disse-me a mim e a outra pessoa[7] com quem era pouco reservado (e a mim o amor que me tinha era a causa, porque quis o Senhor que ele o tivesse para me defender e me encorajar num tempo de muita necessidade, como já disse e direi), parece-me que foram quarenta anos que me disse em que dormiu só uma hora e meia entre a noite e o dia, e que esse era o maior trabalho de penitência que tinha tido no começo: o de vencer o sono, e para isso estava sempre ou de joelhos ou em pé. O tempo que dormia, era sentado, e a cabeça apoiada numa madeirinha que tinha fincado na parede. Deitado, ainda que quisesse, não conseguia, porque sua cela — como se sabe — não era maior do que quatro pés e meio. Em todos esses anos, jamais pôs o capuz, por mais que fizesse sol ou chovesse, nem nada nos pés, nem roupa, a não ser um hábito de tecido rústico, sem mais nada sobre as carnes, e esse era tão justo quanto podia aguentar, e uma capa do mesmo tecido por cima. Dizia-me que, nos dias de grande frio, tirava-o e deixava a porta e a janela da cela abertas para, pondo depois a capa e fechando a janela, contentar o corpo para que, com mais abrigo,

sossegasse. Comer dia sim dia não era muito comum. E perguntou-me com que eu me espantava, pois era muito possível para quem estivesse acostumado a isso. Um companheiro seu me disse que acontecia de ele ficar oito dias sem comer. Devia ser estando em oração, porque tinha grandes arrebatamentos e ímpetos de amor de Deus, do que uma vez fui testemunha.

18. Sua pobreza e mortificação eram extremas na mocidade, pois me disse que havia acontecido ficar três anos numa casa de sua ordem e não conhecer nenhum frade, a não ser pela voz, porque nunca erguia os olhos e, assim, não sabia ir aos lugares a que tinha que ir, mas ia atrás dos frades. Isso lhe acontecia nos caminhos. Nunca olhava para mulheres, isso por muitos anos. Dizia-me que já não lhe importava mais ver do que não ver. Mas era muito velho quando vim a conhecê-lo e tão grande sua fraqueza que não parecia feito de outra coisa senão raízes de árvores.

Com toda essa santidade era muito afável, ainda que de poucas palavras, se não lhe perguntassem nada. Nessas ocasiões era muito agradável, porque tinha um entendimento lindo. Outras coisas muitas queria dizer, mas tenho medo de que o senhor me pergunte para que me meto nisso e, por isso, não escrevi. E assim deixo-o com dizer que seu fim foi como sua vida, pregando e admoestando seus frades. Quando viu que já se acabava, disse o salmo de "Letatun sun yn is que dita sun miqui",[8] e, ficando de joelhos, morreu.

19. Depois quis o Senhor que eu o veja mais do que em vida, aconselhando-me em muitas coisas. Eu o vi muitas vezes com enorme glória. Disse-me na primeira vez que apareceu para mim, como era bem-aventurada a penitência que tão grande prêmio tinha merecido e muitas outras coisas. Um ano antes de morrer, apareceu-me estando ausente e soube que ia morrer e eu o avisei, estando a algumas léguas daqui. Quando espirou, apare-

ceu para mim e disse que ia descansar. Eu não acreditei e contei a algumas pessoas e dali a oito dias veio a notícia de que estava morto, ou tinha começado a viver para sempre, melhor dizendo.

20. Eis aqui acabada essa aspereza de vida com tão grande glória. Disse-me uma vez o Senhor que não lhe pediriam alguma coisa em seu nome que não ouvisse. Muitas que eu lhe encomendei que pedisse ao Senhor vi cumpridas. Seja bendito para sempre, amém.

21. Mas o que estou falando para despertar no senhor o não dar valor nenhum a coisas desta vida? Como se o senhor não soubesse ou não estivesse já decidido a deixar tudo e pôr mãos à obra! Vejo tanta perdição no mundo que, ainda que não adiante mais dizer, cansar de escrever é para mim um descanso, pois tudo o que digo é contra mim. O Senhor me perdoe o que, neste caso, eu o ofendi, e o senhor, padre, me perdoe, pois canso-o sem propósito. Parece que quero que faça penitência pelo que nisso eu pequei.

CAPÍTULO 28

EM QUE TRATA DAS GRANDES DÁDIVAS QUE LHE FEZ O SENHOR E COMO APARECEU A ELA PELA PRIMEIRA VEZ. EXPLICA O QUE É VISÃO IMAGINÁRIA. FALA DOS GRANDES EFEITOS E SINAIS QUE DEIXA, QUANDO É DE DEUS. É MUITO PROVEITOSO CAPÍTULO E MUITO NOTÁVEL

1. Voltando ao nosso assunto, passei alguns dias, poucos, com essa visão muito contínua e causava-me tanto proveito que não saía da oração. E mesmo quando o fazia, procurava que fosse de modo que não desagradasse ao que claramente via que estava como testemunha. E ainda que às vezes tivesse medo, pelo muito que me diziam, durava pouco o temor, porque o Senhor me dava segurança.

Estando um dia em oração, quis o Senhor mostrar-me só as mãos, com tão enorme formosura que eu não a conseguiria enaltecer. Deu-me muito medo porque qualquer novidade me dá muito, no começo de qualquer dádiva sobrenatural que o Senhor me faça. Depois de poucos dias vi também aquele divino rosto, que me deixou totalmente absorta, parece-me. Eu não conseguia entender por que o Senhor se mostrava assim, pouco a pouco — já que depois me faria a dádiva de que eu o visse inteiro —, até, depois, entender que ia Sua Majestade me levando conforme minha fraqueza natural. Seja bendito para sempre! Porque tanta glória junta, uma pessoa tão baixa e ruim não poderia aguentar, e, como quem sabia disso, ia o piedoso Senhor dispondo.

2. Parecerá ao senhor que não seria necessário muito esforço para ver mãos e rosto tão belos. São tão belos os corpos glorificados que a glória que trazem consigo, ver coisa tão sobrenatural, tão bela, desatina. E, assim, me dava tanto medo que me confundia toda e alvoroçava, ainda que depois ficasse com certeza e segurança e com tais efeitos que logo perdia o medo.

3. Em um dia de São Paulo, estando na missa, apresentou-se a mim toda esta Humanidade sacratíssima do modo como se costuma pintar ressuscitado, com tanta formosura e majestade como escrevi particularmente ao senhor quando me mandou. E me senti muito mal, porque não se pode dizer nada que não seja desfazer a imagem. Mas já o disse o melhor que pude e, assim, não há por que voltar a dizê-lo aqui. Só digo que, se não houvesse outra coisa para deleitar a vista no céu a não ser a grande formosura dos corpos glorificados, seria enorme glória. Especialmente ver a Humanidade de Jesus Cristo, nosso Senhor, mesmo aqui onde Sua Majestade se mostra de acordo com o que pode aguentar nossa miséria. Como será lá, onde se goza totalmente de tal bem?

4. Essa visão, ainda que seja imaginária,[1] eu nunca vi com os olhos corporais, nem nenhuma outra, mas sim com os olhos da alma. Dizem os que sabem mais do que eu, que é mais perfeita a passada do que esta, e esta muito mais do que as que se veem com os olhos corporais. Esta última dizem que é a mais baixa e onde mais ilusões pode causar o demônio, ainda que então eu não conseguisse entender isso. Mas desejava, já que se me fazia essa dádiva, que a visse com os olhos corporais, para que não me dissesse o confessor que eu fantasiava. E também depois que passava acontecia-me — e isso era logo, logo — pensar eu também isto: que eu tinha fantasiado, e desanimava por ter falado

ao confessor, pensando se não o teria enganado. Isso era outro pranto e ia a ele e contava-lhe. Perguntava-me se me parecia assim, ou se tinha querido enganar. Eu lhe dizia a verdade, porque, no meu entender, eu não mentia, nem tinha pretendido tal coisa e nem, por nada nesse mundo, teria dito uma coisa no lugar de outra. Isso ele sabia bem e, assim, procurava tranquilizar-me, e eu me incomodava tanto de ir até ele com essas coisas que não sei como o demônio me punha na cabeça que eu fingia para atormentar a mim mesma. Mas o Senhor se apressou tanto em me fazer essa dádiva e explicar essa verdade, que bem depressa a dúvida de que seria fantasia me deixou. Depois disso vejo muito claramente minha bobeira. Porque se passasse muitos anos imaginando como figurar coisa tão bela, não conseguiria nem saberia, porque excede tudo o que se pode imaginar aqui, mesmo só a brancura e o brilho.

5. Não é um brilho que ofusca, mas uma brancura suave e um brilho infuso, que dá enorme prazer à vista e não a cansa, nem a claridade que se vê para ver essa beleza tão divina. É uma luz tão diferente da daqui! Parece uma coisa tão opaca a claridade do sol que vemos, em comparação com aquela claridade e luz que se apresenta para a vista, que não se quereria abrir os olhos depois. É como ver uma água muito clara que corre sobre cristal e reverbera nela o sol comparada a uma muito turva com tempo muito nublado e que corre por cima da terra. Não porque se representa sol, nem a luz é como a do sol. Parece, enfim, luz natural, e esta outra, uma coisa artificial. É luz que não tem noite, mas que, como é sempre luz, nada a turva. Enfim, é de tal modo que, por mais inteligência que uma pessoa tivesse em todos os dias da sua vida, não poderia imaginar como é. E Deus a põe diante tão depressa que nem daria tempo de abrir os olhos, se fosse preciso abri-los. Mas não faz diferença estarem abertos ou fechados quando o Senhor quer, pois, ainda que não queiramos, se vê. Não há distração que baste, nem há

como resistir, nem basta empenho ou esforço para isso. Isso eu experimentei bastante, como contarei.

6. O que eu agora quereria dizer é o modo como o Senhor se mostra por essas visões. Não digo que explicarei de que maneira pode se dar o pôr essa luz tão forte no sentido interior, e, na inteligência, imagem tão clara, que parece que verdadeiramente está ali. Isso é para letrados. Não quis o Senhor fazer-me entender o como. E sou tão ignorante e tão rude de inteligência, que, ainda que muito me tenham querido explicar, ainda não consegui entender o como. E isso é certo, porque, mesmo que ao senhor pareça que eu tenha um entendimento vivo, eu não tenho, porque em muitas coisas experimentei isso. Ela não compreende mais do que o que lhe dão mastigado, como dizem. Algumas vezes espantava-se, quem me confessava, com as minhas ignorâncias. E nunca expliquei, nem mesmo queria, como Deus fez isso ou como pôde acontecer. E nem perguntava, ainda que — como já disse — de muitos anos para cá conversei com bons letrados. Se uma coisa era pecado ou não, isso sim. No resto não era necessário para mim mais do que pensar que Deus fez tudo. E via que não tinha com que me espantar, mas sim motivo para louvar e as coisas difíceis me causam devoção. E quanto mais dificultosas, mais devoção.

7. Direi, então, o que vi por experiência. O como o Senhor faz, dirá melhor o senhor, padre, e explicará tudo o que for obscuro e eu não souber dizer. Em algumas coisas parecia-me bem que era uma imagem o que eu via, mas em muitas outras não, mas sim que era o próprio Cristo, pela claridade com que aprouve a Ele mostrar-se a mim. Algumas vezes tão confuso que me parecia uma imagem. Não como os desenhos daqui, por mais perfeitos que sejam, porque já vi uns muito bons. É um disparate pensar que têm alguma semelhança um com o outro de alguma maneira. Nem mais nem menos do que tem uma pessoa viva com seu retrato, que, por

melhor que tenha sido feito, não pode ser tão natural, pois — afinal — vê-se que é uma coisa morta.

8. Mas deixemos o que aqui vai bem e muito ao pé da letra. Não digo que seja uma comparação, pois nunca são tão cabais, mas verdade, pois há diferença entre o vivo e o pintado, nem mais nem menos. Porque, se for imagem, nessa visão, é imagem viva. Não homem morto, mas sim Cristo vivo. E faz entender que é homem e Deus, não como estava no sepulcro, mas como saiu depois de ressuscitado. E vem às vezes com tão grande majestade que não há quem possa duvidar de que é o próprio Senhor. Especialmente tendo acabado de comungar, pois já sabemos que está ali, pois no-lo diz a fé. Apresenta-se tão senhor daquela pousada que parece totalmente aniquilada a alma: vê-se consumir em Cristo.

Oh, Jesus meu, quem poderia explicar a majestade com que vos mostrais! E quão Senhor de todo o mundo e dos céus e de outros mil mundos e de um sem-número de mundos e céus que Vós tivésseis criado, entende a alma, pela majestade com que vos apresentais, porque para Vós não é nada ser Senhor disso.

9. Aí se vê claramente, meu Jesus, o pouco poder de todos os demônios em comparação com o vosso e como quem vos mantiver contente pode pisotear o inferno inteiro. Aí se vê a razão que tiveram os demônios de ter medo quando descestes ao limbo e tiveram que desejar outros mil infernos mais baixos para fugir de tão grande majestade. E vejo que quereis fazer a alma entender quão grande é, e o poder que tem, essa sacratíssima Humanidade junto com a Divindade. Aí se mostra bem o que será no dia do juízo ver essa majestade desse Rei e vê-lo rigoroso com os maus. Aí está a verdadeira humildade que deixa na alma por ver sua miséria, pois não a pode ignorar. Aí a confusão e o verdadeiro arrependimento dos pecados, pois — mesmo vendo que mostra amor — não sabe onde se enfiar e se aniquila inteira.

Digo que tem tão enorme força essa visão, quando o Senhor quer mostrar à alma uma grande parte de sua grandeza e majestade, que considero impossível (se o Senhor não a quisesse ajudar muito sobrenaturalmente com deixá-la em arrebatamento e êxtase, pois ao fruir desses, a capacidade de ver perde a visão daquela divina presença), seria, como ia dizendo, impossível qualquer pessoa aguentar. É verdade que se esquece depois? Tão gravada fica aquela majestade e formosura que não é possível esquecer, senão quando o Senhor quer que uma alma padeça uma secura e solidão grande, como direi adiante, porque então até de Deus parece que se esquece.

Fica a alma transformada em outra. Sempre embevecida. Parece-lhe que começa de novo o amor vivo de Deus em grau muito alto, no meu entender, pois ainda que a visão passada, de que falei, que apresenta Deus sem imagem, seja mais elevada, para perdurar na memória conforme a nossa fraqueza, para manter bem ocupado o pensamento, é uma grande coisa ficar representada e posta na imaginação tão divina presença. E vêm juntas essas duas maneiras de visão quase sempre. E até é assim que ocorrem, porque, com os olhos da alma vê-se a excelência e a formosura e a glória da santíssima Humanidade, e dessa outra maneira que se disse, faz-nos entender como é Deus e poderoso e que tudo pode e manda e tudo governa e tudo preenche o seu amor.

10. É muito, muito para se estimar essa visão, e sem perigo, me parece, porque pelos efeitos se sabe que aqui o demônio não tem força. Parece-me que três ou quatro vezes ele quis me apresentar dessa maneira o próprio Senhor por representação falsa: toma a forma da carne, mas não pode falsificá-la com a glória de quando é de Deus. Faz figuras para desfazer a visão verdadeira que a alma viu, mas dessa forma ela resiste por si mesma e se alvoroça e se desgosta e se inquieta, pois perde a devoção e o prazer que antes tinha e fica sem nenhu-

ma oração. No começo isso — como disse — aconteceu três ou quatro vezes. É uma coisa tão diferentíssima que, mesmo quem tiver tido apenas oração de quietude creio que perceberá pelos efeitos que foram ditos nas falas. É uma coisa muito sabida e, se uma alma não quiser deixar-se enganar, não me parece que a enganará, se andar com humildade e simplicidade. Para quem tiver tido verdadeira visão de Deus, quase imediatamente se percebe, porque, ainda que comece com prazer e gosto, a alma os lança de si. E até, no meu entender, deve ser diferente o prazer e não mostra a aparência de amor puro e casto. Muito depressa dá a perceber quem é. Assim é que, onde houver experiência, o demônio não pode causar dano.

11. Então, ser isso imaginação é impossível. Com toda a impossibilidade, não há nenhum meio. Porque só a formosura e a brancura de uma mão estão acima de toda a nossa imaginação. Então, sem nos lembrar disso nem ter jamais pensado, ver em um instante coisas que não se poderiam compor em muito tempo com a imaginação, porque vai muito mais alto — como já disse — do que aqui podemos compreender, isso é impossível.

E se pudéssemos alguma coisa em relação a isso, mesmo assim se vê claramente por esta outra coisa que direi agora. Porque se fosse representado pela inteligência, deixando de lado que não faria as grandes operações que isso faz, não faria nenhuma outra. Porque seria como alguém que quisesse fingir que dormia e que estivesse acordado, porque ainda não veio o sono. Ele, por ter necessidade ou fraqueza na cabeça, deseja adormecer por si e faz seus esforços. E, às vezes, parece que consegue algo. Mas, se não for sono de verdade, não o revigorará nem dará forças à cabeça; antes, às vezes, ela fica mais desvanecida. Assim seria, em parte, neste caso: fica a alma desvanecida, mas não sustentada e forte, antes cansada e desgostosa. Aí não se pode elogiar o bastante a riqueza que fica, até para a saúde do corpo, e fica confortado.

12. Esse argumento, e outros, eu dava quando me diziam que era demônio e que eu estava fantasiando — o que aconteceu muitas vezes — e fazia comparações como podia e como o Senhor me fazia entender. Mas tudo adiantava pouco, porque como havia pessoas muito santas nesse lugar, e eu, em comparação com elas, era uma perdição, e não as levava Deus por esse caminho, logo havia o medo nelas de que meus pecados é que causavam as visões. Circulava de um para outro a notícia, pois vinham a saber sem que eu o dissesse a não ser a meu confessor e a quem ele me mandasse.

13. Eu disse a eles uma vez: se os que me diziam isso tivessem me dito que uma pessoa com quem eu tivesse acabado de falar e conhecesse muito não era ela, mas que eu me enganava, que eles sabiam, sem dúvida eu acreditaria mais neles do que naquilo que eu havia visto. Mas se essa pessoa me tivesse deixado algumas joias e tivessem ficado em minhas mãos como prendas de grande amor e que antes eu não tinha nenhuma e agora me via rica sendo pobre, eu não poderia acreditar, ainda que quisesse. E essas joias se poderiam mostrar, porque todos os que me conheciam viam claramente estar mudada em outra a minha alma. E assim dizia meu confessor, porque era muito grande a diferença em todas as coisas. E não era encoberta, mas, muito claramente, todos podiam ver. Porque, como antes eu era muito ruim, dizia que não conseguia acreditar que, se o demônio fazia isso para me enganar e me levar para o inferno, usasse um meio tão contrário como tirar-me os vícios e pôr virtudes e fortaleza, pois via claramente me tornar outra de uma vez com essas coisas.

14. Meu confessor,[2] como disse — que era um padre bem santo da Companhia de Jesus —, respondia isso mesmo, segundo soube. Era muito discreto e de grande humildade. E essa humildade acarretou para mim grandes tormentos. Porque, sendo de muita oração e muito

letrado, não confiava em si, já que o Senhor não o levava por esse caminho. Passou muitos e grandes tormentos comigo, de muitas maneiras. Soube que diziam a ele que me evitasse para que o demônio não o enganasse para acreditar em alguma coisa do que eu dizia. Levavam-lhe exemplos de outras pessoas. Tudo isso me desanimava. Tinha medo de que não teria com quem me confessar, mas que todos fugiriam de mim. Não fazia outra coisa senão chorar.

15. Foi providência de Deus ele perseverar em me ouvir, mas era tão grande servo de Deus que a tudo se disporia por Ele. E, assim, me dizia que não ofendesse a Deus, nem me afastasse do que ele me dizia, que não tivesse medo de que ele me faltasse. Sempre me animava e tranquilizava. Mandava sempre que eu não calasse coisa nenhuma e eu assim fazia. Ele me dizia que, fazendo eu isso, ainda que fosse o demônio, não me causaria dano, antes o Senhor tiraria o bem do mal que ele queria fazer à minha alma. Ele procurava aperfeiçoá-la em tudo que podia. Eu, como tinha tanto medo, obedecia-lhe em tudo, ainda que imperfeitamente, pois passou comigo mais de três anos em que me confessou com esses tormentos. Porque em grandes perseguições que tive e muitas coisas que permitia o Senhor que me julgassem mal, e em muitas estando eu sem culpa, com tudo isso vinham a ele e diziam que era culpado por mim, estando ele sem nenhuma culpa.

16. Teria sido impossível, se não tivesse tanta santidade — e o Senhor que o animava —, conseguir aguentar tanto. Porque tinha que responder àqueles a quem parecia que eu andava perdida e não acreditavam nele. E, por outro lado, tinha que me tranquilizar e me curar do medo que eu tinha. E o tornava maior. Tinha que me assegurar, por outro lado, por que a cada visão, sendo coisa nova, permitia Deus que ficassem em mim, depois, grandes medos. Tudo em mim procedia de eu

ser tão pecadora, e tê-lo sido. Ele me consolava com muita piedade e, se ele acreditasse em si mesmo, eu não teria sofrido tanto. Pois Deus fazia-o entender a verdade em tudo, porque o próprio Sacramento dava-lhe luz, eu acredito.

17. Os servos de Deus, que não tinham segurança, conversavam muito comigo. Eu, como falava descuidadamente, algumas das coisas eles tomavam por intenção diferente. Eu gostava muito de um deles, porque minha alma devia infinitamente a ele e era muito santo. Dava-me grande pesar ver que ele não me entendia e ele desejava muito o meu progresso e que o Senhor me desse luz. E, assim, o que eu dizia, como ia dizendo, sem ter essa intenção, parecia a eles pouca humildade. Vendo alguma falta em mim, e viam muitas, logo tudo era condenado. Perguntavam-me algumas coisas, eu respondia com sinceridade e despreocupadamente. Logo parecia-lhes que eu queria ensiná-los e que me considerava sábia. Tudo chegava a meu confessor, porque, com certeza, eles desejavam meu proveito. E ele a me repreender. Isso durou muito tempo, afligida por todos os lados, mas, com as dádivas que me fazia o Senhor, por tudo eu passava.

18. Digo isso para que se saiba o grande tormento que é não haver quem tenha experiência nesse caminho espiritual, pois, se não me favorecesse tanto o Senhor, não sei o que teria sido de mim. Bastante coisa eu tinha para me tirar o juízo, e algumas vezes me via em condições em que não sabia o que fazer a não ser erguer os olhos para o Senhor. Porque contradição de muitos a uma mulherzinha ruim e fraca como eu, e medrosa, não parece nada, dito assim. Mas, tendo eu passado na vida enormes trabalhos, foi esse um dos maiores. Queira o Senhor que eu tenha servido a Sua Majestade alguma coisa com isso, pois de que o serviam aqueles que me condenavam e arguíam estou bem certa, e que era tudo para grande bem meu.

CAPÍTULO 29

PROSSEGUE NO QUE COMEÇOU E DIZ ALGUMAS GRANDES DÁDIVAS QUE LHE FEZ O SENHOR E AS COISAS QUE SUA MAJESTADE DIZIA PARA DAR SEGURANÇA A ELA E PARA QUE RESPONDESSE AOS QUE A CONTRADIZIAM

1. Saí muito do assunto, porque tratava de dizer as causas que há para ver que não é imaginação. Pois como poderíamos representar graças a esforço a Humanidade de Cristo e, ordenando com a imaginação, sua grande beleza? Não seria necessário pouco tempo, se tivesse que se parecer com ela em alguma coisa. Pode-se bem representá-la em imaginação e ficar olhando para ela um pouco de tempo, e os traços que tem e a brancura. E pouco a pouco ir aperfeiçoando-a e pedindo à memória aquela imagem. Isso, quem pode tirar dela, já que com o entendimento pode fabricá-la?

Naquilo de que falamos, não há nenhum desses meios, mas temos que olhá-la quando o Senhor a quer apresentar e como quer e o que quer. E não há tirar nem pôr, nem jeito para isso, por mais que façamos. Nem para ver quando queremos, nem para deixar de ver. Ao querer olhar alguma coisa particular, logo se perde Cristo.

2. Dois anos e meio durou o fato de ser muito comum que Deus me fizesse essa dádiva. Serão já mais de três que a tirou de mim, desse modo tão contínuo, com outra

coisa mais elevada — como talvez eu diga depois. E com a visão d'Ele falando comigo e eu olhando aquela grande formosura e a suavidade com que fala aquelas palavras por aquela formosíssima e diviníssima boca. E outras vezes com severidade. E eu a desejar extremamente perceber a cor de seus olhos e de que tamanho eram, para que soubesse contar. Jamais mereci ver. Nem adianta tentar, antes perde-se a visão totalmente. Algumas vezes bem que me vejo olhar com piedade. Mas tem tanta força essa vista que a alma não consegue aguentá-la e fica em tão elevado arrebatamento que, para mais desfrutar de tudo, perde essa formosa visão.

3. Assim, não há o que querer e não querer. Claramente se vê que quer o Senhor que não haja senão humildade e confusão. É tomar o que nos der e louvar a quem dá.

Isso é assim em todas as visões, sem falhar nenhuma, pois nada se consegue, nem para ver menos nem mais, e nem faz nem desfaz nada o nosso empenho. Quer o Senhor que vejamos muito claramente que não é obra nossa, mas de Sua Majestade. Para que possamos muito menos ter soberba. Antes faz-nos ficar humildes e temerosos, vendo que, assim como o Senhor nos tira o poder de ver o que queremos, pode tirar-nos essas dádivas e a graça, e ficarmos totalmente perdidos. E faz com que sempre andemos com medo, enquanto vivermos neste desterro.

4. Quase sempre se me apresentava o Senhor assim, ressuscitado. E na Hóstia a mesma coisa, a não ser algumas vezes, para me dar forças se eu estivesse em tribulação, em que me mostrava as chagas. Algumas vezes na cruz e no Horto. E com a coroa de espinhos, poucas. E levando a cruz também algumas vezes, para — como ia dizendo — necessidades minhas e de outras pessoas, mas sempre a carne glorificada.

Muitas afrontas e trabalhos passei por dizê-lo, e muitos temores e muitas perseguições. Tão certo lhes parecia que eu tinha um demônio que algumas pessoas queriam me exorcizar. Pouco se me dava isso. Incomodava-me mais quando eu via que os confessores tinham medo de ouvir minha confissão ou quando sabia que falavam alguma coisa para eles. Contudo, jamais podia causar-me pesar ter visto essas visões celestiais. E não trocaria uma só vez delas por todos os bens e deleites do mundo. Sempre as tive como uma grande dádiva do Senhor e me parece um enorme tesouro. E o próprio Senhor me assegurava, às vezes. Eu me via crescer muito e amá-lo muito, muito. Ia queixar-me a ele desses tormentos. Sempre saía consolada da oração e com novas forças. A eles eu não ousava contradizer porque via que era tudo pior, pois lhes parecia pouca humildade. Conversava com meu confessor, ele sempre me consolava muito quando me via desanimada.

5. Como as visões foram crescendo, um deles, que antes me ajudava, que era com quem eu me confessava algumas vezes quando não podia o ministro, começou a dizer que era claro que era o demônio. Mandaram-me, já que não adiantava resistir, que sempre me benzesse quando viesse uma visão e fizesse figas, para que tivesse certeza de que era demônio e que com isso não viria. E que não tivesse medo, que Deus me protegeria e tiraria aquilo de mim.

Para mim isso era uma grande tristeza, porque, como não podia acreditar que fosse outra coisa senão Deus, era uma coisa terrível para mim. E tampouco podia — como disse — desejar que me deixasse. Mas, enfim, fazia tudo que mandavam. Suplicava muito a Deus que me livrasse de ser enganada. Isso sempre eu fazia e com muitas lágrimas, e a são Pedro e a São Paulo, pois me disse o Senhor — como a primeira vez que apareceu foi no dia deles — que me protegeriam para que não fosse enganada. E assim, muitas vezes os via do lado esquerdo bem claramente, ainda que não com visão por imagens. Eram esses gloriosos santos muito meus senhores.

6. Dava-me, esse fazer figas, grande tristeza, quando via essa visão do Senhor. Porque, quando o via presente, nem se me fizessem em pedaços eu poderia acreditar que era o demônio. E assim era uma forma de penitência grande para mim. E para não ficar me benzendo tanto, levava uma cruz na mão. Fazia isso quase sempre. As figas não tão continuamente, porque me incomodava muito. Lembrava-me das injúrias que lhe haviam feito os judeus e suplicava-lhe que me perdoasse, já que eu fazia aquilo para obedecer àquele que estava em seu lugar, e que não me culpasse porque eram os ministros que Ele tinha posto em sua Igreja. Dizia-me que não me importasse, que fazia bem em obedecer, mas que Ele faria com que se soubesse a verdade. Quando me tiraram a oração, pareceu-me que tinha se aborrecido. Disse-me que dissesse a eles que aquilo já era uma tirania. Dava-me razões para que entendesse que não era demônio. Sobre alguma falarei depois.

7. Uma vez, tendo eu a cruz na mão, pois a trazia em um rosário, tomou-a de mim com a sua e, quando tornou a me dá-la, era de quatro pedras grandes, muito mais preciosas do que diamantes, sem comparação. Porque quase não há comparação, com o que se vê sobrenaturalmente. Diamante parece uma cópia falsificada e imperfeita das pedras preciosas que se veem lá. Tinha as cinco chagas de muito linda feitura. Disse-me que assim a veria dali em diante, e assim acontecia que eu não via a madeira de que era, mas essas pedras. Porém não as via ninguém, só eu.

Ao começar a mandar-me passar por essas provas e resistir, era muito maior o crescimento das dádivas. Querendo me distrair, nunca saía da oração. Mesmo dormindo me parecia que estava nela, porque aí era crescer o amor e as tristezas que eu dizia ao Senhor, e o não poder aguentar. Nem estava em meu poder, ainda que eu quisesse e por mais que tentasse, deixar de pensar n'Ele.

Contudo, obedecia quando podia, mas podia pouco ou nada nesse caso, e o Senhor nunca me tirou a oração. Mas, ainda que me dissesse que obedecesse, assegurava-me por outro lado e ensinava-me o que havia de dizer — e assim faz agora — e dava-me razões tão suficientes que, a mim, elas davam toda a segurança.

8. Há pouco tempo começou Sua Majestade a dar mais sinais de que era Ele, como tinha me prometido, fazendo crescer em mim um amor tão grande por Deus que eu não sabia quem o punha em mim, porque era muito sobrenatural e eu não o procurava. Via-me morrer de vontade de ver Deus e não sabia onde iria buscar essa vida, se não fosse com a morte. Davam-me ímpetos muito grandes desse amor, que, ainda que não fossem tão insuportáveis como os que disse de outra vez,[1] nem de tanto valor, eu não sabia o que fazer de mim. Porque nada me satisfazia nem eu cabia em mim. Parecia-me que me arrancavam a alma. Oh, engenho soberano do Senhor, que arte tão delicada fazíeis com vossa escrava miserável! Vós vos escondíeis de mim e me afligíeis com vosso amor em uma morte tão saborosa que nunca a alma quereria sair dela.

9. Quem não tiver passado por esses ímpetos tão grandes, é impossível que possa entender. Pois não é um desassossego no peito, nem umas devoções que costumam ocorrer muitas vezes que parece que afogam o espírito, pois não cabem em si. Esta última é uma oração mais baixa e devem-se evitar essas agitações procurando recolhê-las dentro de si e aquietar a alma. Porque isso é como crianças que têm um choro tão acelerado que parece que vão sufocar e ao dar-lhes alguma coisa de beber param com aquele sofrimento exagerado. Assim é aqui: a razão intercede para encurtar a rédea, porque pode ser que contribua para essa agitação a própria natureza. Volte à consideração por temer que nem tudo é perfeito, mas que boa parte pode ser sensual, e acalme

esse bebê com um presente de amor que o faça se mover para amar Deus por um caminho suave e não aos trancos, como se diz. Que recolham esse amor para dentro de si e não como caldeirão que cozinha demais porque se põe lenha sem discernimento e derrama tudo. Moderem, isso sim, a causa desse fogo e procurem apagar a chama com lágrimas suaves e não penosas, como são as desses sentimentos e causam muito dano. Eu as tive algumas vezes no começo, e deixavam minha cabeça perdida e o espírito muito cansado de modo que, por mais de um dia eu não conseguia retomar a oração. Assim, é preciso grande discernimento no começo para que tudo caminhe com suavidade e o espírito se mostre a trabalhar interiormente. O que for exterior, procure-se evitar muito.

10. Esses outros ímpetos são diferentíssimos. Não pomos nós a lenha, mas parece que, aceso já o fogo, de repente nos jogam dentro para que nos queimemos. Não procura a alma que doa essa ferida da ausência do Senhor, mas fincam uma seta no mais vivo das entranhas e do coração às vezes, que não sabe a alma o que tem nem o que quer. Sabe bem que quer a Deus, e que a seta parece que tinha uma erva para fazer a alma detestar a si mesma por amor desse Senhor, e querer perder de boa vontade a vida por Ele.

Não se pode enaltecer bastante nem dizer o modo como fere Deus a alma e a enorme dor que causa, e que faz com que ela não saiba de si. Mas essa dor é tão saborosa que não há prazer na vida que dê mais alegria. A alma quereria estar sempre morrendo desse mal.

11. Essa dor e glória juntas me deixavam desatinada, pois eu não podia entender como podia ser aquilo. Oh, o que é ver uma alma ferida! Pois digo que se entende a maneira como se pode dizer ferida por tão excelente causa e vê claramente que ela não se moveu na direção de que lhe pudesse vir esse amor. Mas do amor muito grande que o Senhor tem por ela parece que caiu de

repente a centelha que a faz arder inteira. Oh, quantas vezes me lembro, quando estou assim, daquele verso de David: "Quemadmodun desiderad cervus a fontes aguarun",[2] e me parece que vejo isso ao pé da letra em mim!

12. Quando isso não dá muito forte, parece que se aplaca um pouco, ao menos a alma busca algum remédio — porque não sabe o que fazer — com algumas penitências. E não se sentem mais, nem causa mais dor derramar sangue do que se o corpo já estivesse morto. Busca modos e maneiras de fazer algo que sinta por amor de Deus. Mas é tão grande a primeira dor que não sei que tormento corporal a tiraria. Como não está ali a cura, são muito baixos esses remédios para um mal tão elevado. Um pouco se aplaca e aguenta um pouco com isso, pedindo a Deus que lhe dê a cura para seu mal, e não vê nenhuma senão a morte, pois com essa pensa gozar de seu Bem totalmente.

Outras vezes dá tão forte que nem isso, nem nada pode fazer, pois corta todo o corpo. Nem os pés nem os braços consegue mexer. Antes, se estiver de pé, senta-se, como uma coisa jogada, e não consegue nem mesmo respirar. Só dá uns gemidos, não grandes, porque não consegue mais do que isso, mas que são grandes no sentimento.

13. Quis o Senhor que eu visse aqui algumas vezes essa visão: via um anjo junto de mim do lado esquerdo em forma corporal, o que não costumo ver, a não ser por maravilha. Ainda que muitas vezes se me apresentem anjos, é sem vê-los, mas com a visão passada, de que falei primeiro. Esta visão quis o Senhor que eu visse assim: não era grande, mas pequeno, muito bonito, o rosto tão aceso que parecia dos anjos muito elevados que parecem que se abrasam inteiros. Devem ser os que chamam de querubins, pois os nomes eles não me dizem, mas vejo bem que no céu há tanta diferença de uns anjos a outros, e de outros a outros, que eu não saberia dizer. Via em suas mãos um dardo de ouro grande e no final da ponta

me parecia haver um pouco de fogo. Ele parecia enfiá-lo algumas vezes em meu coração e chegava às entranhas. Ao tirá-lo me parecia que as levava consigo e me deixava toda abrasada em grande amor de Deus. Era tão grande a dor que me fazia dar aqueles gemidos, e tão excessiva suavidade que põe em mim essa enorme dor que não há como desejar que se tire nem se contenta a alma com menos do que Deus. Não é uma dor corporal, mas espiritual, ainda que não deixe o corpo de participar em alguma coisa e até bastante. É uma corte tão suave que se passa entre a alma e Deus que suplico eu a sua bondade que a dê a experimentar a quem pensar que eu minto.

14. Os dias que isso durava eu ficava parecendo abobada. Não queria ver nem falar, mas abraçar-me a minha dor, que para mim era maior glória de quantas há no mundo criado. Isso tinha algumas vezes quando quis o Senhor que me viessem esses arrebatamentos tão grandes que, mesmo estando entre as pessoas, não conseguia resistir. Com muita aflição para mim começou a se tornar público. Depois que tenho esses arrebatamentos, não sinto essa aflição tanto, mas sim a que disse em outra parte antes — não me lembro em que capítulo[3] —, pois é muito diferente em muitas coisas e de maior valor. Antes, começando essa pena de que falo agora, parece que arrebata o Senhor a alma e a põe em êxtase. Assim não dá tempo de sentir aflição e padecer, porque vem logo o gozo. Seja bendito para sempre, que tantas dádivas faz a quem tão mal responde a tão grandes benefícios.

CAPÍTULO 30

VOLTA A CONTAR O RELATO DE SUA VIDA E COMO REMEDIOU O SENHOR MUITO DE SEUS TORMENTOS LEVANDO-A AO LUGAR ONDE ESTAVA O SANTO HOMEM FREI PEDRO DE ALCÂNTARA, DA ORDEM DO GLORIOSO SÃO FRANCISCO. TRATA DE GRANDES TENTAÇÕES E TRABALHOS INTERIORES QUE PASSAVA ÀS VEZES

1. Então, vendo eu o pouco ou nada que podia fazer para não ter esses ímpetos tão grandes, também tinha medo de tê-los. Porque dor e alegria eu não conseguia entender como podiam estar juntos. Dor corporal e alegria espiritual eu já sabia que era bem possível. Mas tão excessiva dor espiritual e com tão enorme prazer, isso me desatinava. Também não parava de tentar resistir, mas conseguia tão pouco que às vezes me cansava. Amparava-me na cruz e queria me defender daquele que com ela nos amparou a todos. Via que ninguém me entendia, e que eu entendia isso muito claramente. Mas não ousava dizer a não ser ao meu confessor, porque isso teria sido dizer bem de verdade que não tinha humildade.

2. Quis o Senhor remediar grande parte de meu tormento — e, na época, todo — trazendo a esse lugar o bendito frei Pedro de Alcântara, de quem já fiz menção e contei algo sobre sua penitência, pois, entre outras coisas, certificaram-me que ele tinha levado durante cinco

anos seguidos um silício de folha de lata. É autor de uns livros pequenos de oração de que agora se fala muito, em espanhol, porque, como alguém que a tinha praticado bem, escreveu muito proveitosamente para os que têm oração. Observou a primeira regra do bem-aventurado são Francisco com todo o rigor e as outras coisas que foram ditas ali.

3. Então, quando a viúva serva de Deus, de que falei, e minha amiga,[1] soube que estava ali um tão grande homem, e sabia da minha necessidade, porque era testemunha das minhas aflições e me consolava muito. Porque era tão grande sua fé que não podia acreditar que não era espírito de Deus o que todos os demais diziam que era o demônio. E como é uma pessoa de muito grande inteligência e de muita discrição, e a quem o Senhor fazia muitas dádivas na oração, quis Sua Majestade dar-lhe luz naquilo que os letrados ignoravam. Meus confessores me davam licença para que desabafasse com ela algumas coisas, porque por muitas razões tinha a ver com ela. Referia-se a ela parte das dádivas que o Senhor me fazia com avisos muito proveitosos para sua alma.

4. Assim que soube, para que pudesse conversar melhor com ele, sem me dizer nada, obteve licença da minha provincial para que eu ficasse oito dias em sua casa, e nela e em algumas igrejas, falei com ele muitas vezes, nessa primeira vez que esteve aqui, porque depois, em diversas ocasiões, comuniquei a ele muitas coisas. Quando prestei contas, em resumo, da minha vida e maneira de agir na oração com a maior clareza que soube usar, pois isso tive sempre: falar com toda a clareza e verdade com aqueles a quem abro minha alma; até os primeiros movimentos queria que fossem conhecidos dele. E as coisas mais duvidosas e suspeitas eu alegava com argumentos contra mim. Assim, sem duplicidade e disfarce, falei-lhe de minha alma.

Quase desde o começo vi que me entendia por experiência, que era tudo o que era necessário. Porque então eu não sabia me compreender como agora para saber dizer, pois depois me deu Deus que saiba entender e falar das dádivas que Sua Majestade me faz. E era necessário que tivesse passado por isso quem me houvesse de entender totalmente e explicar o que era. Ele me deu enorme luz, porque, ao menos nas visões que não eram imaginárias, eu não conseguia entender o que poderia ser aquilo. E parecia-me que as que via com os olhos da alma tampouco eu entendia como podia ser, pois — como já disse — só das que se veem com os olhos corporais me parecia que se devia fazer caso, e essas eu não tinha.

5. Esse santo homem me deu luz em tudo e me explicou, e disse que eu não tivesse tristeza, mas que louvasse a Deus e estivesse tão certa que era espírito d'Ele, que, a não ser as verdades de fé, não poderia haver coisa mais verdadeira nem em que eu pudesse acreditar tanto. E ele se consolava muito comigo e fazia-me todo favor e dádiva. E sempre, depois, teve-me em alta conta e contava-me de suas coisas e atividades. E como me via com os desejos daquilo que ele já possuía por obra — pois Deus me dava esses desejos muito decididos — e me via com tanto ânimo, alegrava-se de conversar comigo. Porque para aqueles a quem o Senhor leva a esse estado não há prazer nem consolo que se iguale a topar com quem lhe parece que deu o Senhor um começo disso. Porque então eu não devia ter muito mais do que isso, ao que me parece, e queira Deus que eu tenha agora.

6. Teve enorme pena de mim. Disse que um dos maiores tormentos da terra era o que eu havia sofrido, que é a contradição dos bons. E que ainda me restava muito dele, porque eu sempre tinha necessidade, mas não havia nessa cidade quem me entendesse. Disse que falaria com o que ouvia minha confissão e a um dos que me causavam mais tormentos, que era esse cavalheiro casado de que já falei. Porque, como era quem tinha por mim maior bem-querer, movia-me toda a guerra. E é uma alma temerosa

e santa, e como tinha me visto tão pouco tempo antes tão ruim, não conseguia sentir-se seguro.

E assim fez o santo homem, que falou com ambos. E deu as causas e as razões para que se assegurassem e não me inquietassem mais. O confessor tinha pouca necessidade. O cavalheiro, muita, pois ainda não bastou completamente, mas ajudou para que ele não me amedrontasse tanto.

7. Ficamos acertados que eu escreveria para ele sobre o que mais me acontecesse dali para a frente e de encomendar-nos muito a Deus, pois era tanta sua humildade que ele tinha em alguma conta as orações desta miserável, pelo que era grande meu embaraço.

Deixou-me com enorme consolo e alegria. E com a recomendação de que mantivesse a oração com segurança e não duvidasse de que era Deus. E, daquilo que eu tivesse alguma dúvida e para maior segurança, de tudo prestasse conta a meu confessor e, com isso, vivesse segura.

Mas tampouco conseguia ter essa segurança completamente, porque me levava o Senhor por um caminho de dar medo, como era o de crer que era demônio quando me diziam que era. Assim, nem medo nem segurança ninguém conseguia que eu tivesse de maneira a que eu pudesse dar mais crédito do que ao que o Senhor punha em minha alma. Assim, ainda que tenha me consolado e tranquilizado, não lhe dei tanto crédito para ficar totalmente sem medo. Especialmente quando o Senhor me deixava nos tormentos da alma de que agora falarei. Contudo fiquei — como disse — muito consolada. Não me fartava de dar graças a Deus e ao meu glorioso pai são José, pois me pareceu que ele o tinha trazido, porque frei Pedro de Alcântara era comissário-geral da Custódia de São José, santo a quem eu muito me encomendava, e a Nossa Senhora.

8. Acontecia-me às vezes — e até agora me acontece, ainda que não tantas vezes — ficar com enormes tor-

mentos da alma junto com tormentos e dores no corpo, de males tão duros que eu não podia me conter.

Outras vezes tinha males corporais mais graves e, como não tinha os da alma, passava-os com muita alegria. Mas quando era tudo junto, era um tormento tão grande que me angustiava muito. De todas as dádivas que me havia feito o Senhor eu me esquecia. Só ficava uma memória, como de uma coisa que eu tivesse sonhado, para causar dor. Porque o entendimento entorpece-se, de modo que me fazia ficar com mil dúvidas e suspeitas, parecendo-me que eu não tinha sabido perceber e talvez fantasiasse. E era suficiente que eu ficasse enganada, sem enganar os bons. Parecia-me tão má para mim mesma que todos os males e heresias que se haviam levantado me parecia ser por meus pecados.

9. Essa é uma humildade falsa que o demônio inventava para me desassossegar e ver se conseguia levar uma alma ao desespero. Tenho já tanta experiência de que é coisa do demônio, que, como ele vê que eu o percebo, não me atormenta com isso tantas vezes quanto costumava. Vê-se claramente pela inquietação e desassossego com que começa. E o alvoroço que provoca na alma por todo o tempo que dura. E a escuridão e aflição que põe nela. A secura e a má disposição para a oração e para qualquer bem. Parece que afoga a alma e amarra o corpo para que de nada aproveite. Porque a humildade verdadeira, ainda que com ela a alma se reconheça ruim e cause dor ver o que somos, e ainda que avaliemos ser grande a nossa maldade, tão grande como se diz, e que se sinta de verdade, não vem com alvoroço, nem desassossega a alma nem a escurece nem dá secura. Antes a presenteia e é tudo ao contrário: com calma, com suavidade, com luz. É tristeza que, por outro lado, conforta ao ver quão grande dádiva lhe faz Deus em que tenha aquela tristeza e como é bem empregada. Dói-lhe ter ofendido a Deus. Por outro lado, sua misericórdia expande essa alma. Recebe

luz para se embaraçar e louva a Sua Majestade porque a suportou tanto. Nessa outra humildade, que o demônio põe, não há luz para nenhum bem, tudo parece que Deus põe a ferro e fogo. Apresenta-lhe a justiça e, ainda que tenha fé de que há a misericórdia, porque o demônio não pode tanto que consiga fazer perder essa fé, é de uma maneira que não consola. Antes, quando olha para tanta misericórdia, ajuda-lhe a ter mais tormento, porque me parece que estava obrigada a fazer mais.

10. É uma invenção do demônio das mais penosas e sutis e dissimuladas que eu tenha percebido dele. E assim quereria avisar ao senhor para que, se por esse caminho ele o tentar, tenha alguma luz e o reconheça, se ele deixar entendimento para reconhecê-lo. Pois não pense que é uma questão de erudição e saber, pois, ainda que a mim falte tudo isso, depois que saio disso, percebo bem que é um desatino. O que entendi é que quer e permite o Senhor e lhe dá licença, como deu para tentar a Jó,[2] ainda que comigo — como uma pessoa ruim — não seja com aquele rigor.

11. Aconteceu-me, e lembro-me de ser um dia antes da véspera de Corpus Christi, festa de que eu sou devota, ainda que não tanto quanto deveria. Dessa vez durou só até o dia. Outras duram oito, quinze dias e até três semanas, e não sei se mais, em especial durante as Semanas Santas, que costumavam ser meu festim de oração. Acontece-me às vezes que prende o entendimento de repente com coisas tão levianas, que em outras ocasiões eu teria rido delas. E a faz ficar transtornada com tudo o que ele quer. E a alma aprisionada ali, sem ser senhora de si nem poder pensar outra coisa além dos disparates que ele apresenta, que quase nem têm importância, não atam nem desatam, só servem para afogar a alma de uma maneira que ela não fica em si. E assim me ocorreu que os demônios parecem que jogam bola com a alma, e ela não é capaz de se livrar do poder deles. Não se pode

dizer o que se sofre nesse caso. Ela anda a buscar amparo e Deus permite que não ache. Só permanece sempre a razão do livre-arbítrio, mas não clara. Quero dizer, estão quase tampados os olhos, como uma pessoa que muitas vezes foi a uma parte que, ainda que seja noite e esteja escuro, pela experiência passada sabe onde pode tropeçar, porque viu de dia, e protege-se daquele perigo. Assim é, para não ofender a Deus, pois parece que se caminha por hábito. Sem falar que a mantém o Senhor, que é o que realmente vem ao caso.

12. A fé fica então tão amortecida e adormecida quanto as demais virtudes, ainda que não perdida, pois acredita no que a Igreja sustenta. Mas da boca para fora e parece que, por outro lado, a apertam e entorpecem para que ela pareça que conhece a Deus quase como uma coisa de que ouviu falar de longe. Tem o amor tão morno que, se ouve falar d'Ele, escuta como uma coisa que crê ser o que é porque o diz a Igreja, mas não tem memória do que experimentou em si. Ir rezar ou ficar em solidão não é outra coisa senão mais angústia. Porque o tormento que sente em si, sem saber por que, é insuportável. Ao que me parece, é um pouco como ir para o inferno. E é assim mesmo, conforme o Senhor, em uma visão, me fez entender. Porque a alma queima-se em si mesma sem saber quem ou por onde lhe ateiam fogo, nem como fugir dele nem como o extinguir.

Querer remediar as coisas lendo é como se não soubesse ler. Uma vez aconteceu-me ir ler a vida de um santo para ver se me absorveria e para consolar-me com o que ele sofreu e li quatro ou cinco vezes outras tantas linhas e, mesmo sendo em espanhol, entendia menos delas depois do que antes de ter lido, e assim deixei o livro. Isso me aconteceu muitas vezes. Só que dessa eu me lembro em particular.

13. Ter, então, uma conversa com alguém é pior. Porque o demônio põe um espírito tão desagradável de ira

que parece a todos que eu os quereria comer, sem que eu possa evitar. E parece que já é alguma coisa eu conseguir me segurar, ou o Senhor segura com sua mão quem está assim para que não diga nem faça contra seus próximos alguma coisa que os prejudique ou com a qual se ofenda a Deus.

Ir ao confessor, então! Com certeza! Porque muitas vezes me acontecia o que direi: apesar de serem tão santos como são aqueles com quem nesse tempo conversei e converso, diziam-me palavras e me repreendiam com tanta aspereza que, depois que eu as dizia, eles mesmos se espantavam e diziam que não estava em seu poder evitar. Porque, ainda que tivessem ficado muito mal por ter feito isso outras vezes, o que lhes dava pena e até escrúpulos depois, quando eu tinha tais tormentos de corpo e de alma, e tivessem se decidido a consolar-me com piedade, não conseguiam. Eles não diziam más palavras — digo, com as quais ofendessem a Deus —, mas as mais desagradáveis que se toleravam para um confessor. Deviam pretender mortificar-me, e, ainda que em outras vezes me alegrassem e eu estivesse disposta a suportá--las, naqueles momentos era um tormento.

Acontece então também parecer que os engano. Eu ia a eles e avisava-os de verdade para que se protegessem de mim, pois podia ser que os estivesse enganando. Eu sabia bem que de propósito não o faria, nem lhes diria mentiras, mas eu tinha medo de tudo. Uma vez um deles me disse que, quando percebesse a tentação, não tivesse aflição, pois, ainda que eu quisesse enganá-lo, ele teria senso para não se deixar enganar. Isso me deu grande consolo.

14. Às vezes — quase normalmente ou, ao menos, o mais frequentemente — acabando de comungar eu tinha um descanso. E até algumas vezes, aproximando-me do Sacramento, logo na hora ficava tão boa, de alma e de corpo, que me espanto. Não parece outra coisa a não ser que, num instante, se desfazem todas as trevas da

alma e, saído o sol, reconhecia os absurdos em que tinha estado. Outras vezes, com apenas uma palavra que me dizia o Senhor, apenas dizendo: "Não fiques desanimada, não tenhas medo" — como eu já disse em outra oportunidade —, ficava totalmente curada. Ou vendo alguma visão, era como se não tivesse tido nada. Deliciava-me com Deus. Queixava-me a Ele de como consentia que eu padecesse tantos tormentos. Mas eles eram bem pagos, pois quase sempre, depois, eram as dádivas em grande abundância. Não me parece outra coisa senão que a alma sai do crisol como o ouro, mais refinada e purificada para ver em si o Senhor. E assim, esses tormentos se fazem pequenos, depois, apesar de parecerem insuportáveis. E se deseja voltar a sofrê-los, se o Senhor vai se servir mais deles. E ainda que haja mais tribulações e perseguições, desde que se as passem sem ofender a Deus, mas sim alegrando-se de padecer por Ele, tudo é para maior lucro, ainda que eu não os leve como se deve levar, mas sim muito imperfeitamente.

15. Outras vezes me vinham de outro tipo, e vêm. Imediatamente me parece que me tiram a possibilidade de pensar uma coisa boa nem de desejar fazê-la. Uma alma e um corpo totalmente inúteis e pesados. Mas não tenho, com isso, essas outras tentações e desassossegos. Tenho, sim, um desgosto, sem entender por que. E nada contenta a alma. Tentava fazer boas obras exteriores para ocupar-me meio à força e reconheço bem o pouco que é uma alma quando se esconde a graça. Não me causava muita dor, porque esse ver minha baixeza me dava alguma satisfação.

16. Outras vezes me acho de um jeito que tampouco uma coisa formada consigo pensar sobre Deus, nem sobre o bem, que seja com propriedade. Nem ter oração, ainda que esteja em solidão. Mas sinto que o conheço. O entendimento e a imaginação, percebo, são o que me atrapalha aqui, pois a boa vontade parece-me que

está disposta a todo o bem. Mas esse entendimento está tão perdido que não parece outra coisa senão um louco furioso que ninguém consegue amarrar e eu não sou senhora dele para fazê-lo ficar quieto pelo tempo que leva para rezar um Credo. Algumas vezes rio-me e reconheço minha miséria e fico olhando para ele para ver o que vai fazer. E — glória a Deus — admiravelmente nunca é coisa má, mas indiferente: o que há para fazer aqui, ali, acolá. Reconheço mais, então, a enorme dádiva que me faz o Senhor quando mantém amarrado esse louco em perfeita contemplação. Vejo o que seria, se me vissem nesse desvario as pessoas que me tomam por boa. Tenho muita pena da alma por vê-la em tão má companhia. Desejo vê-la com liberdade, e assim digo ao Senhor: "Quando, meu Deus, chegarei a ver minha alma unida a louvar-vos de modo que gozem de Vós todas as potências? Não permitais, Senhor, seja jamais despedaçada, pois parece que cada pedaço anda para um lado".

Isso eu passo muitas vezes. Em algumas percebo bem que a pouca saúde corporal vem muito ao caso. Lembro-me, então, muito do mal que nos fez o primeiro pecado, pois daqui me parece que nos vem sermos incapazes de gozar de tanto bem. E devem ser os meus pecados, pois, se não tivesse tido tantos, estaria mais inteira no bem.

17. Passei também outro grande tormento: como parecia entender todos os livros que lia que falam de oração, e que já me havia dado aquilo o Senhor, pareceu-me que não tinha necessidade deles. E, assim, não os lia. Só as vidas dos santos, pois como eu me acho tão em falta no que eles serviam a Deus, isso parece que me traz proveito e me anima. Parecia-me muito pouca humildade pensar eu que havia chegado a ter aquela oração. E como não conseguia pensar outra coisa, dava-me muita aflição até que letrados e o bendito frei Pedro de Alcântara me disseram que não me importasse com nada. Bem vejo que no servir a Deus nem comecei — e que sou uma

perfeição, a não ser nos desejos e em amar, pois nisso eu vejo bem que me favoreceu o Senhor para que eu possa servi-lo em alguma coisa. Parece-me bem que o amo, mas as obras me desconsolam, assim como as muitas imperfeições que vejo em mim.

18. Outras vezes me dá uma bobeira de alma — eu digo que é — que nem bem nem mal me parece que faço, mas ando atrás dos outros, como dizem, nem com aflição nem com glória, nem a da vida nem a da morte, nem prazer nem pesar, parece que não sinto nada. Parece-me que a alma anda como um burrico que pasta, que se sustenta porque lhe dão de comer e come quase sem sentir. Porque a alma nesse estado não deve ficar sem comer algumas grandes dádivas de Deus, já que em vida tão miserável não lhe pesa viver e passa por isso com indiferença, mas não se sentem movimentos nem efeitos para que perceba a alma.

19. Parece-me agora um navegar com um vento muito sossegado, que faz andar muito sem perceber como. Porque nessa outra maneira são tão grandes os efeitos que quase imediatamente vê a alma sua melhora. Porque logo se agitam os desejos e nunca consegue se satisfazer uma alma. Isso têm os grandes ímpetos de amor de que falei para aqueles a quem Deus os dá. É como umas fontezinhas que vi minar em que nunca para de fazer movimentos para cima a areia.

Natural me parece esse exemplo ou comparação das almas que chegam a esse ponto: sempre está bulindo, o amor, e pensando no que vai fazer. Não cabe em si, como não parece que caiba na terra aquela água, mas a jorra de si. Assim fica muito comumente a alma que não sossega nem cabe em si por causa do amor que tem. Já a tem ensopada dele. Quereria que bebessem os outros, já que a ela não faz falta, para que a ajudassem a louvar a Deus. Oh, quantas vezes me lembro da água-viva que deu o Senhor à Samaritana e, assim, gosto muito daquele evangelho. E com certeza é por isso que, sem entender esse bem como agora, desde muito criança gostava e suplicava muitas vezes ao Senhor que me desse aquela água e tinha-o escrito sempre, onde estivesse, num letreiro, a frase de quando o Senhor se aproximou do poço: "Domine, da miqui aguan".[3]

20. Parece também um fogo que é grande e que, para que não se apague, precisa que haja sempre o que queimar. Assim são as almas de que falo: ainda que seja muito custoso para elas, quereriam carregar lenha para que não parasse esse fogo. Eu sou de tal maneira que mesmo com palha que pudesse jogar nele me contentaria, e assim acontece às vezes, e muitas vezes. Em algumas, rio, em outras, me desanimo muito. O movimento interior me incita a que sirva em alguma coisa — já que não sirvo para mais — pondo raminhos e flores em imagens, em varrer, em montar um oratório, em umas coisas tão baixas que me causava embaraço. Se fazia alguma coisa de penitência, era tudo pouco e de tal maneira que, se não fosse o Senhor considerar a boa vontade, eu via que era sem nenhuma importância, e eu mesma zombava de mim.

Pois não têm pouca provação as almas a que Deus dá por sua bondade esse fogo de amor seu em abundância, não terem forças corporais para fazer alguma coisa por Ele. É uma tristeza bem grande, porque como lhe faltam forças para pôr alguma lenha nesse fogo, e ela morre por não se matar, parece-me que ela entre si se consome até as cinzas e desfaz-se em lágrimas e se queima e é muito tormento, ainda que seja saboroso.

21. Louve muito ao Senhor a alma a que fez chegar aqui e a que dá forças corporais para fazer penitência, ou deu letras e talento e liberdade para pregar e confessar e aproximar as almas de Deus, pois não sabe nem percebe o bem que tem, se não passou por experimentar o que é não poder fazer nada no serviço do Senhor e receber sempre muito. Seja bendito por tudo e deem-lhe glória os anjos, amém.

22. Não sei se faço bem de escrever tantas minúcias. Como o senhor tornou a me mandar que não me importasse com me estender nem deixasse nada de fora, vou falando com clareza e verdade do que me lembro. E não pode ser diferente de deixar muita coisa de lado, porque teria que gastar muito mais tempo, e tenho tão pouco, como já disse, para talvez não tirar nenhum proveito.

CAPÍTULO 31

TRATA DE ALGUMAS TENTAÇÕES EXTERIORES E APARIÇÕES QUE FAZIA O DEMÔNIO E DE TORMENTOS QUE LHE DAVA. TRATA TAMBÉM DE ALGUMAS COISAS MUITO BOAS PARA ADVERTÊNCIA DE PESSOAS QUE VÃO POR CAMINHO DE PERFEIÇÃO

1. Quero falar, já que falei de algumas tentações e perturbações interiores e secretas que o demônio me causava, de outras que fazia, quase públicas, em que não se podia ignorar que era ele.

2. Estava uma vez em um oratório e apareceu-me, na direção do lado esquerdo, uma figura abominável. Olhei especialmente a boca, porque falou comigo, e era assustadora. Parecia que lhe saía uma grande chama do corpo, pois estava toda clara, sem sombra. Disse-me assustadoramente que eu me tinha bem livrado de suas mãos, mas que ele me faria voltar a elas. Eu fiquei com muito medo e me benzi como pude, e ele desapareceu e voltou logo. Duas vezes isso aconteceu. Eu não sabia o que fazer e joguei água benta nele, naquela direção, e nunca mais voltou.

3. De outra vez ficou cinco horas me atormentando com dores tão terríveis e desassossego interior e exterior, que me parecia que eu não podia mais aguentar. As irmãs que estavam comigo estavam assustadas, sem saber o que fazer nem como me ajudar. Tenho por hábito,

quando as dores e o mal corporal são muito intoleráveis, fazer como posso atos[1] comigo mesma, suplicando ao Senhor, se aquilo o serve de alguma maneira, que me dê Sua Majestade paciência e que eu fique daquele jeito até o fim do mundo. Então, como daquela vez vi o padecer com tanto rigor, remediava-me com esses votos e decisões para poder aguentar.

4. Quis o Senhor que eu percebesse que era o demônio, porque vi a meu lado um negrinho muito detestável, arreganhando como um desesperado porque, onde pretendia ganhar, perdia. Eu, quando o vi, ri, e não tive medo, porque havia ali algumas irmãs comigo que não conseguiam fazer nada nem sabiam que remédio usar contra tanto tormento, pois eram grandes as pancadas que me fazia dar, sem que eu pudesse resistir, com o corpo, a cabeça e os braços. E o pior era o desassossego interior, pois de nenhuma forma eu conseguia ter sossego.

Não ousava pedir água benta para não dar medo nelas e para que não percebessem o que era. Tenho experiência de muitas vezes que não há coisa com a qual fujam mais para não voltar do que água benta. Da cruz também fogem, mas voltam. Deve ser grande a virtude da água benta. Para mim é uma particular e muito conhecida consolação que sente minha alma quando a tomo. O certo é que é muito comum eu sentir uma recuperação que eu não saberia explicar, como um deleite interior que me conforta a alma toda. Isso não é fantasia nem coisa que aconteceu uma vez só, mas muitas e muitas, e que eu olhei com bastante atenção. Digamos que é como alguém que estivesse com muito calor e sede e bebesse um jarro de água fria, pois parece que todo ele sente refrescar-se. Penso em que grande coisa é tudo o que está ordenado pela Igreja e dá-me grande prazer ver que têm tanta força aquelas palavras para pô-la assim na água, para que seja tão grande a diferença que fazem em relação à água que não é benzida.

5. Então, como não acabava o tormento, disse: se não fossem rir de mim, eu pediria água benta. Trouxeram e jogaram em mim e não adiantava. Joguei onde ele estava e num instante se foi e saiu de mim todo o mal, como se o tirassem de mim com a mão. Só que fiquei cansada, como se me tivessem dado muitas pauladas. Foi-me de grande proveito ver que, mesmo não sendo dele uma alma e um corpo, quando o Senhor dá licença, faz tanto mal o demônio. Que fará quando os possua como seus? Deu-me de novo vontade de me livrar de companhia tão ruim.

6. De outra vez, há pouco, aconteceu-me a mesma coisa, ainda que não tenha durado tanto e eu estivesse sozinha. Pedi água benta e as que entraram depois que já tinham ido embora, que eram duas monjas em quem bem se podia acreditar, pois de maneira nenhuma diriam mentira, sentiram um cheiro muito ruim, como de enxofre. Eu não senti. Mas durou algum tempo, de modo que elas perceberam.

De uma outra vez eu estava no coro e deu-me um grande ímpeto de recolhimento. Fui-me dali para que não percebessem, ainda que, ali perto, ouviram todas grandes pancadas onde eu estava. E eu ouvi perto de mim umas falas, como se combinassem algo, ainda que não tenha entendido o que. Era uma voz grossa. Mas eu estava tão em oração que não entendi nada e nem tive medo algum. Quase toda vez era quando o Senhor me fazia a dádiva de que, persuadida por mim, alguma alma progredisse.

7. E é certo que me aconteceu o que contarei agora. E disto há muitas testemunhas, especialmente quem agora ouve minhas confissões, pois viu isso escrito em uma carta. Sem dizer-lhe eu quem era a pessoa de quem era essa carta, bem sabia ele quem era. Procurou-me uma pessoa que, havia dois anos e meio, estava em pecado mortal, dos mais abomináveis que já escutei, e em todo esse tempo nem o confessava nem se emendava. E dizia missa. E ainda que ouvisse confissões dos outros, esse

se dizia: como iria confessar uma coisa tão feia? E tinha grande desejo de sair disso e não conseguia se ajudar. A mim, me deu enorme pena, e ver que se ofendia a Deus de tal maneira me causou muita tristeza. Prometi a ele suplicar muito a Deus que o remediasse e fazer com que outras pessoas fizessem o mesmo, pois eram melhores do que eu, e escrevia a certa pessoa a quem ele me disse que podia dar as cartas. E assim foi que a primeira se confessou, pois quis Deus, por causa das muitas pessoas muito santas que haviam suplicado a Deus o que eu havia pedido, fazer com essa alma essa misericórdia. E eu, ainda que miserável, fazia o que podia, com muito cuidado. Escreveu-me que estava já com tanta melhora que havia dias em que não caía no pecado, mas que era tão grande o tormento que a tentação lhe dava, pois parecia estar no inferno pelo que ele padecia, que pedia que eu lhe encomendasse a Deus.

Eu o tornei a encomendar a minhas irmãs, por cujas orações devia o Senhor me fazer essa dádiva. E tomaram a peito essa tarefa. Era uma pessoa que ninguém podia atinar em quem era. Supliquei a Sua Majestade que se aplacassem aqueles tormentos e tentações, e que viessem aqueles demônios atormentar a mim, desde que eu não ofendesse em nada ao Senhor. E assim foi que passei um mês de enormes tormentos. Então foi que aconteceram essas duas coisas que eu contei.

8. Aprouve ao Senhor que deixassem a ele. Assim me escreveram, porque eu lhe disse o que passava ao longo desse mês. Ganhou força sua alma e ficou totalmente livre, a ponto de não se fartar de dar graças a Deus e a mim, como se eu tivesse feito alguma coisa. Mas é que o crédito que eu tinha, de que o Senhor me fazia dádivas, foi proveitoso para ele. Dizia que quando se via muito angustiado, lia minhas cartas e a tentação o deixava, e estava muito assustado do que eu havia padecido e como ele havia se livrado. E até eu me espantei e teria sofrido

outros muitos anos para ver aquela alma livre. Seja louvado por tudo, pois pode muito a oração dos que servem ao Senhor, como creio eu que fazem nesta casa estas irmãs. Mas, como eu buscava isso, os demônios deviam se indignar mais comigo, e o Senhor, por meus pecados, permitia.

9. Nesse tempo também, numa noite, pensei que me sufocava. E quando jogaram muita água benta, vi ir embora grande multidão deles, como quem vai despencando ladeira abaixo. São tantas as vezes que esses malditos me atormentam e tão pouco o medo que eu tenho deles já, por ver que não podem se mover se o Senhor não lhes dá licença, que cansaria ao senhor e me cansaria se contasse.

10. O que foi contado sirva para que o verdadeiro servo de Deus dê pouca importância a esses espantalhos que esses demônios põem para dar medo. Saibam que, a cada vez que damos pouca importância a eles, ficam com menos força e a alma mais senhora de si. Sempre fica algum benefício, que, para não me estender, não digo. Só direi isto que me aconteceu numa noite das Almas.[2]

Estando em um oratório, tendo rezado um noturno e dizendo umas orações muito devotas — que ficam no final dele —, muito devotas, que temos em nosso breviário,[3] pôs-se o demônio sobre o meu livro, para que eu não acabasse a oração. Eu me benzi e ele se foi. Tornando a começar, voltou. Creio que foram três vezes que comecei e, até que joguei água benta, não consegui acabar. Vi que saíram algumas almas do purgatório no mesmo instante, pois devia faltar pouco para elas, e pensei que talvez fosse isso que ele pretendia impedir.

Poucas vezes o vi tomando forma e muitas sem forma nenhuma, como na visão em que, sem forma, vê-se claramente que está ali, como já disse.

11. Quero também contar isto, porque me assustou muito: estando no dia da Trindade[4] no coro de certo mosteiro e em arrebatamento, vi uma grande contenda de demônios contra anjos. Eu não conseguia entender o

que queria dizer aquela visão. Antes que se passassem quinze dias entendeu-se bem por certa contenda que ocorreu entre gente de oração e muitos que não eram, e muito dano proveio à casa em que estava. Foi uma contenda que durou muito tempo e de grande desassossego.

Outras vezes via grande multidão de demônios ao redor de mim e parecia-me haver uma intensa claridade que me cercava toda e essa não permitia que eles se aproximassem de mim. Entendi que Deus me protegia para que não se aproximassem de mim de modo que me fizessem ofendê-lo. Pelo que vi em mim algumas vezes percebi que era visão verdadeira.

O fato é que percebi tão bem seu pouco poder que, se eu não for contra Deus, quase nenhum medo tenho deles. Porque não são nada as suas forças se não veem almas rendidas a eles e covardes, pois aí eles mostram seu poder. Algumas vezes, nas tentações que já contei, parecia-me que todas as vaidades e fraquezas de tempos passados voltavam a despertar em mim, e então tinha que me encomendar bem a Deus. Depois era o tormento de parecer-me que, já que me ocorriam aqueles pensamentos, devia ser tudo demônio, até que meu confessor me sossegava. Porque mesmo um primeiro movimento de maus pensamentos parecia-me que não deveria ter quem tantas dádivas recebia do Senhor.

12. Outras vezes me atormentava muito, e até agora me atormenta, que façam muito caso de mim, especialmente pessoas importantes, e que falem muito bem de mim. Com isso sofri e sofro muito. Olho logo para a vida de Cristo e dos santos e me parece que caminho ao contrário, pois eles não andavam senão em meio ao desprezo e às injúrias. Faz-me ficar temerosa e eu não ouso levantar a cabeça e nem quereria aparecer. Coisa que não faço quando tenho perseguições. Aí a alma anda tão soberana, ainda que o corpo sinta, e, por outro lado, anda aflita, e não sei como pode ser isso. Mas é assim

que acontece. E então parece que a alma está em seu reino e põe tudo debaixo dos pés.

Algumas vezes dava-me, e durava alguns dias, e parecia ser virtude e humildade, por um lado, e agora vejo claramente que era tentação. Um frade dominicano, grande letrado, explicou-me bem. Quando pensava que essas dádivas que o Senhor me faz deviam servir a ser conhecidas publicamente, era tão exagerado o tormento que me inquietava muito a alma. Cheguei a um estado que, pensando nisso, eu me decidiria com mais boa vontade a ser enterrada viva que passar por isso. Assim, quando começaram esses grandes recolhimentos ou arrebatamentos a que eu não conseguia resistir, mesmo em público, ficava eu depois tão envergonhada que não queria aparecer onde qualquer pessoa me visse.

13. Estando uma vez muito cansada disso, perguntou-me o Senhor de que eu tinha medo. Que não podia haver nisso senão duas coisas: ou que murmurassem contra mim, ou que o louvassem. Dava a entender que os que criam louvariam, e os que não, condenavam-me sem culpa, e ambas as coisas eram lucro para mim e que eu não desanimasse. Isso me tranquilizou muito e me consolo muito quando me lembro.

Chegou a um ponto a tentação, que queria ir embora deste lugar e professar em outro mosteiro[5] muito mais fechado do que aquele em que eu estava no momento, pois tinha ouvido falar muito bem dele. Também era da minha Ordem e muito distante. E isso era o que me consolava: ficar onde não me conhecessem. E nunca meu confessor deixou.

14. Tiravam muito da minha liberdade de espírito esses medos, que depois vim a entender que não eram a boa humildade, pois tanto inquietavam. E me mostrou o Senhor essa verdade: se eu estava tão convencida e certa de que não se tratava de nenhuma coisa boa minha, mas de Deus, assim como não me incomodava ouvir louvar

outras pessoas, antes me alegrava e consolava muito ver que Deus se mostrava ali, tampouco me incomodaria que mostrasse em mim suas obras.

15. Também fui dar em outro exagero, que foi suplicar a Deus — e fazia-o em oração particular — que, quando para alguma pessoa se mostrasse algo bom em mim, que Sua Majestade lhe mostrasse meus pecados, para que visse o quanto era sem mérito meu que fazia dádivas, pois isso eu sempre desejo muito. Meu confessor me disse que não o fizesse. Mas até agora há pouco, se eu via uma pessoa que pensava muito bem de mim, por rodeios ou como pudesse, fazia saber meus pecados, e com isso parece que eu sossegava. Também me fizeram ter muito escrúpulo nisso.

16. Isso procedia não da humildade, na minha opinião, mas é que de uma tentação vinham muitas. Parecia-me que mantinha todos enganados, e ainda que seja verdade que andam enganados em pensar que há algum bem em mim, não era meu desejo enganá-los, nem nunca pretendi tal coisa, mas o Senhor, com algum objetivo, permite. E assim, até com os confessores, se não visse que era necessário, não conversaria nada, pois tinha muitos escrúpulos.

Todos esses temorezinhos e aflições e sombras de humildade sei eu agora que eram grande imperfeição e sei que era por não estar mortificada. Porque uma alma posta nas mãos de Deus não se importa se falam bem ou mal, se ela entende bem, bem entendido — quando o Senhor quiser fazer-lhe a dádiva de entender —, que não tem nada por si mesma. Confie em quem dá a ela, pois saberá por que torna tudo manifesto, e prepare-se para a perseguição, pois é garantido, nos tempos de hoje, quando o Senhor quer que se saiba de alguma pessoa que faz a ela semelhantes dádivas. Porque há mil olhos para uma alma dessas enquanto, para mil almas de outro feitio, não há nenhum.

17. Na verdade, não há poucas razões para temer, e esse devia ser meu medo. E não humildade, mas pusilanimidade. Porque bem pode se preparar uma alma que Deus permite que ande assim aos olhos do mundo, a ser mártir do mundo. Porque se ela não quiser morrer para ele, ele mesmo, mundo, a matará. Com certeza não vejo outra coisa nele que me pareça bem, a não ser o não consentir faltas nos bons que, graças às murmurações, aperfeiçoam-nos.

Digo que, se alguém não for perfeito, é preciso mais coragem para andar em caminho de perfeição, do que para ser subitamente mártir. Porque a perfeição não se alcança depressa, a não ser por aqueles a quem o Senhor quiser, por particular privilégio, fazer-lhe essa dádiva. O mundo, vendo-o começar, já o quer perfeito, e a mil léguas percebe uma falta. E que talvez, nele, seja virtude. Mas quem o condena faz aquilo mesmo por vício e assim o julga no outro. Não pode comer, nem dormir, nem respirar, como se diz. E quanto mais em alta conta o têm, mais devem esquecer que ainda estão no corpo. Por mais perfeita que tenham a alma, ainda vivem na terra, sujeitos a suas misérias, por mais que a mantenham debaixo dos pés. E assim, como digo, é preciso grande coragem porque a pobre alma ainda não começou a andar e já querem que voe. Ainda não venceu as paixões e querem que, em grandes ocasiões de pecado, estejam tão inteiras como eles leem que estavam os santos depois de confirmados na graça.

É para louvar a Deus o que se passa aí, e também para dar muita pena no coração, porque muitas almas voltam atrás, pois não sabem se valer as pobrezinhas. E assim teria feito a minha, creio, se o Senhor não fizesse, tão misericordiosamente, tudo por sua parte. E, até que, por sua bondade, tivesse disposto tudo, já verá o senhor que não houve em mim nada senão cair e levantar.

18. Quereria saber contar, porque creio que aqui se enganam muitas almas que querem voar antes que Deus

lhes dê asas. Creio que já fiz antes essa comparação, mas fica bem aqui. Tratarei disso porque vejo muitas almas muito aflitas por essa causa. Quando começam com grandes desejos e fervor e determinação de ir adiante na virtude, e algumas quanto às coisas exteriores deixam tudo por Ele, ao ver em outras pessoas, que são mais crescidas, coisas muito grandes de virtudes que o Senhor dá a elas, que não são coisas que podemos tomar por nós mesmos, e veem todos os livros que foram escritos sobre oração e contemplação afirmar todas essas coisas que temos que fazer para subir a esse grau de dignidade e que elas não conseguem por si mesmas, desconsolam-se. Coisas como: não nos importar que falem mal de nós, antes ter maior alegria com isso do que quando falam bem; pouca estima pela honra; desapego dos parentes, pois, se não têm oração, não quereria nem falar com eles, antes cansam; e muitas outras coisas desse teor que me parece que Deus dará, porque me parece que já são bens sobrenaturais ou contrários a nossa inclinação natural.

Não desanimem. Esperem no Senhor, pois o que agora têm como desejo, Sua Majestade fará com que cheguem a ter de fato. Esperem com oração e fazendo por sua parte o que está a seu alcance. Porque é muito necessário para essa nossa fraca natureza ter grande confiança e não perder as forças, nem pensar que deixaremos de sair com vitória, se nos esforçarmos.

19. E, porque tenho muita experiência disso, direi algo ao senhor como conselho. Não pense, ainda que lhe pareça que sim, que já está ganha a virtude, se não a experimentar com seu contrário. E sempre temos que ficar desconfiados e não nos descuidar enquanto vivermos. Porque muita coisa pega rápido em nós, se — como digo — não estiver dada a graça toda para saber como são as coisas todas. E nesta vida nunca se tem tudo sem muitos perigos.

Parecia-me, até há pouco tempo, que não apenas não estava apegada a meus parentes, como até me cansavam.

E, assim, era seguro que não conseguia conviver com eles. Deu-se um negócio de grande importância e tive que ficar com uma irmã minha[6] de quem gostava muitíssimo, antes, embora na conversa, ainda que ela seja muito melhor do que eu, não me dava com ela. Porque como ela tem um estado diferente, pois é casada, a conversa não pode ser sempre sobre aquilo que eu quereria e eu ficava sozinha o maior tempo que podia. Vi que me atormentavam os tormentos dela. Muito mais do que os do meu próximo. E me preocupavam um pouco. Enfim, percebi que eu não estava tão livre como pensava e que ainda tinha necessidade de fugir das ocasiões de pecado, para que essa virtude que o Senhor havia começado a me dar fosse crescendo. E assim procurei fazer sempre, com o favor d'Ele desde então.

20. Em muito alta conta se deve ter uma virtude quando o Senhor começa a dá-la e nunca nos devemos pôr em perigo de perdê-la. Assim é em questões de honra e em muitas outras. Pois acredite o senhor que nem todos os que pensamos estar desapegados de tudo estão. E é necessário nunca descuidar disso. E qualquer pessoa que se ressinta por alguma questão de honra, se quiser progredir, acredite em mim e deixe para trás essa amarra, pois é uma corrente que não tem lima que rompa, a não ser Deus com oração e fazer muito de nossa parte. Parece-me um impedimento para esse caminho e me espanta o dano que causa.

Vejo algumas pessoas santas em suas obras, que fazem obras tão grandes que espantam as pessoas. Valha-me Deus! Por que ainda está na terra essa alma? Como não está no cume da perfeição? O que é isso? Quem está detendo quem faz tanto por Deus? Oh, é que tem um ponto de honra! E o pior é que não quer perceber que tem. E é porque às vezes o demônio a faz achar que é obrigada a mantê-la.

21. Então, creiam-me, creiam pelo amor de Deus nesta formiguinha que o Senhor quer que fale: se não tira-

rem essa lagarta, toda a árvore ficará estragada. Porque sobrarão algumas outras virtudes, mas todas carcomidas. Não é uma árvore bonita, mas uma que não medra nem deixa medrar aquelas que ficam junto dela. Porque a fruta, de bom exemplo que dá, não é nada sadia. Dura pouco. Muitas vezes eu digo que, por menor que seja o ponto de honra, é como cantar com o órgão, pois, uma nota ou um tempo que se erra desafina toda a música. É uma coisa que em toda parte causa danos à alma, mas neste caminho de oração é uma pestilência.

22. Andas procurando juntar-te a Deus por união, e queremos seguir seus conselhos de Cristo carregado de injúrias e testemunhos e queremos muito íntegra nossa honra e credibilidade? Não é possível chegar lá, pois não ficam no mesmo caminho. Aproxima-se o Senhor da alma quando nos esforçamos e procuramos perder muitas coisas de nosso direito. Dirão alguns: "Não tenho em que, nem se me oferece oportunidade". Eu creio que, quem tiver essa determinação, não quererá o Senhor que perca um tão grande bem. Sua Majestade arranjará tantas coisas em que ganhe essas virtudes que não quereria tantas. Mãos à obra.

23. Quero falar das ninharias e miudezas que eu fazia quando comecei. Ou de algumas delas. As palhinhas de que já falei, ponho no fogo, que não sou capaz de mais do que isso. O Senhor recebe tudo, seja bendito para sempre.

Entre minhas faltas tinha esta: sabia pouco do breviário e do que tinha que fazer no coro e como dirigi-lo, por puro descuido e por estar envolvida em coisas vãs. E via outras noviças que podiam me ensinar. Acontecia-me de não perguntar a elas para que não percebessem que eu sabia pouco. Logo se põe na minha frente o bom exemplo. Isso é muito comum. Desde que Deus abriu-me um pouco os olhos, mesmo sabendo, um tantinho de dúvida que tivesse, perguntava às meninas. Não perdi a honra nem o crédito. Ao contrário, quis o Senhor, pelo que me parece, dar-me, depois, uma memória melhor. Cantava mal. Incomodava-me muito se não tivesse estudado o que me pediam. E não para não fazer feio diante do Senhor, pois isso teria sido virtude, mas sim pelas muitas que me ouviam. E por puro orgulho me perturbava tanto que dizia muito pior do que sabia. Incomodava-me muito, no começo. Depois gostava disso. E assim é que, quando comecei a não me importar se perceberiam que eu não sabia, passei a dizer muito melhor. E a negra honra tirava de mim saber fazer isso que eu tinha como ponto de honra saber, pois cada um põe a honra naquilo que quer.

24. Com essas ninharias que não são nada — e eu não sou nada em grande medida, já que isso me atormentava — pouco a pouco vão se fazendo esforços e coisas pequeninas como essas, que sendo feitas por Deus dá-lhes Sua Majestade importância, Sua Majestade ajuda para coisas maiores. E assim em coisas de humildade me acontecia que, vendo que todas progrediam, menos eu — porque nunca servi para nada —, quando saíam do coro, recolher todos os mantos parecia-me ser um serviço àqueles anjos que ali louvavam a Deus, até que — não sei como — vieram a saber, pois me escondia muito. Porque minha virtude não chegava a querer que soubessem essas coisas. E não por humildade, mas para que não rissem de mim, já que eram tão ninharias.

25. Oh, meu Senhor, que vergonha é ver tantas maldades e contar uns grãozinhos de areia, em meio a tantos males, que nem levantava da terra a vosso serviço, mas ia tudo envolto em mil misérias! Não minava ainda de debaixo dessa areia a água da vossa graça para que a fizesse subir.

Oh, meu Criador, quem haveria de ter alguma coisa para contar, entre tantos males, que fosse de alguma importância, uma vez que conto as grandes dádivas que recebi de Vós! Assim, Senhor meu, não sei como meu coração pode aguentar, nem como poderá, quem ler isto, deixar de ter repulsa a mim, vendo tão mal aplicadas tantas enormes dádivas, e que não tenho vergonha de contar esses serviços, enfim, como meus. Sim, tenho, Senhor meu, mas não ter outra coisa a contar a meu favor me faz contar tão baixos inícios, para que tenha esperança quem os fizer grandes, pois, já que aqueles meus parece que o Senhor levou em consideração, levará em maior consideração a esses. Queira Sua Majestade me dar a graça para que eu não fique sempre no início.

CAPÍTULO 32

EM QUE TRATA DE COMO QUIS O SENHOR PÔ-LA, EM ESPÍRITO, EM UM LUGAR DO INFERNO QUE TERIA MERECIDO POR SEUS PECADOS. CONTA UMA MOSTRA DO QUE ALI SE APRESENTOU. COMEÇA A TRATAR DA MANEIRA COMO SE FUNDOU O MOSTEIRO, ONDE ESTÁ AGORA, DE SÃO JOSÉ

1. Depois de muito tempo que o Senhor tinha feito muitas das dádivas que contei e outras muito grandes, estando um dia em oração, achei-me, num instante, sem saber como, metida no inferno, parecia-me. Entendi que o Senhor queria que eu visse o lugar que os demônios tinham preparado para mim lá, e eu, merecido por meus pecados. Foi em brevíssimo tempo, mas, ainda que eu vivesse muitos anos, me parece impossível esquecer. Parecia-me, a entrada, um túnel muito comprido e estreito, como um forno muito baixo e escuro e apertado. O solo me pareceu de uma água como lodo muito sujo e de cheiro pestilencial, e muitos répteis maus nele. De um lado havia uma concavidade na parede, como um armário embutido, onde me vi enfiar, muito apertada.

2. Tudo isso era agradável à vista em comparação com o que senti ali. Isso que eu disse não faz justiça. Parece-me que, sobre isso, mesmo um começo de descrever como é não pode existir, nem se pode entender. Mas senti um fogo na alma, que eu não consigo perceber

como se pode dizer a maneira como é. As dores corporais tão insuportáveis, que, mesmo tendo passado nessa vida dores gravíssimas e, segundo dizem os médicos, as maiores que se podem passar aqui (porque aconteceu-me de encolher todos os nervos quando fiquei paralisada, além de muitas outras dores de muitos tipos que tive e até algumas, como disse, causadas pelo demônio), tudo não é nada em comparação com o que senti ali. E ver que seriam sem fim e sem cessar jamais. Pois então, isso não é nada em comparação com a agonia da alma. Um aperto, um sufocamento, uma aflição tão sensível e com tão desesperada e aflita tristeza que não sei como explicar. Porque dizer que é como estar sempre arrancando a alma é pouco, porque ainda pareceria que outro é que acaba com a vida. Mas aí é a própria alma que despedaça. O fato é que não sei como descrever aquele fogo interior e aquele desespero além de tão graves tormentos e dores. Eu não via quem os causava em mim, mas sentia-me queimar e diminuir, pelo que me parecia, e digo que aquele fogo e aquele desespero interior é o pior.

3. Estando em lugar tão pestilencial, tão sem poder esperar consolo, não existia sentar-se ou deitar-se, nem havia espaço, já que me tinham posto nesse buraco na parede. Porque essas paredes, que são assustadoras para a vista, elas mesmas apertam e tudo sufoca. Não há luz, mas tudo são trevas escuríssimas. Eu não entendo como pode ser isto, pois, apesar de não haver luz, tudo o que à vista há de causar sofrimento, tudo se vê.

Não quis o Senhor, então, que visse mais de todo o inferno. Depois vi outra visão de coisas assustadoras, o castigo de alguns vícios. Quanto à vista, muito mais assustadores me pareceram, mas como não sentia a dor, não me deram tanto medo, pois nessa visão quis o Senhor que eu verdadeiramente sentisse aqueles tormentos e a aflição no espírito como se o corpo estivesse padecendo. Não sei como foi, mas percebi bem ser uma grande dádiva e que quis o Senhor que eu visse com meus próprios olhos de onde sua misericórdia me tinha livrado. Porque não é nada ouvir dizer, nem ter eu pensado outras vezes em diferentes tormentos. Ainda que poucas, pois, por medo, minha alma não tolerava bem isso. Nem que os demônios torturam, nem outros tormentos diferentes que li, não é nada comparado com esse tormento, porque é outra coisa. Enfim, é como um esboço da verdade, e o queimar-se aqui é muito pouco em comparação com esse fogo de lá.

4. Eu fiquei tão assustada, e ainda estou agora, escrevendo sobre isso, que, com haver já quase seis anos, me parece que o calor natural me falta, por medo, aqui mesmo onde estou. E assim, não me lembro de nenhuma vez em que tenha trabalhos e dores, que não me pareça ninharia tudo o que se pode passar aqui. E assim me parece, em parte, que nos queixamos sem motivo. E assim volto a dizer que foi uma das maiores dádivas que o Senhor me fez, porque me foi de muito proveito, tanto para perder o medo das tribulações e contradições desta vida, como para esforçar-me a padecê-las e dar graças ao Senhor que me livrou, pelo que agora me parece, de males tão perpétuos e terríveis.

5. Depois disso tudo aqui me parece fácil, como ia dizendo, em comparação com um momento que se tenha de aguentar o que eu ali padeci. Espanta-me como, tendo lido muitos livros em que se explica algo sobre as penas do inferno, não as temia nem as tinha como aquilo que são. Onde estava? Como podia me dar descanso algo que acarretava eu ir para tão mau lugar? Sede bendito, Deus meu, para sempre. E como se mostrou que me amáveis muito mais do que eu me amo! Quantas vezes, Senhor, me livrastes de cárcere tão tenebroso, e como eu voltava a meter-me nele contra a vossa vontade!

6. Por esse meio ganhei também a grande dor que me causam as muitas almas que se condenam, desses lutera-

nos, especialmente, porque já eram, pelo batismo, membros da Igreja, e os ímpetos grandes de ser de proveito às almas. Pois me parece certo que, para livrar uma só de tão gravíssimos tormentos, passaria eu de boa vontade muitas mortes. Vejo que, se vemos aqui uma pessoa a quem queremos bem, especialmente se ela está com grande tormento ou dor, parece que nossa própria natureza nos convida à compaixão. E se for grande, nos angustia. Ver então uma alma no tormento dos tormentos por tempo sem fim, quem há de poder aguentar? Não há coração que o suporte sem grande tristeza. Porque aqui, mesmo sabendo que, enfim, vai acabar junto com a vida e tem um término, já nos move a tanta compaixão, não sei como podemos sossegar, vendo tantas almas quantas leva o demônio todo dia consigo.

7. Isso também me faz desejar que, numa coisa que tanto importa, não nos contentemos com menos do que fazer tudo o que pudermos de nossa parte. Não deixemos nada de lado, e queira o Senhor dignar-se a dar-nos graça para isso.

Quando penso que, ainda quando era tão má, tinha alguma preocupação com servir a Deus e não fazia algumas coisas que vejo que se engolem no mundo como quem não fizesse nada. E, enfim, passava grandes enfermidades e com muita paciência que o Senhor me dava. Eu não era inclinada a murmurar nem a falar mal de ninguém. Nem parece que podia querer mal a alguém, nem era cobiçosa nem inveja jamais me lembro de ter de uma maneira que fosse ofensa grave ao Senhor, e outras coisas que, ainda que eu fosse tão ruim, tinha temor a Deus a maior parte do tempo. E vejo onde já me tinham instalado os demônios. E é verdade que, conforme minhas culpas, ainda me parece que merecia mais castigo. Mas, com tudo isso, digo que era um castigo terrível e que é coisa perigosa contentarmo-nos e trazer em sossego e alegria a alma que anda caindo em pecado mortal a cada passo. Mas, por amor de Deus, tiremo-nos das ocasiões de pecado que o Senhor nos ajudará, como fez comigo. Queira Sua Majestade, que não me largue de sua mão para que eu não torne a cair, pois já vi aonde haveria de ir parar. Não permita o Senhor, por ser quem é Sua Majestade, amém.

8. Andando eu depois de ter visto isso e outras grandes coisas e segredos, pois o Senhor, por ser quem é, quis me mostrar algo da glória que será dada aos bons e da pena a ser dada aos maus, desejando um modo e uma maneira pelos quais pudesse fazer penitência por tanto mal e merecer algo para ganhar tanto bem, desejava fugir das pessoas e acabar de uma vez de me afastar do mundo. Não sossegava meu espírito, mas não era um desassossego inquieto e sim saboroso. Via-se bem que era de Deus e que Sua Majestade havia dado à alma calor para digerir outros alimentos mais gordos do que aqueles que comia.

9. Pensava no que poderia fazer por Deus e pensei que a primeira coisa era seguir o chamamento que Sua Majestade havia me feito a uma ordem religiosa, observando minha regra com a maior perfeição que pudesse. E ainda que na casa em que estava houvesse muitas servas de Deus e Ele era fartamente servido nela, por ter grande necessidade, as monjas saíam muitas vezes para ir a partes em que com toda a honestidade e religião se podia ir. E também não estava fundada em seu primitivo rigor a regra, mas observava-se conforme o que se fazia em toda a ordem, que é com a bula de relaxamento.[1] E também havia outros inconvenientes, pois me parecia que tinha muitas regalias, por ser a casa grande e agradável. Mas esse inconveniente de sair, ainda que eu fosse das que o usava muito, já era bem grande para mim. Porque algumas pessoas a quem os prelados não podiam dizer não gostavam que eu estivesse em sua companhia e, importunados por elas, mandavam-me fazê-lo. E,

assim, conforme iam ordenando, pouco podia ficar no mosteiro, porque o demônio em parte devia ajudar para que eu não estivesse em casa. Mas, ainda assim, como comunicava a algumas aquilo que os que conversavam comigo me ensinavam, tirava-se grande proveito.

10. Deu-se uma vez, estando eu com uma pessoa,[2] perguntar ela a mim e a outras[3] se não estaríamos dispostas a ser monjas à maneira das descalças, pois até era possível fazer um mosteiro. Eu, como andava com esses desejos, comecei a falar disso com aquela senhora, minha companheira viúva, de quem já falei, que tinha esse mesmo desejo. Ela começou a fazer projetos para dotar o mosteiro de uma renda, que agora vejo que não iam dar em muita coisa, mas o desejo que tínhamos disso nos fazia parecer que sim. Eu, porém, por outro lado, como era muito contente na casa em que estava, porque era muito do meu gosto e a cela em que estava instalada muito de minha conveniência, ainda me detinha. Contudo, combinamos de pedir muito a Deus.

11. Tendo comungado um dia, mandou-me muito Sua Majestade que eu tentasse com todas as minhas forças, fazendo-me grandes promessas de que não se deixaria de fazer o mosteiro, e que se serviria muito a Deus nele. E que se chamasse São José. E que, em uma porta, nos protegeria ele, e na outra, Nossa Senhora e que Cristo estaria conosco. E que seria uma estrela que emanaria de si um grande esplendor. E que, ainda que as ordens religiosas estivessem relaxadas, que eu não pensasse que se servia pouco a Deus nelas, pois o que seria do mundo se não fosse pelos religiosos? Que dissesse a meu confessor isso que me mandava. E que pedia Ele que não fosse contra isso nem me atrapalhasse nisso.

12. Essa visão teve tão grandes efeitos e foi de tal maneira essa fala que me dirigia o Senhor que eu não podia duvidar de que era Ele. Eu senti grandíssimo pesar porque em parte me foram apresentados os grandes desas-

sossegos e trabalhos que me havia de custar e também porque eu estava contentíssima naquela casa. Então, ainda que eu não tratasse disso, não era com tanta determinação e certeza que seria feito. Aí me parece que punham pressão em mim e como estava começando uma coisa de grande desassossego, estava em dúvida sobre o que faria. Mas foram muitas as vezes em que o Senhor tornou a falar nisso, pondo diante de mim tantas causas e razões que eu via serem claras e que era sua vontade, que eu não ousei fazer outra coisa a não ser dizer para meu confessor. E disse-lhe por escrito tudo o que se passava.

13. Ele não ousou dizer-me decididamente que deixasse isso de lado, mas via que não trilhava um caminho conforme a razão natural, por haver pouquíssima ou nenhuma possibilidade em minha companheira, que era quem devia fazê-lo. Disse-me que conversasse sobre isso com meu prelado e, aquilo que ele fizesse, fizesse eu também. Eu não falava sobre essas visões com meu prelado, mas aquela senhora falou com ele que queria construir esse mosteiro. E o provincial[4] reagiu muito bem a isso, pois é amigo de toda vida religiosa e deu-lhe todo o favor que foi necessário e disse a ela que ele aceitaria a casa.

Trataram da renda que teria de ter e de que nunca queríamos que fossem mais de treze irmãs, por muitos motivos. Antes que começássemos a tratar disso, escrevemos ao santo frei Pedro de Alcântara tudo o que se passava e aconselhou-nos que não deixássemos de fazer e deu-nos sua opinião sobre tudo.

14. Nem se havia começado a saber no lugar, quando não se poderá escrever brevemente a grande perseguição que caiu sobre nós: os ditos, as risadas, o dizer que era um disparate. A mim, que estava bem no meu mosteiro, e à minha companheira. Tanta perseguição que a deixou desanimada. Eu não sabia o que fazer. Em parte me parecia que tinham razão. Estando assim muito desanimada, encomendando-me a Deus, começou Sua Ma-

jestade a consolar-me e animar-me. Disse-me que, com isso, veria o que haviam passado os santos que haviam fundado as ordens religiosas, pois teria que passar por muito mais perseguição do que podia pensar. Que não nos importássemos. Dizia-me algumas coisas para que eu dissesse à minha companheira e o que mais me espantava é que logo ficávamos consoladas do que havia se passado e com coragem para resistir a todos. E assim é que, entre gente de oração e tudo, enfim, no lugar não havia quase ninguém que então não estivesse contra nós e a quem não parecesse um enorme disparate.

15. Foram tantos os comentários e o alvoroço em meu próprio mosteiro, que ao provincial pareceu difícil pôr-se contra todos e, assim, mudou de ideia e não quis aceitar a casa. Disse que a renda não era segura e era pequena e era muita a oposição. E em tudo parece que tinha razão e, enfim, deixou a ideia e não quis aceitar a casa. A nós, que já parecia que tínhamos recebido os primeiros golpes, deu-nos muito grande tristeza. Em especial deu a mim ver o provincial ser contra, pois, querendo ele, eu já tinha uma desculpa com todos. À minha companheira já não queriam absolver se não deixasse o projeto, porque, diziam, era obrigada a deixar o escândalo.

16. Ela procurou um grande letrado,[5] muito grande servo de Deus, da Ordem de São Domingos, para dizer a ele e pô-lo a par de tudo. Isso foi antes ainda de o provincial ter deixado, porque em lugar nenhum tínhamos quem quisesse nos dar uma opinião e, assim, diziam que era tudo só das nossas cabeças. Fez um relato, essa senhora, de tudo e deu conta da renda que tinha de suas propriedades a esse santo homem, com muito desejo de que nos ajudasse, porque era o maior letrado que havia então no lugar e poucos havia mais letrados do que ele em sua ordem.

Eu disse a ele tudo o que pensávamos fazer e algumas das causas. Não lhe falei nada sobre revelação alguma, mas as razões naturais que me moviam, porque queria que nos desse sua opinião de acordo com elas. Ele nos pediu que déssemos oito dias de prazo para responder e perguntou se estávamos dispostas a fazer o que ele nos dissesse. Eu disse que sim, mas, ainda que dissesse isso e me parecesse que eu o faria, porque não via caminho naquele momento para levar adiante o projeto, nunca saía de mim uma segurança de que se havia de fazer. Minha companheira tinha mais fé. Nunca ela, por coisa nenhuma que lhe dissessem, se decidia a deixar o projeto.

17. Eu, ainda que — como ia dizendo — me parecesse impossível deixar de fazê-lo, creio de tal maneira ser verdadeira a revelação a ponto de não ir contra o que está na Sagrada Escritura ou contra as leis da Igreja que somos obrigadas a cumprir. Porque, ainda que me parecesse que era de Deus, se aquele letrado me dissesse que não podíamos fazer o mosteiro sem ofender a Deus e que iríamos contra a consciência, parece-me que logo me afastaria disso ou procuraria outro meio. Mas a mim não dava o Senhor outro meio senão esse.

Dizia-me depois esse servo de Deus que havia se encarregado disso com toda a determinação de fazer o possível para que nos afastássemos de fazer o mosteiro, porque já havia chegado a seu conhecimento o clamor do povo. E também a ele parecia desatino, como a todos. E, sabendo que tínhamos ido até ele, um cavalheiro mandou avisá-lo que prestasse atenção no que fazia, que não nos ajudasse. E que, começando a ver o que ia nos responder e a pensar no negócio e na intenção que tínhamos e o modo de acerto e de observância religiosa, assentou-se-lhe a ideia de que era muito a serviço de Deus e que não se devia deixar de fazer. E, assim, nos respondeu que nos apressássemos a concluí-lo. E disse a maneira e a planta que devia ter. E ainda que o patrimônio fosse pequeno, que em alguma coisa tinha que se confiar em Deus. Disse que quem o contradissesse deveria ir até ele, que ele responderia, e sempre nos ajudou assim, como contarei depois.

18. Com isso saímos muito consoladas. E com o fato de que algumas pessoas santas, que costumavam ser contra nós, ficavam já mais aplacadas, e algumas nos ajudavam. Entre elas estava o cavalheiro santo, de quem já fiz menção, pois, como lhe parecia que ia por um caminho de muita perfeição, por ser todo o nosso fundamento na oração, ainda que os meios lhe parecessem muito difíceis e sem jeito, rendia-se à opinião de que podia ser coisa de Deus, pois Ele mesmo, o Senhor, deve tê-lo movido. E assim fez ao Mestre[6] que é o espelho do lugar todo, como pessoa que tem Deus em si para remédio e proveito de muitas almas, e já vinha a ajudar-me no negócio.

E, estando nesses termos e sempre com ajuda de muitas orações e tendo comprada já boa parte da casa, ainda que fosse pequena. Mas isso a mim não importava nada, pois me havia dito o Senhor que entrasse como pudesse, pois depois eu veria o que Sua Majestade fazia. E como vi! Assim, ainda que visse que era pequena a renda, tinha acreditado que o Senhor haveria de nos ordenar e favorecer por outros meios.

CAPÍTULO 33

AVANÇA NA MESMA MATÉRIA DA FUNDAÇÃO DO GLORIOSO SÃO JOSÉ. DIZ COMO MANDARAM QUE ELA NÃO SE ENVOLVESSE NELA E O PERÍODO EM QUE O ABANDONOU E ALGUMAS PROVAÇÕES QUE TEVE, E COMO A CONSOLAVA NELAS O SENHOR

1. Então, estando as coisas nesse estado e tão a ponto de completar-se que a qualquer momento se fariam as escrituras, foi quando o padre provincial mudou de opinião. Acredito que foi movido por ordenação divina, segundo me pareceu depois. Porque, como as orações eram tantas, o Senhor ia aperfeiçoando a obra e ordenando que se fizesse de outra maneira. Quando ele não quis aceitar, logo meu confessor mandou que eu não me envolvesse mais com isso, apesar de o Senhor saber os grandes trabalhos e aflições que até levar as coisas àquele estado me haviam custado. Como se abandonou e ficou assim, confirmou-se mais ser tudo um disparate de mulheres e cresceu a murmuração contra mim, mesmo tendo-o mandado, até então, o provincial.

2. Andava muito malquista em todo o mosteiro, porque queria fazer um mosteiro mais fechado. Diziam que eu as afrontava. Que ali também podia servir a Deus, já que havia outras melhores do que eu. Que eu não tinha amor à casa. Que era melhor procurar renda para ela

do que para outro lugar. Umas diziam para me pôr na cadeia.[1] Outras, bem poucas, tomavam em alguma coisa o meu partido.

Eu bem via que em muitas coisas tinham razão e às vezes dava a elas um desconto, ainda que, como não iria dizer o principal, que era o Senhor ter mandado, não sabia o que fazer, e assim calava outras vezes. Fazia-me Deus uma dádiva muito grande, pois tudo isso não me causava inquietação, antes deixei tudo com tanta facilidade e alegria como se não tivesse me custado nada. E isso ninguém conseguia acreditar, nem mesmo as pessoas de oração que conviviam comigo, mas pensavam que eu estava muito triste e envergonhada. E até meu confessor não conseguia acreditar. Eu, como me parecia que havia feito tudo o que tinha podido, parecia-me que não era mais obrigada ao que me havia mandado o Senhor, e ficava na casa onde estava muito alegre e à vontade. Mesmo não podendo nunca deixar de acreditar que havia de ser feito, eu já não via meios, nem sabia como nem quando, mas tinha certeza de que se faria.

3. O que me desanimou muito foi uma vez que meu confessor, como se eu tivesse feito alguma coisa contra sua vontade (também devia querer o Senhor que, daquela parte que mais me haveria de causar dor, não deixasse de vir provação) e assim, nessa multidão de perseguições, quando a mim parecia que dele viria o consolo, escreveu-me que eu logo veria que era tudo um sonho o que tinha acontecido. Que eu me emendasse dali para a frente para não querer fazer nada nem falar daquilo, já que via o escândalo que havia sucedido, e outras coisas, todas de causar tristeza.

Isso me deu maior tristeza do que todo o resto junto. Fiquei pensando se havia sido eu ocasião de pecado e tido culpa em que se ofendesse a Deus. E se essas visões eram uma ilusão. Pensei que toda a oração que tinha era um engano e que eu andava muito enganada e perdida. Angustiou-me isso em tal extremo que estava toda perturbada e com enorme aflição. Mas o Senhor, que nunca me faltou, pois em todas essas provações que contei muitas vezes me consolava e dava forças, e não há por que dizê-lo de novo aqui, me disse, então, que não desanimasse. Disse que eu já havia servido muito a Deus e não ofendido-o naquele negócio. Que fizesse o que me mandava o confessor em ficar calada por enquanto, até que fosse tempo de voltar àquilo. Fiquei tão consolada e alegre, que tudo me parecia nada, na perseguição que havia contra mim.

4. Com isso ensinou-me o Senhor o enorme bem que é passar por provações e perseguições por Ele, porque foi tanto o acréscimo que vi em minha alma de amor de Deus e outras muitas coisas que eu me espantava. E isso me faz não conseguir deixar de desejar provações. E as outras pessoas pensavam que eu estava muito envergonhada. E eu teria estado, sim, se o Senhor não me favorecesse a tal ponto com dádiva tão grande. Então começaram em mim maiores os ímpetos de amor a Deus — como já disse — e maiores arrebatamentos, ainda que eu ficasse quieta e não falasse para ninguém desses lucros. O santo homem dominicano[2] não deixava de ter tanta certeza quanto eu de que se havia de fazer. E como eu não queria me envolver nisso para não ir contra a obediência a meu confessor, tratava disso com ele minha companheira e escreviam a Roma e faziam planos.

5. Também começou aqui o demônio, com uma ou outra pessoa, a tentar fazer que se soubesse que eu tinha visto alguma revelação nesse negócio. E me procuravam com muito medo para dizer-me que os tempos eram duros e que poderia ser que levantassem algo contra mim e fossem aos inquisidores.

A mim isso caiu como um gracejo e me fez rir. Porque nesse caso eu nunca tive medo, pois sabia bem de mim que em coisa de fé contra a menor cerimônia da Igreja que alguém viesse eu acompanhava. Por ela e por qualquer verdade da Sagrada Escritura me poria a morrer mil mortes. E disse que não tivessem medo disso, pois seria muito mau para minha alma se houvesse alguma coisa nela que fosse de sorte que me fizesse temer a Inquisição. Disse que, se eu pensasse que havia motivo, iria eu mesma procurá-la. E que se fosse algo armado, o Senhor me livraria e eu ficaria com lucro.

E falei disso com esse meu padre dominicano que, como disse, era tão letrado que podia dar-me segurança com o que ele me dissesse. E contei-lhe então todas as visões e o modo de oração e as grandes dádivas que me fazia o Senhor, com a maior clareza que pude. E supliquei a ele que olhasse com muita atenção e me dissesse se havia algo contra a Sagrada Escritura e o que tudo isso lhe parecia. Ele me deu muita segurança e, na minha opinião, foi-lhe proveitoso. Porque, ainda que ele fosse muito bom, dali em diante entregou-se muito mais à oração e se afastou para um mosteiro de sua ordem[3] onde há muita solidão, para melhor poder se exercitar nisso. Ficou lá dois anos e tirou-o de lá a obediência — e ele sentiu muito —, porque tiveram necessidade dele, sendo a pessoa que era.

6. Eu, em parte, senti muito quando se foi — ainda que não o tenha estorvado — pela grande falta que me fazia. Mas entendi seu ganho. Porque, estando com muita tristeza com sua partida, me disse o Senhor que não a tivesse, porque ele ia bem guiado.

Veio de lá tão avançada sua alma e tão adiante em aproveitamento de espírito, que me disse, quando veio, que por nada quereria ter deixado de ir para lá. E eu também podia dizer o mesmo, porque aquilo que antes me dava de segurança apenas com sua erudição, agora fazia também com a experiência de espírito, pois tinha muito de coisas sobrenaturais. E trouxe-lhe Deus em um tempo em que viu Sua Majestade que ele seria necessário para ajudar na obra desse mosteiro que Sua Majestade queria que se fizesse.

7. Então estive nesse silêncio e não me envolvendo nem falando desse negócio por cinco ou seis meses. E nunca o Senhor mandou. Eu não sabia qual era a causa, mas não podia tirar do pensamento que se haveria de fazer.

Ao fim desse tempo, tendo-se ido daqui o reitor que estava na Companhia de Jesus, trouxe Sua Majestade para cá um outro,[4] muito espiritual e de grande coragem e inteligência e de boa cultura, num tempo em que eu estava muito necessitada. Porque, como o que ouvia minha confissão tinha um superior, e eles têm em extremo essa virtude de não se mexer a não ser conforme a ordem de seu superior, ainda que ele entendesse bem meu espírito e tivesse desejo de que eu fosse muito adiante, não ousava se decidir em algumas coisas, por muitos motivos que para isso tinha. E meu espírito já estava com ímpetos tão grandes que me incomodava muito mantê-lo amarrado e, com tudo isso, não me afastava do que me mandavam.

8. Estando um dia com grande aflição por parecer--me que o confessor não acreditava em mim, disse-me o Senhor que não desanimasse, pois logo acabaria aquele tormento. Eu me alegrei muito pensando que era porque ia morrer logo e tinha muita alegria quando me recordava. Depois vi claramente que se tratava da vinda desse reitor de quem falo, porque, aquele tormento, nunca mais se ofereceu causa para que eu o tivesse. Por causa de o reitor que veio não ir pela trilha do ministro que era meu confessor. Antes dizia a ele que me consolasse e que não havia o que temer e que não me levasse por um caminho tão estreito. Que deixasse operar o espírito do Senhor, pois às vezes parecia que, com esses grandes ímpetos de espírito, não sobrava para a alma um jeito de respirar.

9. Fui ver esse reitor e mandou-me o confessor que conversasse com ele com toda liberdade e clareza. Eu costumava sentir uma grande oposição ao falar disso.

E assim foi que, entrando no confessionário, senti no espírito um não sei quê, que nem antes nem depois me recordo de tê-lo sentido com ninguém, nem eu saberia dizer como foi. Nem por meio de comparações conseguiria. Porque foi um gozo espiritual e entendeu a minha alma que aquela alma havia de entendê-la e que se conformava com ela, ainda que — como ia dizendo — não entenda como. Porque se tivesse falado com ele ou me tivessem dado extensas notícias sobre ele, não seria de estranhar dar-me prazer perceber que ele haveria de me entender. Mas nem uma palavra eu a ele ou ele a mim tínhamos dito. Nem era uma pessoa de que eu tivesse antes alguma notícia. Depois eu vi bem que não se enganou o meu espírito, porque de todas as maneiras foi de grande proveito para mim e para a minha alma conviver com ele. Porque o convívio com ele é muito para pessoas que o Senhor já parece que mantém muito adiante, porque ele as faz correr e não andar a passo. E seu método é para desapegá-las de tudo e mortificá-las, pois para isso lhe deu o Senhor enorme talento, como também em muitas outras coisas.

10. Quando comecei a conviver com ele, logo entendi seu estilo e vi ser uma alma pura, santa e com um dom particular do Senhor para conhecer espíritos. Consolei-me muito. Depois que fazia pouco tempo que conversava com ele, tornou o Senhor a me pressionar para que voltasse a falar do negócio do mosteiro e que dissesse a meu confessor e a esse reitor muitos argumentos para que não me estorvassem. E alguns os faziam ter medo, porque esse padre reitor nunca duvidou de que era espírito de Deus, porque com muita atenção e cuidado considerava todos os efeitos. Depois de muitas coisas, não ousavam atrever-se a me estorvar.

11. Tornou meu confessor a dar-me licença para que aplicasse nisso tudo o que pudesse. Eu bem via o trabalho que me dava, por estar muito sozinha e ter pouquíssima

possibilidade. Combinamos de tratar disso com todo o segredo e, assim, procurei fazer com que uma irmã minha, que vivia fora daqui,[5] comprasse a casa e lavrasse a escritura como se fosse para ela com o dinheiro que o Senhor deu, por algumas vias, para comprá-la. Seria muito extenso contar como o Senhor foi provendo, porque eu levava em grande conta não fazer nada contra a obediência, mas sabia que, se dissesse aos meus prelados, estaria tudo perdido, como da vez anterior, e seria até pior.

Para ter o dinheiro, procurá-lo, fazer os contratos e fazê-lo render, passei por tantas provações, e algumas bem sozinha, que agora me espanto de como pude aguentar. Ainda que minha companheira fizesse o que podia, mas podia pouco, e tão pouco que era quase nada além de fazer as coisas em seu nome e com seu favor, e todo o resto do trabalho era meu. Algumas vezes, aflita, dizia: "Senhor meu, como me mandais coisas que parecem impossíveis? Pois, mesmo sendo mulher, mas se tivesse liberdade! Mas amarrada por tantos lados, sem dinheiro nem ter de onde tirá-lo, nem para Breve[6] nem para nada, o que posso fazer, Senhor?".

12. Uma vez, estando em uma necessidade em que não sabia o que fazer, nem com que pagar uns funcionários, apareceu-me são José, meu verdadeiro pai e senhor, e me fez entender que não faltaria dinheiro, que os contratasse. E assim fiz, sem nenhum centavo, e o Senhor, por maneiras que espantavam os que ouviam falar disso, proveio.[7]

A casa era muito pequena, tanto que não parecia que tivesse jeito de ser um mosteiro, e queria comprar outra que ficava ao lado, também muito pequena, para fazer a igreja. Não tinha com que, nem havia maneira de comprar, nem eu sabia o que fazer. Acabando de comungar, um dia, disse-me o Senhor: "Já te disse que comece como puderes". E como numa exclamação também me disse: "Oh, cobiça do gênero humano, que até terra pensas que te vai faltar! Quantas vezes dormi no sereno por não ter onde me abrigar!". Eu fiquei muito assustada e vi que tinha razão. E fui até a casinha e desenhei-a e achei jeito de fazer, ainda que bem pequeno, um mosteiro completo. E não me preocupei mais em comprar outro lugar, mas procurei que se construísse nela de maneira que se pudesse viver, tudo tosco e sem construir, não mais do que o necessário para não ser perigoso à saúde. E assim se há de fazer sempre.

13. No dia de Santa Clara, indo comungar, ela me apareceu com muita formosura. Disse-me que me esforçasse e fosse adiante no que tinha começado, que ela me ajudaria. Eu tomei grande devoção a ela. E revelou-se ser tão verdade o que ela disse que um mosteiro[8] da sua ordem que fica perto deste ajuda a nos sustentar. E o que foi mais importante: pouco a pouco trouxe esse desejo meu a tanta perfeição que a pobreza em que se mantinha a casa dessa bem-aventurada santa se mantém nesta e vivemos de esmolas. E não me custou pouco trabalho para que fosse com toda a firmeza e autoridade do Santo Padre[9] que não se possa fazer outra coisa, nem jamais tenha renda. E o Senhor faz mais, e deve talvez ser a pedido dessa bendita santa, pois sem demanda nenhuma nos provê Sua Majestade muito fartamente do necessário. Seja bendito por tudo, amém.

14. Estando nesses mesmos dias o de Nossa Senhora da Assunção, em um mosteiro do glorioso são Domingos,[10] estava pensando nos muitos pecados que em tempos passados tinha confessado naquela casa e na minha vida ruim. Veio-me um arrebatamento tão grande que quase me tirou de mim. Sentei-me e até me parece que não consegui ver a elevação[11] nem ouvir missa. E depois senti escrúpulos por isso. Pareceu-me, estando assim, que via vestirem-me uma roupa de muita brancura e claridade. No começo não via quem me vestia, depois vi Nossa Senhora do lado direito e meu pai são José do esquerdo que me vestiam aquela roupa. Fez-me enten-

der que já estava limpa dos meus pecados. Terminada de vestir, e eu com enorme prazer e glória, logo me pareceu tomar-me pelas mãos Nossa Senhora. Disse-me que eu lhe dava grande alegria em servir ao glorioso são José, que acreditasse que o que eu pretendia do mosteiro se faria e nele se serviria muito ao Senhor e a eles dois. Disse que não tivesse medo porque não haveria quebra disso jamais, ainda que a regra que aprovavam não fosse do meu agrado, porque eles nos protegeriam. E que seu Filho já havia prometido ficar conosco e que para sinal disso me dava aquela joia. Pareceu ter jogado no meu colo um colar de ouro muito bonito, presa a ele uma cruz de grande valor. Esse ouro e essas pedras são tão diferentes dos daqui que não têm comparação. Porque sua beleza é muito diferente do que podemos imaginar aqui, pois o entendimento não alcança entender de que era a roupa nem como imaginar o branco que o Senhor quer que se mostre, pois tudo o que é daqui parece um desenho a carvão, por assim dizer.

15. Era enorme a beleza que vi em Nossa Senhora, ainda que eu não tenha determinado nenhuma figura em particular, mas sim as feições do rosto todas juntas. Vestida de branco, com enorme brilho, não que ofusca, mas suave. Ao glorioso são José não vi tão claramente, ainda que vi bem que estava ali, como nas visões de que falei em que não se vê. Nossa Senhora me parecia muito menina.

Estando assim comigo um pouco, e eu com enorme glória e alegria, mais — na minha opinião — do que jamais havia tido e quisera nunca sair dela, pareceu-me que os via subir ao céu com grande multidão de anjos.

Eu fiquei muito sozinha, ainda que consolada e elevada e recolhida em oração e enternecida. E fiquei um tempo sem poder me mexer nem falar, mas quase fora de mim. Fiquei com um ímpeto grande de me desmanchar por Deus e com tais efeitos e tudo se passou de modo a que eu nunca pude duvidar, ainda que tentasse muito, de que fosse coisa de Deus. Deixou-me consoladíssima e com muita paz.

16. O que a Rainha dos Anjos falou sobre a regra é o que me fazia mal, por não dá-la à ordem, mas havia me dito o Senhor que não convinha dá-la a eles. Deu-me as causas pelas quais de maneira nenhuma convinha que eu o fizesse, mas que enviasse a Roma por certa via, que também me disse, que Ele faria que dali viesse garantia. E assim foi. Enviou-se por onde o Senhor me disse — pois nunca acabávamos de negociá-la — e tudo saiu muito bem. E para as coisas que aconteceram depois foi muito conveniente que se desse a regra ao bispo.[12] Mas à época eu não o conhecia, nem sabia ainda que prelado seria. E quis o Senhor que fosse tão bom e favorecesse tanto esta casa quando foi necessário pela grande controvérsia que houve nela — como contarei depois — e para pô-la no estado em que está. Bendito seja Ele que assim fez tudo, amém.

CAPÍTULO 34

TRATA DE COMO, NESSE TEMPO, FOI CONVENIENTE QUE SE AUSENTASSE DESTE LUGAR. DIZ A CAUSA E COMO A MANDOU IR SEU PRELADO PARA CONSOLO DE UMA SENHORA MUITO IMPORTANTE QUE ESTAVA MUITO AFLITA. COMEÇA A TRATAR DO QUE LHE SUCEDEU LÁ E A GRANDE DÁDIVA QUE O SENHOR LHE FEZ DE SER O MEIO PELO QUAL SUA MAJESTADE DESPERTOU UMA PESSOA MUITO IMPORTANTE PARA SERVIR-LHE MUITO VERDADEIRAMENTE E QUE ELA TIVESSE DEPOIS FAVOR E AMPARO N'ELE. É MUITO NOTÁVEL

1. Então, por maior cuidado que eu tomasse para que não se percebesse, não conseguia fazer tão em segredo essa obra de maneira que não percebessem muito algumas pessoas: umas acreditavam, outras não. Eu tinha muito medo de que, vindo o provincial, se lhe dissessem algo sobre isso, iria me mandar não me meter nisso e logo estaria tudo encerrado.

O Senhor proveio desta maneira que se ofereceu em um lugar grande,[1] a mais de vinte léguas daqui, onde estava uma senhora[2] muito aflita por causa de lhe ter morrido o marido. Estava em tal estado que se temia por sua saúde. Teve notícias desta pecadorazinha, pois assim ordenou o Senhor que falassem bem de mim a ela, para outros bens que a partir daqui sucederam. Essa senhora conhecia muito bem o provincial e como era uma pessoa importante e soube que eu estava em um mosteiro de onde as monjas podiam sair, pôs-lhe o Senhor tão grande desejo de me ver, parecendo-lhe que se consolaria comigo, que não devia ser capaz de evitar. Ao contrário, procurou, de todo jeito que pôde, levar-me para lá, escrevendo ao provincial, que estava bem longe. Ele me enviou uma ordem com preceito de obediência que eu fosse depressa com outra companheira. Eu fiquei sabendo na noite de Natal.

2. Causou-me algum alvoroço e muita tristeza ver que, por pensar que havia em mim algum bem, me queria levar, pois, como eu me via tão ruim, não podia aguentar isso. Encomendando-me muito a Deus, fiquei durante todo o ofício de matinas, ou grande parte dele, em grande arrebatamento. Disse-me o Senhor que não deixasse de ir e que não desse ouvidos a opiniões, porque poucos me aconselhariam sem temeridade. Porque, ainda que eu tivesse provações, servir-se-ia muito a Deus, e que, para esse negócio do mosteiro convinha ausentar-me até que chegasse o Breve. Porque o demônio tinha armado uma grande trama, para quando voltasse o provincial. Que não tivesse medo de nada, pois Ele me ajudaria lá.

Eu fiquei muito fortalecida e consolada. Contei ao reitor. Ele disse que de maneira nenhuma deixasse de ir. Porque outros me diziam que era inaceitável, que era invenção do demônio para que lá me ocorresse algum mal, que voltasse a escrever ao provincial.

Eu obedeci ao reitor, e, com o que havia escutado na oração, ia sem medo, ainda que não sem enorme embaraço por ver a título de que me levavam e como se enganavam tanto. Isso me fazia importunar mais ao Senhor para que não me deixasse. Consolava-me muito o fato de que havia uma casa da Companhia de Jesus naquele lugar aonde eu ia. E, estando sujeita ao que me mandassem, como estava aqui, me parecia que ficaria com alguma segurança.

3. Quis o Senhor que aquela senhora se consolasse tanto que uma sensível melhora começou a ter e a cada dia se encontrava mais consolada. Isso foi tido como uma grande coisa, porque — como já disse — a tristeza a mantinha em grande aperto. E o Senhor devia estar fazendo isso por causa das muitas orações que faziam por mim as pessoas santas que eu conhecia, para que tudo corresse bem para mim. Ela era muito temente a Deus e tão boa que seu grande cristianismo supriu o que a mim faltava. Tomou grande amor por mim. Eu tinha muito amor por ela por ver sua bondade, mas quase tudo era uma cruz para mim. Porque as regalias me causavam grande tormento. E fazerem grande caso de mim me deixava com muito medo. Minha alma andava tão encolhida que eu não ousava me descuidar, nem descuidava o Senhor, porque, estando ali, fez-me enormes dádivas. E essas me davam tanta liberdade e me faziam tanto menosprezar tudo o que via — e quanto mais dádivas, mais — que não deixava de conversar com aquelas senhoras tão importantes, que para minha grande honra eu pude servir, com a liberdade que teria se fosse igual a elas.

4. Obtive um lucro muito grande e o dizia. Vi que era uma mulher e tão sujeita a paixões e fraquezas quanto eu. E a pouca consideração que se deve ter pelo estado senhorial e como, quanto maior for, mais preocupações e trabalhos tem. E uma preocupação de manter a compostura condizente com seu estado que não as deixa viver. Comer sem tempo e sem conveniência, porque tudo tem que ser conforme seu estado e não conforme as necessidades. Muitas vezes têm que comer os pratos mais de acordo com seu estado do que com o seu gosto.

Assim, repugnou-me totalmente o desejo de ser senhora — Deus me livre de pouca compostura! —, ainda que essa senhora, mesmo sendo uma das principais do reino, creio que há poucas mais humildes e é de muita simplicidade. Eu tinha pena dela, e tenho, por ver como muitas vezes age contra sua inclinação para cumprir com as obrigações de seu estado.

Nos criados, então, é pouco o que se deve confiar, ainda que ela tivesse bons criados. Não se deve falar mais com um do que com outro, senão aquele que se favorece vai ficar malquisto. Isso é uma servidão. A tal ponto que uma das mentiras que o mundo diz é chamar de senhores a pessoas semelhantes, pois não me parecem senão escravos de mil coisas.

5. Quis o Senhor que, no tempo em que passei naquela casa, melhoraram no servir a Sua Majestade as pessoas de lá. Ainda que eu não tenha estado livre de provações e algumas invejas que tinham algumas pessoas pelo muito amor que aquela senhora tinha por mim. Deviam, talvez, pensar que eu pretendia algum interesse. Devia permitir o Senhor que me dessem algum trabalho coisas semelhantes e outras de outro tipo, para que não me embevecesse na regalia que, por outro lado, eu tinha. E quis tirar-me de tudo com melhora da minha alma.

6. Estando eu ali, calhou de vir um religioso,[3] pessoa muito importante com quem eu, ao longo de muitos anos, havia conversado algumas vezes. Estando na missa em um mosteiro de sua ordem, que ficava perto de onde eu estava, deu-me vontade de saber em que disposição estava aquela alma, pois eu desejava que fosse muito servo de Deus. E me levantei para falar com ele. Como eu já estava recolhida em oração, pareceu-me depois que seria perder tempo. Que tinha que me meter com aquilo? E tornei a me sentar. Parece-me que foram três, três vezes que isso me aconteceu. E, no fim, pôde mais o anjo bom do que o mal e fui chamá-lo e veio falar comigo em um confessionário. Comecei a fazer-lhe perguntas e ele a mim — porque havia muitos anos que não nos víamos — sobre nossas vidas. Eu comecei a dizer que a minha tinha

sido de muitos trabalhos de alma. Fez muita questão de que lhe dissesse o que eram esses trabalhos. Eu lhe disse que não eram para ser sabidos nem para que eu os contasse. Ele disse que, já que o padre dominicano[4] de quem falei sabia — que era muito amigo dele —, que logo ele diria e que eu não me importasse.

7. O fato é que, nem esteve nas mãos dele deixar de me importunar, nem nas minhas, me parece, deixar de contar a ele. Porque com todo o peso e a vergonha que eu costumava ter quando contava essas coisas, com ele e com o reitor de que falei não tive nenhum incômodo, antes me consolei muito. Contei sob confissão. Pareceu-me mais sensato do que nunca, ainda que eu sempre o tenha considerado de grande inteligência. Observei os grandes talentos e capacidade que tinha para progredir em tudo. Porque eu tenho isso de uns anos para cá: não vejo uma pessoa que me agrade muito que eu não queira logo vê-la dar-se totalmente a Deus, com uma tal ânsia que, às vezes, não consigo me controlar. E ainda que queira que todos o sirvam, com essas pessoas que me agradam é com grande ímpeto, e, assim, importuno muito o Senhor por elas. Com o religioso de que falo, aconteceu assim.

8. Pediu-me que o encomendasse muito a Deus. E não havia necessidade de dizê-lo, pois eu já estava de um jeito que não poderia fazer outra coisa. E vou aonde costumava fazer orações a sós, e começo a conversar com o Senhor, estando muito recolhida, com um estilo abobado com que muitas vezes, sem saber o que digo, converso, pois o amor é que fala e está a alma tão alheada que não olho para a diferença que haja entre ela e Deus. Porque o amor que Sua Majestade sabe que ela tem a faz esquecer de si. E lhe parece que ela está n'Ele, e, como uma coisa própria, sem divisão, fala desatinos. Lembro-me que disse-lhe isto, depois de pedir-lhe com muitas lágrimas que pusesse aquela alma a seu serviço muito

verdadeiramente, pois, ainda que o considerasse bom, não me contentava: eu o queria muito bom. E assim disse: "Senhor, não me haveis de negar essa dádiva, vede que é bom esse sujeito para ser nosso amigo".

Oh, bondade e humanidade grande de Deus, como não olha as palavras, mas os desejos e a vontade com que se dizem! Como tolera que uma como eu fale a Sua Majestade tão atrevidamente! Seja bendito para sempre e sempre!

9. Lembro-me de que me deu naquela noite uma aflição grande por pensar se estava em inimizade com Deus e como eu não podia saber se estava em graça ou não. Não que eu desejasse saber, mas desejava morrer para não me ver em vida onde não estivesse segura como estaria se estivesse morta, porque não podia haver morte mais dura para mim do que pensar se tinha ofendido a Deus. E angustiava-me essa dor. Suplicava-lhe que não o permitisse, toda carinhosa e derretida em lágrimas. Então entendi que bem podia me consolar e estar certa de que estava em graça, porque um tal amor a Deus e fazer Sua Majestade aquelas dádivas e sentimentos que dava à alma não se coadunava com alma que estivesse em pecado mortal.

10. Fiquei confiante de que o Senhor faria o que eu lhe suplicava por essa pessoa. Disse-me que dissesse a ele umas palavras. Isso me incomodou muito, porque não sabia como dizê-las. Porque isso de dar recado a uma terceira pessoa — como já disse — é o que mais me incomoda sempre, em especial a alguém que eu não sabia como as tomaria, ou se zombaria de mim. Pus-me em grande opressão. No fim, fui tão persuadida que — ao que me parece — prometi a Deus não deixar de dizê-las, e, pela grande vergonha que tinha, escrevi e entreguei a ele.

11. Mostrou-se bem ser coisa de Deus na ação que realizaram nele essas palavras. Determinou-se muito de verdade dar-se à oração, ainda que não o tenha feito de imediato. O Senhor, como o queria para si, por meio de mim escrevia para dizer-lhe algumas verdades que, sem

entendê-las eu, vinham tão a propósito que ele se espantava. E o Senhor devia dispô-lo para acreditar que era Sua Majestade. Eu, ainda que miserável, era muito o que suplicava ao Senhor que muito totalmente o voltasse a si e o fizesse se aborrecer com as alegrias e coisas da vida.

E assim — seja louvado para sempre! — o fez tão de fato que cada vez que fala comigo me deixa abobada. E se eu não tivesse visto, consideraria duvidoso em tão pouco tempo fazer-lhe tão crescidas dádivas e mantê-lo tão ocupado com Ele, pois já não parece que vive para outra coisa da terra. Sua Majestade o leve pela mão, pois se assim vai em frente, o que eu espero no Senhor que se fará, por ir muito fundado em conhecer-se, será um dos mais destacados servos seus e de grande proveito para muitas almas. Porque em coisas do espírito em pouco tempo tem muita experiência, pois esses são dons que dá Deus quando quer e como quer e não importam nem o tempo nem os serviços. Não digo que isso não importe muito, mas sim que, muitas vezes, não dá o Senhor em vinte anos a contemplação que a outros dá em um. Sua Majestade sabe a causa.

E é o engano, pois nos parece que pelos anos devemos saber o que de nenhuma maneira se pode alcançar sem experiência. E assim muitos erram — como já disse — em querer conhecer espírito sem tê-lo. Não digo que quem não tiver espírito, se for letrado, não deva governar a quem tenha, mas percebe-se, no exterior e no interior, que vai conforme a via natural, por obra do entendimento. E no sobrenatural que vê vá conforme a Sagrada Escritura. No resto, não se torture, nem pense entender aquilo que não entende, nem sufoque os espíritos, pois, quanto àquilo, um outro Senhor, maior, já os governa e não estão sem superior.

12. Não se espante nem lhe pareçam coisas impossíveis — tudo é possível para o Senhor —, mas procure fortalecer a fé e humilhar-se pelo fato de que, nessa ciência,

o Senhor faz mais sábia a uma velhinha, talvez, do que ele, ainda que seja muito letrado. E com essa humildade aproveitará mais às almas e a si do que por se fazer contemplativo sem sê-lo. Porque, torno a dizer, que, se não tiver experiência, se não tiver muita, muita humildade em saber que não sabe e que não por isso é impossível, ganhará pouco e fará ganhar menos as pessoas com quem conversa. Não tenha medo de que, se tiverem humildade, o Senhor não permitirá que se engane nem um nem o outro.

13. Então, a esse padre de que falo, como em muitas coisas deu o Senhor experiência, procurou estudar tudo o que, por estudo, pôde nesse caso — pois é bom letrado —, e do que não entende por experiência, informa-se com quem a tem. E, além disso, ajuda-lhe o Senhor dando-lhe muita fé. E assim aproveitou muito e foi de muito proveito para algumas almas, e a minha é uma delas. Pois como o Senhor conhecia as provações em que me veria, parece que proveu Sua Majestade que, já que havia de levar a alguns que me governavam,[5] ficassem outros que me ajudaram em grandes provações e fizeram grande bem. O Senhor o mudou quase todo, de modo que ele quase não se reconhece — por assim dizer. E deu forças corporais para a penitência que antes não tinha, ao contrário, era doente. E é corajoso para tudo o que é bom e outras coisas a tal ponto que parece ser um chamado muito particular do Senhor. Seja bendito para sempre.

14. Creio que todo o bem lhe vem das dádivas que o Senhor lhe fez na oração, porque não são postiços. Porque já em algumas coisas quis o Senhor que se tenha provado para sair delas como quem tem já conhecida a verdade do mérito que se ganha em sofrer perseguições. Espero na grandeza do Senhor que há de vir muito bem a alguns de sua ordem por ele e à própria ordem. Já se começa a perceber isso. Vi grandes visões e disse-me o Senhor algumas coisas dele e do reitor da Companhia

de Jesus de quem falei, muito admiráveis, e de outros religiosos da Ordem de São Domingos, especialmente de um,[6] de quem deu a entender o Senhor, também por obras em seu progresso espiritual, algumas coisas que antes eu havia percebido dele. Mas nesse de quem falo agora foram muitas.

15. Uma coisa quero contar agora aqui. Estava eu uma vez com ele em um locutório e era tanto o amor que minha alma e espírito percebia que ardia no dele, que eu estava quase pasma. Porque meditava as grandezas de Deus: em quão pouco tempo havia elevado uma alma a tão grande estado. Causava-me imenso embaraço porque eu o via escutar com tanta humildade o que eu lhe dizia sobre algumas coisas de oração. Como eu tinha pouca humildade, a ponto de falar assim com semelhante pessoa, o Senhor devia tolerar pelo grande desejo que eu tinha de vê-lo muito avançado. Causava-me tanto proveito estar com ele que parece que deixava minha alma com um novo fogo aceso para desejar servir o Senhor desde o início. Oh meu Jesus, o que faz uma alma abrasada em vosso amor! Como deveríamos avaliá-la bem e suplicar ao Senhor que a deixasse nesta vida!

16. Quem tem o mesmo amor andaria atrás dessas almas se pudesse. É uma grande coisa um doente achar outro doente do mesmo mal. Consola-se muito por ver que não está sozinho. Ajudam-se muito a padecer e até a merecer. Fazem-se excelentes apoios pessoas já determinadas a arriscar mil vidas por Deus e desejam que se lhes ofereça oportunidade em que perdê-las. São como soldados que, para ganhar os despojos e ficar ricos com eles, desejam que haja guerra. Perceberam que não o serão a não ser assim. É esse seu ofício, o trabalhar. Oh, é uma grande coisa quando o Senhor dá essa luz de entender o muito que se ganha ao padecer por Ele! Não se percebe bem isso até que se deixa tudo, porque quem está no mundo, é sinal de que o tem em alguma consideração. En-

tão, se o tem em consideração, é forçoso que vai deixá-lo com pesar e assim já vai tudo imperfeito e perdido. Bem se vê aí que está perdido quem atrás de perdido anda. E que maior perdição, e que maior cegueira, que maior desventura que ter em alta conta o que não é nada?

17. Voltando então ao que dizia, estando eu em enorme prazer olhando aquela alma, pois me parece que o Senhor queria que visse claramente os tesouros que tinha posto nela, e vendo a dádiva que me tinha feito em que fosse por meio de mim — achando-me indigna dela — em muito maior consideração tinha eu as dádivas que o Senhor tinha feito a ele e mais na minha conta as punha do que se fossem para mim. E louvava muito ao Senhor por ver que Sua Majestade ia cumprindo meus desejos e tinha ouvido minha oração, que era despertar o Senhor pessoas semelhantes. Estando minha alma que já não podia aguentar em si tanto prazer, saiu de si e perdeu-se para ganhar mais. Perdeu os pensamentos, e por ouvir aquela língua divina em que parece que falava o Espírito Santo, deu-me um grande arrebatamento que me fez quase perder os sentidos, embora tenha durado pouco tempo. Vi a Cristo com enorme majestade e glória, mostrando grande alegria com o que ali se passava. E assim me disse. E quis que se visse claramente que em conversas semelhantes Ele sempre estava presente e o muito que se serve em que assim se deleitem em falar d'Ele.

De outra vez, estando longe desse lugar, vi-o com muita glória subir até os anjos. Por essa visão entendi que sua alma estava bastante avançada. E assim foi, pois tinham armado uma grande denúncia contra sua honra. Uma pessoa a quem ele tinha feito muito bem e remediado a honra e a alma dela. E ele passou por isso com grande alegria e fez outras obras muito a serviço de Deus e passou por outras perseguições.

18. Não me parece que convém agora dizer mais coisas. Se, depois, parecer ao senhor que convém, uma vez

que as conhece, se poderão expor para glória do Senhor. De todas as que falei sobre profecias a respeito desta casa, e outras que falarei dela, e de outras coisas, todas se cumpriram. Algumas três anos antes que se soubessem — outras mais, outras menos — me dizia o Senhor. E eu sempre as dizia ao confessor e a essa amiga viúva com quem tinha liberdade de falar, como já disse. E ela, eu soube que as dizia a outras pessoas, e essas sabem que não minto. Nem me dê Deus tal oportunidade, pois em nenhuma coisa, quanto mais sendo tão importantes, falei eu a não ser toda a verdade.

19. Tendo morrido um cunhado[7] meu muito subitamente, e estando eu com muita tristeza por não ter tido oportunidade de se confessar, foi-me dito em oração que havia de morrer assim minha irmã, que fosse para lá e tentasse fazer com que se preparasse para isso. Contei a meu confessor e, como não me deixava ir, ouvi a mesma coisa outras vezes. Quando ele viu isso, disse-me que fosse para lá, pois não se perderia nada. Ela estava em uma aldeia,[8] e, como fui sem lhe dizer nada, fui esclarecendo-a como pude em todas as coisas. E a fiz se confessar muito frequentemente e em tudo desse conta de sua alma. Ela era muito boa e assim o fez.

Depois que havia quatro ou cinco anos que mantinha esse costume e muito boa conta de sua consciência, morreu sem ninguém a ver e sem poder se confessar. O bom foi que não fazia mais do que oito dias que tinha se confessado.

A mim deu grande alegria quando soube de sua morte. Esteve muito pouco no purgatório. Não seriam, me parece, oito dias quando, tendo acabado de comungar, me apareceu o Senhor e quis que visse como a levava para a glória. Em todos esses anos, desde que me foi dito até que morreu, não me esquecia do que me havia sido dado a perceber, nem a minha companheira, pois, assim que morreu minha irmã, veio até mim muito espantada de ver como se havia cumprido. Seja Deus louvado para sempre, que tanto cuidado tem das almas para que não se percam!

CAPÍTULO 35

PROSSEGUE NA MESMA MATÉRIA DA FUNDAÇÃO DESTA CASA DE NOSSO GLORIOSO PAI SÃO JOSÉ. DIZ OS TERMOS PELOS QUAIS O SENHOR ORDENOU QUE VIESSE A GUARDAR NELA A SANTA POBREZA E A CAUSA POR QUE VEIO DA CASA DAQUELA SENHORA EM QUE ESTAVA E ALGUMAS OUTRAS COISAS QUE ACONTECERAM

1. Estando então com aquela senhora que disse, onde fiquei mais de meio ano, ordenou o Senhor que tivesse notícia de mim uma beata da nossa ordem, de mais de setenta léguas daqui, e acertou de vir para este lado e percorreu algumas léguas para falar comigo.[1] Tinha-a movido o Senhor, no mesmo ano e mês que a mim, para fazer outro mosteiro dessa ordem. Quando lhe foi posto esse desejo, vendeu tudo o que tinha e foi a Roma para trazer o despacho para isso a pé e descalça.

2. É uma mulher de muita penitência e oração, e fazia-lhe o Senhor muitas dádivas, e lhe havia aparecido Nossa Senhora e mandado que o fizesse. Tinha tanta vantagem sobre mim em servir ao Senhor que eu tinha vergonha de estar diante dela. Mostrou-me os despachos que trazia de Roma, e, em quinze dias que esteve comigo, pusemos ordem na maneira como haveríamos de fazer esses mosteiros.

E até que eu falasse com ela, não tinha vindo até mim a notícia de que nossa Regra — antes que fosse relaxada — mandava que não se tivesse propriedade.² Nem eu pretendia fundar um mosteiro sem renda, pois minha intenção era de que não tivéssemos preocupação com o que nos fosse necessário, e não olhava para as muitas preocupações que ter propriedade traz consigo. Essa bendita mulher, como o Senhor a ensinava, tinha entendido bem, apesar de não saber ler, o que eu, apesar de tanto ter andado lendo as Constituições, ignorava. E quando me disse, pareceu-me bom, ainda que tenha tido medo de que não iriam me consentir, mas sim dizer que fazia desatinos e que não fizesse uma coisa em que outras sofreriam por minha causa. Porque se fosse só eu, não me deteria nem um pouco. Antes, seria um grande prazer pensar em seguir os conselhos de Cristo nosso Senhor, porque grandes desejos de pobreza já me havia dado Sua Majestade. Assim, para mim eu não duvidava de que devia ser o melhor, porque havia dias em que eu desejava que fosse possível ao meu estado de religiosa andar pedindo pelo amor de Deus e não ter casa nem outra coisa. Mas tinha medo de que, se o Senhor não desse às outras esses desejos, viveriam descontentes. Temia também que fosse causa de distração, porque via alguns mosteiros pobres não muito recolhidos, e não via que não serem recolhidos era a causa de serem pobres, e não a pobreza a causa da distração. Porque esta não torna mais ricas, nem falha Deus jamais com quem o serve. Enfim, tinha fraca a fé, o que não fazia essa serva de Deus.

3. Apesar de que eu em tudo ouvia tantas opiniões, quase ninguém achava dessa opinião: nem confessor, nem letrados com quem conversava. Apresentavam-me tantos argumentos que eu não sabia o que fazer. Porque, como eu já sabia que era a Regra e via ser mais perfeito, não conseguia me convencer a ter renda. E ainda que algumas vezes me convenciam, voltando à oração e olhando Cristo na cruz tão pobre e nu, não conseguia suportar a ideia de ser rica. Suplicava-lhe com lágrimas

que arranjasse as coisas de modo que me visse pobre como Ele.

4. Achava tantos inconvenientes para ter renda e via ser causa de tanta inquietação e até distração, que não fazia outra coisa senão discutir com os letrados. Escrevi ao religioso dominicano[3] que nos ajudava. Enviou-me dois cadernos escritos de contradições e teologia para que não o fizesse e me dizia que havia estudado muito. Eu lhe respondi que se fosse para não seguir minha vocação e o voto que tinha feito de pobreza e os conselhos de Cristo, não queria me aproveitar de teologia, e nem ele me fizesse dádiva de suas letras nesse caso. Se achava alguma pessoa que me ajudava, alegrava-me muito.

Aquela senhora com quem estava nisso me ajudava muito. Alguns logo no começo diziam que lhes parecia bom, depois, quando olhavam melhor, achavam tantos inconvenientes que voltavam a fazer muita questão de que eu não fizesse desse jeito. Dizia a eles que, se mudavam de opinião tão depressa, queria ficar com a primeira.

5. Nesse tempo, a pedido meu, porque essa senhora não tinha visto o santo frei Pedro de Alcântara, quis o Senhor que ele viesse à casa dela. E como ele, que era bem amador da pobreza, conhecia bem a riqueza que havia nela, assim me ajudou muito e que de maneira nenhuma deixasse de levar meu plano adiante. Já com essa opinião a favor, como era alguém que melhor a podia dar por ter sabido graças a grande experiência, decidi não continuar procurando outras.

6. Estando um dia encomendando muito a Deus essa questão, me disse o Senhor que de maneira nenhuma deixasse de fazer o mosteiro pobre, que essa era a vontade de seu Pai e sua, que Ele me ajudaria. Foi com grandes efeitos em um grande arrebatamento, e de maneira nenhuma pude ter dúvida de que era Deus.

De outra vez disse-me que na renda estava a confusão, e outras coisas em louvor da pobreza, e assegurando-me que, a quem o servisse não faltaria o necessário para viver, e essa falta — como ia dizendo — por mim nunca temi.

Também virou o Senhor o coração do presentado,[4] digo, do religioso dominicano, que eu disse que me escreveu para que não fizesse o mosteiro sem renda. Já eu fiquei muito contente por ter entendido isso e ter tais opiniões. Não me parecia que eu tivesse outra coisa senão toda a riqueza do mundo ao me decidir a viver por amor de Deus.

7. Nesse tempo meu provincial suspendeu a ordem e a obediência que me havia imposto de ficar ali e deixou à minha vontade que, se eu quisesse ir, podia, e se quisesse ficar, também, por certo tempo. Nesse tempo devia haver eleição no meu mosteiro e avisaram-me que muitas queriam dar-me aquele encargo de prelada, que para mim, só de pensar, era um tormento tão grande que eu, determinada a sofrer qualquer martírio por Deus, a este por arte nenhuma podia me persuadir. Porque, deixando de lado o grande trabalho, por serem muitas e muitas as razões pelas quais nunca fui amiga de nenhum cargo, antes sempre os recusei, parecia-me um grande perigo para a consciência. E assim, louvei a Deus por não me encontrar lá. Escrevi a minhas amigas para que não me dessem seus votos.

8. Estando muito contente por não me achar naquele barulho, disse-me o Senhor que de nenhuma maneira deixasse de ir, pois, já que queria cruz, uma boa me estava preparada, que não a jogasse fora, que fosse com coragem, que Ele me ajudaria, e que fosse logo. Eu desanimei muito e não fazia outra coisa senão chorar, porque pensei que a cruz era ser prelada e — como disse — não podia me persuadir a que fosse bom para a minha alma de maneira alguma, nem eu achava meios para isso. Contei ao meu confessor.[5] Mandou que eu tentasse ir logo, pois estava claro que era maior perfeição, mas que,

porque fazia grande calor e bastava eu estar lá para a eleição, ficasse ainda alguns dias, para que o caminho não me fizesse mal.

Mas o Senhor havia ordenado outra coisa e tive que fazer. Porque era tão grande o desassossego que eu tinha em mim e o não poder ter oração e parecer que faltava no que o Senhor havia mandado. Parecia-me que, como estava ali com prazer e com regalias, não queria ir oferecer-me ao trabalho. Que tudo meu com Deus não passava de palavras. Por que, podendo estar onde seria maior a perfeição, havia de deixar de ir? Se tivesse que morrer, morresse. E com isso um aperto na alma, um tirar-me o Senhor todo o gosto da oração. Enfim, eu estava em tal estado que era já um tormento tão grande que supliquei àquela senhora que houvesse por bem deixar-me vir, porque até meu confessor — quando me viu assim — me disse que fosse, que também a ele movia Deus como a mim.

9. Ela sentia tanto que eu a deixasse que era outro tormento, pois havia custado muito a ela convencer o provincial por importunações de vários tipos. Considerei muita coisa ela querer concordar com isso, dado o quanto sentia. Mas como era muito temente a Deus, e como eu lhe disse que se podia fazer grande serviço a Ele, e muitas outras coisas e dei-lhe esperança de que era possível tornar a vê-la, assim, com muita tristeza, ela houve por bem.

10. Já eu não tinha tristeza de vir, porque eu, entendendo que uma coisa era maior perfeição e serviço de Deus, com a alegria que me dá alegrá-lo, suportei a tristeza de deixar aquela senhora que eu via sentir tanto, e outras pessoas a quem devia muito, especialmente meu confessor que era da Companhia de Jesus e com quem eu me achava muito bem. Mas quanto mais consolo eu via que perdia por Deus, mais alegria me dava perdê-lo. Não conseguia entender como era isso, porque via claramente esses dois contrários: regozijar-me, alegrar-me

pelo que me pesava na alma. Porque eu estava consolada e sossegada e tinha tempo de ter muitas horas de oração. Via que vinha para meter-me num fogo, pois o Senhor já tinha me avisado que vinha para suportar uma grande cruz. Ainda que eu nunca tenha pensado que seria tanto quanto depois vi. E, com tudo isso, vinha alegre e estava desapontada que já não estivesse metida na batalha, já que o Senhor queria que eu a travasse. E assim Sua Majestade me enviava forças e as punha na minha fraqueza.

11. Não conseguia, como ia dizendo, entender como podia ser isso. Pensei nesta comparação: se, possuindo eu uma joia ou coisa que me desse grande alegria, acontecesse de eu ficar sabendo que uma pessoa que eu amo mais do que a mim, e que desejo alegrar mais do que desejo descanso para mim, quer essa coisa, dar-me-ia grande alegria ficar sem a alegria que me dava o que eu possuía, para alegrar àquela pessoa. E como essa alegria de alegrá-la excede a minha própria alegria, tira a tristeza da falta que me faz a joia ou o que eu gosto, e de perder a alegria que me dava. De maneira que, ainda que eu quisesse ter tristeza por ver que deixava pessoas que tanto sentiam afastar-se de mim, por ser eu de natureza tão agradecida, aquilo que em outro tempo teria bastado para desanimar-me muito, agora, ainda que quisesse sentir tristeza, não conseguia.

12. Foi tão importante eu não demorar nem mais um dia no que tocava ao negócio desta bendita casa que não sei como poderia concluir-se se eu tivesse me detido.

Oh, grandeza de Deus! Muitas vezes me espanta quando penso e vejo quão particularmente queria Sua Majestade me ajudar para que se realizasse esse cantinho de Deus — pois creio que ele é isso. E morada em que Sua Majestade se deleita, como me disse uma vez, estando eu em oração, que era esta casa um paraíso de seu deleite. E assim parece que Sua Majestade escolheu as almas que iria trazer aqui, em cuja companhia vivo com muita perplexidade. Porque eu não saberia desejar tais para esse propósito de tanto rigor e pobreza e oração. E levam isso com uma alegria e um contentamento que cada uma delas se acha indigna de ter merecido vir para este lugar. Especialmente algumas que o Senhor chamou de muita vaidade e gala do mundo, onde poderiam ter ficado contentes de acordo com suas leis. E deu-lhes o Senhor contentamentos tão dobrados aqui, que elas claramente reconhecem que o Senhor deu a cento por um o que elas deixaram. E não se fartam de dar graças à Sua Majestade. Outras Ele mudou de bem para melhor. Às de pouca idade dá fortaleza e conhecimento para que não possam desejar outra coisa e para entendam que é viver em maior descanso, mesmo para as coisas da terra, estar afastadas de todas as coisas da vida. Às que são de mais idade e com pouca saúde dá forças e deu para que consigam aguentar a mesma aspereza e penitência que todas.

13. Oh, Senhor meu, como se manifesta que sois poderoso! Não é preciso buscar razões para o que Vós quereis, porque acima de toda razão natural fazeis tão possíveis as coisas que dai a entender que não preciso mais do que vos amar de verdade e deixar de verdade tudo por Vós, para que Vós, Senhor meu, torneis tudo fácil. Vem bem ao caso dizer aqui que fingis que há trabalho em vossa lei, porque eu não vejo isso, Senhor, nem sei como pode ser estreito o caminho que leva a Vós.[6] Vejo que é um caminho real, não uma trilha. Caminho em que, quem se põe nele de verdade, vai mais seguro. Estão muito longe os portos e as rochas para cair, porque esses estão nas ocasiões de pecado. Trilha chamo eu, e muito ruim trilha e caminho estreito, o que tem de um lado um vale muito fundo onde se pode cair e, do outro, um despenhadeiro. Nem bem se descuidam já despencam e se fazem em pedaços. O que Vos ama de verdade, Bem meu, vai com segurança por amplo caminho real. Longe

está o despenhadeiro. Nem bem tropeça um tantinho, já lhe dais, Senhor, a mão. Não basta uma queda, nem muitas, se tem amor a Vós e não às coisas do mundo, para se perder. Vai pelo vale da humildade.

14. Não consigo entender do que é que têm medo de pôr-se no caminho da perfeição. O Senhor, por ser quem é, nos faça entender quão má é a segurança em tão manifestos perigos como andar atrás das pessoas e como está a verdadeira segurança em ir muito à frente no caminho de Deus. Os olhos n'Ele, e não tenham medo de que se ponha esse sol de Justiça, nem que nos deixe caminhar de noite para nos perder, se não tivermos antes deixado a Ele.

15. Não têm medo de andar entre os leões, que parecem querer arrancar um pedaço, que são as honras e os deleites e as alegrias semelhantes, como o mundo as chama. Mas, aí, o demônio parece fazer que tenham medo de bichinhos. Mil vezes me espanto e dez mil quereria me fartar de chorar e dizer a todos a minha grande maldade e cegueira para que fosse de algum proveito para abrir-lhes os olhos. Abra-os aquele que pode, por sua bondade, e não permita que voltem a se cegar os meus, amém.

CAPÍTULO 36

PROSSEGUE NO ASSUNTO COMEÇADO E DIZ COMO SE ACABOU DE CONCLUIR E SE FUNDOU ESTE MOSTEIRO DO GLORIOSO SÃO JOSÉ, E AS GRANDES CONTROVÉRSIAS E PERSEGUIÇÕES QUE HOUVE, DEPOIS DE TOMAREM HÁBITO AS RELIGIOSAS, E AS GRANDES PROVAÇÕES E TENTAÇÕES QUE ELA PASSOU, E COMO DE TUDO A TIROU O SENHOR COM VITÓRIA E EM GLÓRIA E EM LOUVOR DELE

1. Tendo já partido daquela cidade, vinha muito contente pelo caminho decidindo-me a passar tudo o que agradasse ao Senhor com toda a vontade. Na mesma noite em que cheguei a esta terra, chega o despacho para o mosteiro e o Breve de Roma. E eu me espantei, e espantaram-se todos os que sabiam a pressa que o Senhor me havia dado para vir, quando souberam a grande necessidade que tinha disso e a conjuntura a que o Senhor me trazia. Porque encontrei aqui o bispo e o santo frei Pedro de Alcântara e outro cavalheiro[1] muito servo de Deus, em cuja casa esse santo homem se hospedava, que era uma pessoa em cuja casa os servos de Deus encontravam apoio e acolhida.

2. Ambos conseguiram que o bispo[2] aceitasse o mosteiro, o que não foi pouco, por ser mosteiro pobre. Mas era tão amigo de pessoas que via assim decididas a servir ao Senhor que logo se afeiçoou à ideia de favorecê-lo. E aprová-lo esse santo velho e insistir muito com uns e

com outros para que nos ajudassem, foi o que resolveu tudo. Se eu não tivesse vindo a essa conjuntura — como já disse —, não sei como poderia ser feito, porque esteve pouco por aqui esse santo homem, pois creio que não foram oito dias, e esses, muito doente, e depois de muito pouco tempo levou-o o Senhor consigo.[3] Parece que Sua Majestade o havia protegido até acabar esse negócio, pois havia muitos dias — não sei se mais de dois anos — que andava muito mal.

3. Tudo se fez sob grande segredo, porque, se não fosse assim, não se poderia fazer nada. Porque o povo estava insatisfeito com isso, como se revelou depois. Ordenou o Senhor que ficasse mal um cunhado[4] meu com sua mulher longe daqui e em tanta necessidade que me deram licença para ficar com ele. E, com essa oportunidade, não se ficou sabendo de nada, ainda que algumas pessoas não deixassem de suspeitar de alguma coisa, mas ainda não acreditavam. Foi uma coisa de espantar, pois não esteve doente mais do que o que foi necessário para o negócio. E, sendo necessário que tivesse saúde para que eu me desocupasse e ele deixasse a casa desocupada, deu-a logo o Senhor, tanto que ele estava maravilhado.

4. Passei por grande provação tentando que uns e outros aceitassem, e com o doente, e com funcionários, para que se terminasse a casa com muita pressa, para que tivesse forma de mosteiro, pois faltava muito para terminar. E a minha companheira não estava aqui, pois nos pareceu melhor que estivesse ausente para dissimular melhor. E eu via que ia tudo rapidamente por muitas causas e uma era que a cada momento tinha medo de que me mandariam partir. Foram tantas as coisas de provações que tive, que me fizeram pensar se era esta a cruz. Ainda que me parecesse que era pouco para a grande cruz que eu tinha sabido pelo Senhor que ia passar.

5. Tudo acertado, então, o Senhor quis que, no dia de são Bartolomeu, tomassem hábito algumas,[5] e se insta-

lou o Santíssimo Sacramento, e com toda a autoridade e poder ficou pronto nosso mosteiro do gloriosíssimo pai são José, no ano de 1562. Fui eu a dar-lhes o hábito e outras duas monjas[6] de nossa própria casa que calhou de estarem fora.

Como nessa casa em que se fez o mosteiro era aquela em que estava meu cunhado (pois, como eu disse, ele a tinha comprado para dissimular melhor o negócio), eu estava nela com licença. E não fazia nada que não fosse com a opinião de letrados, para não ir, em nenhum ponto, contra a obediência. E ao verem que era muito proveitoso para a ordem, por vários motivos, pois, ainda que eu fizesse em segredo e me guardasse de que meus prelados ficassem sabendo, diziam-me que podia fazê-lo. Porque, se me dissessem que era imperfeição, por menor que fosse, me parece que teria abandonado mil mosteiros, quanto mais um. Isso é certo. Porque, ainda que eu o desejasse para me afastar mais de tudo e levar minha profissão e minha vocação com maior perfeição e clausura, eu desejava de tal maneira que, no momento em que entendesse que era mais serviço ao Senhor abandonar totalmente o projeto, eu o faria — como disse da outra vez — com todo sossego e paz.

6. Então foi para mim como estar em glória ver instalar o Santíssimo Sacramento e que se remediaram quatro órfãs pobres — porque não eram recebidas com dote — e grandes servas de Deus. Porque isso se pretendeu no início: que entrassem pessoas que, com seu exemplo, fossem fundamento para que se pudesse efetuar o intento que tínhamos de muita perfeição e oração. E ver feita uma obra que tinha entendido ser para o serviço do Senhor e honra do hábito de sua gloriosa Mãe, pois essas eram minhas aspirações. E também me deu grande consolo ter feito o que o Senhor tanto me havia mandado, e outra igreja mais neste lugar, e de são José, que não havia. Não porque me parecesse que eu tivesse alguma coisa nisso,

pois nunca me pareceu, nem parece. Entendo sempre que o Senhor é que faz, e o que era a minha parte saía com tantas imperfeições que vejo que antes deveria me desculpar do que agradecer. Mas era para mim um grande prazer ver que Sua Majestade me tinha tomado como instrumento — sendo eu tão ruim — para tão grande obra. Assim, fiquei com tão grande alegria que estava como fora de mim, com grande oração.

7. Terminado tudo, seria depois de umas três ou quatro horas, voltou a me dar uma batalha espiritual, como direi agora. Pôs-se diante de mim a dúvida se havia sido malfeito o que eu tinha feito. Se ia contra a obediência ter buscado sem que o provincial mandasse, pois bem me parecia que seria para ele algum desgosto, por causa de eu sujeitar o mosteiro ao ordinário, e não ter dito a ele antes. Ainda que, como ele não tinha autorizado e eu não conseguisse sua opinião, também me parecesse que, por outro lado, ele não se importaria. E se haviam de ter alegria as que ficavam aqui em tão grande rigor, se havia de lhes faltar o que comer, se tinha sido um disparate. Pensava: quem me havia metido nisso, já que eu tinha um mosteiro? Tudo o que o Senhor me havia mandado e todas as opiniões e orações que fazia dois anos que quase não cessavam, tudo tirado da minha memória como se nunca tivesse ocorrido. Só da minha opinião me lembrava, e todas as virtudes e a fé então suspensas em mim, sem ter eu força para que nenhum operasse e me defendesse de tantos golpes.

8. Também me punha na mente o demônio: como queria eu com tantas doenças me encerrar em uma casa tão rigorosa? Como aguentaria tanta penitência e deixava uma casa grande e agradável onde eu sempre tinha estado contente, e tantas amigas? Talvez as daqui não fossem do meu agrado, e eu tivesse me comprometido a muita coisa. Talvez eu estivesse desesperada e porventura o demônio tivesse pretendido isto: tirar-me a paz e a

quietude e, assim, não poderia ter oração estando desassossegada, e perderia a alma. Coisas desse feitio juntas ele punha diante de mim, e não estava em minhas mãos pensar em outra coisa. E com isso, uma aflição e escuridão e trevas na alma que eu não sei descrever. Ao me ver assim, fui ver o Santíssimo Sacramento, ainda que não conseguisse encomendar-me a Ele. Parecia-me que estava com uma angústia como quem está em agonia de morte. Conversar com alguém não ousaria, porque nem confessor designado eu tinha.

9. Oh, valha-me Deus! Que vida tão miserável esta! Não há alegria segura nem coisa sem mudança. Havia tão pouquinho tempo que me parecia que eu não trocaria minha alegria por nenhuma da terra, e a mesma causa da alegria me atormentava agora de tal modo que eu não sabia o que fazer de mim. Oh, se olhássemos com discernimento as coisas da nossa vida! Cada um veria por experiência a pouca consideração em que se deve ter a alegria e a tristeza dela. Com certeza me parece que foi um dos duros períodos que passei na minha vida. Parece que o espírito adivinhava o que haveria de passar, ainda que não tenha chegado a ser tanto quanto isto, se tivesse durado.

Mas não deixou o Senhor padecer muito sua pobre serva, porque nunca deixou de me socorrer nas tribulações. E assim foi nessa, pois me deu um pouco de luz para ver que era o demônio, e para que pudesse perceber a verdade e que tudo era querer ele me assustar com mentiras. E assim comecei a recordar-me de minhas grandes decisões de servir ao Senhor e desejos de padecer por Ele. E pensei que, se havia de cumpri-los, não deveria andar à procura de descanso. E que, se tivesse provações, esse era o mérito, e se tivesse tristeza, desde que eu a tomasse para servir a Deus, me serviria de purgatório. De que tinha medo? Se desejava provações, que boas eram estas! Na maior oposição estava o lucro. Por que haveria de me faltar a coragem para servir aquele a quem tanto devia? Com essas e outras considerações, esforçando-me muito, prometi diante do Santíssimo Sacramento fazer tudo o que pudesse para ter licença para vir para esta casa e, podendo fazê-lo com boa consciência, prometer clausura.

10. Fazendo isso, num instante fugiu o demônio e me deixou sossegada e contente. E fiquei e tenho estado sempre assim. E tudo o que nesta casa se observa de fechamento e penitência e o resto para mim parece extremamente suave e pouco. A alegria é tão enorme que eu penso algumas vezes o que poderia escolher na terra que fosse mais saboroso? Não sei se isso contribui para eu ter muito mais saúde do que nunca, ou querer o Senhor — por ser necessário e correto que eu faça o mesmo que todas — dar-me esse consolo que eu possa fazê-lo, ainda que com trabalho. Mas as pessoas que conhecem minhas doenças se espantam por eu poder. Bendito seja o que dá tudo e em cujo poder podemos.

11. Fiquei bem cansada por tal contenda e fiquei rindo do demônio, pois vi claramente ser ele. Creio que o Senhor permitiu, por eu nunca ter sabido o que é descontentamento por ser monja nem um momento nos mais de 28 anos que sou, para que eu percebesse a grande dádiva que com isso me havia feito e o tormento de que me havia livrado. E também para que, se visse que alguma irmã estava descontente, não me espantasse e me apiedasse dela e soubesse consolá-la.

Passado então isso, quis depois de comer descansar um pouco. Porque durante toda a noite quase não tinha sossegado, nem, em outras, tinha deixado de ter trabalhos e preocupações, e todos os dias andava bem cansada. Como se tinha ficado sabendo em meu mosteiro e na cidade o que se havia feito, havia muito alvoroço pelos motivos que eu já disse, e parecia haver algum exagero. Logo a prelada enviou recado mandando eu ir para lá na hora. Eu, vendo sua ordem, deixo minhas monjas muito pesarosas, e vou logo. Vi bem que se me haviam de oferecer grandes provações, mas, como já estava feito, muito pouco me importava. Fiz uma oração suplicando ao Senhor que me favorecesse, e a meu pai são José que me trouxesse à sua casa, e ofereci a ele o que devia passar e, muito contente de que se oferecesse algo em que eu padecesse por Ele e pudesse servir, fui, apesar de ter achado que me iam pôr na cadeia. Mas, na minha opinião, dar-me-ia grande alegria, por não falar com ninguém e descansar um pouco em solidão, de que eu estava bem necessitada, porque estava moída de tanto andar com gente.

12. Quando cheguei e fiz meu relato à prelada, ela se aplacou um pouco e todas comunicaram ao provincial e a causa ficou para ser resolvida diante dele. Vindo ele, fui a julgamento com grande alegria por ver que sofria algo pelo Senhor, porque nem à Sua Majestade, nem à ordem eu achava que tinha ofendido nada nesse caso. Antes tentava fazer crescer a ordem com todas as minhas forças, pois todo o meu desejo era que se cumprisse sua regra com toda a perfeição. Lembrei-me do julgamento de Cristo e vi quão nada era aquele meu. Confessei minha culpa como muito culpada, e parecia ser assim para quem não conhecia todas as razões.

Depois de me ter feito uma grande repreensão, ainda que não com tanto rigor quanto merecia o delito pelo que muitos diziam ao provincial, eu não quis me defender, porque estava decidida a isso. Antes pedi que me perdoasse e castigasse e não ficasse mais bravo comigo.

13. Em algumas coisas eu via bem que me condenavam sem culpa. Porque me diziam que eu tinha feito aquilo para que me tivessem em alta conta e para ter nome e outras coisas semelhantes. Mas em outras percebia claramente que diziam a verdade: no fato de que eu era pior do que outras. E, já que eu não tinha observado a vida muito religiosa que se levava naquela casa, como

pensava em observá-la em outra, com mais rigor? E que escandalizava o povo e levantava coisas novas.[7] Tudo aquilo não me causava nenhum alvoroço nem sofrimento, ainda que eu mostrasse sofrer para não parecer que eu fazia pouco do que me diziam.

Afinal, mandou que eu desse meu depoimento diante das monjas, e tive que fazê-lo.

14. Como eu tinha quietude em mim e o Senhor me ajudava, dei meu depoimento de uma maneira tal que não achou o provincial, nem as que estavam ali, motivo para me condenar. E depois, a sós, falei com ele mais claramente e ficou muito satisfeito. E me prometeu — se eu fosse em frente —, uma vez sossegada a cidade, dar-me autorização para ir para o novo convento. Porque o alvoroço na cidade toda era grande como direi agora.

15. Depois de uns dois ou três dias juntaram-se alguns dos regedores e o corregedor e os do cabildo e todos juntos disseram que de maneira nenhuma se permitiria, pois adviria reconhecido dano à coisa pública. E tirariam o Santíssimo Sacramento e de maneira nenhuma tolerariam que continuasse. Fizeram juntar-se todas as Ordens para que dessem seu parecer. De cada uma, dois letrados. Uns calavam, outros condenavam. Ao final, concluíram que logo se desfizesse. Só um presentado[8] da Ordem de São Domingos, ainda que fosse contra — não contra o mosteiro, mas contra a ideia de que fosse pobre —, disse que não era uma coisa que se pudesse desfazer assim. Disse que se verificasse bem, que havia tempo para isso. Disse que era um caso para o bispo, ou coisas dessa sorte que foram de grande proveito. Porque, apesar da fúria, foi decidido não levar a decisão a efeito logo. Era, enfim, porque tinha que ser, pois o Senhor se agradava e todos podiam pouco contra sua vontade. Davam suas razões e tinham um bom zelo e, assim, sem que ofendessem a Deus, faziam sofrer a mim e a algumas pessoas que apoiavam o mosteiro, pois havia algumas, e passaram por muita perseguição.

16. Era tanto o alvoroço do povo que não se falava de outra coisa. E todos a condenar-me e a ir ao provincial e ao meu mosteiro. Eu nenhuma tristeza sentia pelo que diziam de mim. Não mais do que se não dissessem. Mas tinha medo de que se desfizesse o mosteiro. Isso me dava uma grande tristeza e ver que perdiam crédito as pessoas que me ajudavam e ver a grande provação por que passavam, pois do que diziam de mim eu antes me alegrava. E se tivesse tido alguma fé, não teria tido nenhuma alteração, mas faltar algo em uma virtude basta para adormecer todas. E assim estive muito atormentada os dois dias em que houve essas juntas de que falei, no povoado. E estando bem desanimada me disse o Senhor: "Não sabes que sou poderoso? De que tens medo?". E me assegurou que não se desfaria o mosteiro. Com isso fiquei muito consolada.

17. Enviaram ao Conselho Real as informações. Veio uma provisão para que se fizesse um relato sobre como se tinha feito o mosteiro. E aqui começou um grande processo, porque representantes da cidade foram à Corte, e tiveram que ir da parte do mosteiro, e nem havia dinheiro nem sabia eu o que fazer. O Senhor proveu, pois nunca o meu padre provincial mandou que eu deixasse de me envolver nisso. Porque é tão amigo da virtude que, ainda que não ajudasse, não queria ficar contra. Não me deu licença, até ver em que pé ficaria, de vir para cá. Estas servas de Deus estavam sozinhas e faziam mais com suas orações do que com o tanto que eu andava negociando, ainda que tenha sido necessária muita diligência.

Às vezes parecia que faltava tudo. Especialmente um dia, antes que viesse o provincial, pois a priora me mandou que eu não falasse nada e era para deixar tudo. Eu fui a Deus e disse-lhe: "Senhor, essa casa não é minha. Para Vós foi feita. Agora que não há ninguém que negocie por ela, faça-o Vossa Majestade". Fiquei tão descansada e tão sem tristeza como se tivesse o mundo inteiro negociando por mim. E logo considerei o negócio seguro.

18. Um grande servo de Deus, sacerdote, que sempre me havia ajudado, amigo de toda perfeição, foi à Corte envolver-se no negócio e trabalhava muito. E o cavalheiro santo — que já mencionei — fazia muito nesse caso e de todas as maneiras ajudava. Passou por muitas provações e perseguições e sempre em tudo eu o considerava como um pai, e ainda o considero. E naqueles que ajudavam o Senhor punha tanto fervor que cada um tomava a coisa como própria, como se nisso estivesse sua vida e sua honra e não lhes importava nada além de ser coisa em que a eles parecia que se servia ao Senhor. Pareceu claramente que Sua Majestade ajudava ao Mestre[9] de que falei, clérigo, que também era um dos que me ajudavam muito e a quem o bispo pôs, de sua parte, em uma junta grande que se formou. E ele estava sozinho contra todos e, no fim, os aplacou, dizendo-lhes certos meios que bastaram para que se entretivessem muito. Mas nenhum meio bastava para que não voltassem logo a empenhar a vida, como se diz, em desfazer o mosteiro. Esse servo de Deus de quem falo foi quem deu os hábitos às monjas e quem instalou o Santíssimo Sacramento, e viu-se em grande perseguição.

Durou esse ataque quase meio ano. Contar em detalhe as grandes provações seria longo.

19. Espantava-me o tanto a que se dava o demônio contra umas mulherzinhas e como parecia um grande dano ao lugar apenas doze mulheres e a priora, pois não haveriam de ser mais — digo, parecia aos que se opunham — e de vida tão restrita. Porque se fosse dano ou erro, seria para elas mesmas. Para mais dano ao lugar não parece que houvesse jeito, mas eles viam tantos jeitos que com boa consciência contradiziam isso. Chegaram até a dizer que, se tivesse renda, aceitariam e o mosteiro poderia seguir em frente. Eu já estava tão cansada de ver

o trabalho por que passavam todos os que me ajudavam, mais do que o meu, que me parecia que não seria ruim — até que se acalmassem — ter renda e abandoná-la depois. E outras vezes, como sou ruim e imperfeita, me parecia que talvez o Senhor quisesse isso, já que sem ela não sairíamos disso, e já aceitasse esse acordo.

20. Estando em oração na noite anterior ao acordo, e já iniciada negociação, disse-me o Senhor que não o fizesse. Disse que, se começássemos a ter renda, não deixariam depois que a deixássemos, e algumas outras coisas. Na mesma noite me apareceu o santo frei Pedro de Alcântara, que já estava morto, e antes de morrer me escrevera — quando soube da grande perseguição e oposição que tínhamos — que se alegrava de que a fundação fosse com uma oposição tão grande, pois era sinal de que se serviria muitíssimo ao Senhor neste mosteiro, já que o demônio se empenhava tanto para que não se fizesse. E que de maneira nenhuma eu concordasse em ter renda. E ainda duas ou três vezes me persuadiu na carta e que, fazendo isso, tudo viria a ser feito como eu queria. Eu já o tinha visto duas vezes depois que morreu, e vi a grande glória que tinha. E assim não me deu medo, antes, alegrei-me muito. Porque sempre aparecia como corpo glorificado, cheio de grande glória, e dava-me enorme glória vê-lo. Lembro-me que me disse na primeira vez que o vi, entre outras coisas, o grande gozo que tinha e que feliz penitência tinha sido aquela que tinha feito, que lhe havia alcançado tão grande prêmio.

Por crer que já disse algo sobre isso, não digo aqui mais do que como, dessa vez, mostrou rigor comigo e só me disse que de nenhuma maneira aceitasse renda. E perguntou por que eu não queria aceitar seu conselho, e desapareceu depressa.

21. Eu fiquei assustada e logo no dia seguinte disse ao cavalheiro — que era quem em tudo acudia, e o que mais fazia nesse negócio — o que se passava e que não

era para concordar de maneira nenhuma em ter renda, mas que fosse adiante o processo. Ele estava muito mais forte do que eu nessa posição e alegrou-se muito. Depois me contou quão de má vontade tratava do acordo.

22. Depois voltou a se levantar outra pessoa, e muito serva de Deus e com muito bom zelo. Já que estava em bons termos, disse que se pusesse na mão dos letrados. Aí eu tive grandes desassossegos. Porque alguns dos que estavam comigo concordavam, e foi esse o emaranhado de mais difícil digestão de todos os que fez o demônio. O Senhor ajudou em tudo, pois dito assim em resumo não se pode dar bem a entender o que se passou nos dois anos desde que foi iniciada esta casa até que se deu por terminada. Esse último meio ano, e o primeiro, foi o mais trabalhoso.

23. Então, aplacada um pouco a cidade, usou tão boa manha o padre presentado dominicano que nos ajudava! Ainda que não estivesse presente, mas o Senhor o tinha trazido num momento em que nos fez grande bem. E pareceu que Sua Majestade o havia trazido só para esse fim, pois ele me disse, depois, que não tinha tido por que vir, e ficou sabendo do processo por acaso. Ficou o tempo que foi preciso. Tendo ido de volta, procurou por algumas vias fazer com que o nosso padre provincial nos desse licença para eu vir para esta casa com algumas outras comigo, pois parecia quase impossível dá-la tão rápido, para rezar o ofício e ensinar às que ficavam aqui. Foi um enorme consolo para mim o dia que viemos.

24. Estando fazendo oração na igreja antes de entrar no mosteiro, estando quase em arrebatamento, vi a Cristo que com grande amor se mostrou a mim recebendo-me e pondo-me uma coroa e agradecendo o que eu havia feito por sua Mãe.

De outra vez, estando todas no coro em oração depois de Completas, vi Nossa Senhora com enorme glória, com um manto branco e debaixo dele parecia abrigar todas nós. Percebi quão alto grau de glória daria o Senhor às desta casa.

25. Tendo se iniciado a reza do ofício, foi muita a devoção que o povo começou a ter com esta casa. Foram recebidas mais monjas e começou o Senhor a mover os que mais nos tinham perseguido a nos favorecer muito e dar esmola. E, assim, aprovavam o que tanto tinham reprovado. E pouco a pouco se afastaram do processo e diziam que já percebiam ser obra de Deus, já que com tanta oposição Sua Majestade havia querido que fosse em frente.

26. E não há, no presente, ninguém a quem pareça que teria sido certo deixar de fazer o mosteiro. E, assim, têm em tanta conta prover-nos com esmolas, que sem haver demanda nem pedir a ninguém, desperta-os o Senhor para que nos enviem e vivemos sem que nos falte o necessário, e espero no Senhor que será assim sempre. Porque, como são poucas, se fizerem o que devem — como Sua Majestade agora lhes dá a graça para fazer —, estou segura de que não lhes faltará nem terão necessidade de ser cansativas nem de importunar a ninguém, pois o Senhor as terá em seu cuidado, como até agora. Pois é para mim enorme consolo ver-me metida aqui com almas tão desapegadas. Sua conversa é para entender como progredirão no serviço de Deus. A solidão é seu consolo, e pensar em ver alguém que não seja para ajudá-las a entender mais o amor de seu Esposo é trabalho para elas, ainda que sejam parentes próximos. E assim não vem ninguém a esta casa, a não ser quem trata disso. Porque nem as alegra, nem alegra a eles. Não é sua linguagem outra coisa senão falar de Deus e, assim, não entendem, nem as entende, a não ser quem fala a mesma linguagem.

Observamos a Regra de Nossa Senhora do Carmo, e, obedecida essa sem relaxamento, mas como a ordenou frei Hugo, cardeal de Santa Sabina, que foi dada no ano de 1248, no ano v do Pontificado do papa Inocêncio iv.

27. Parece-me que serão bem empregados todos os trabalhos por que se passou. Agora, ainda que tenha algum rigor, porque não se come carne nunca sem necessidade e há jejum de oito meses e outras coisas, como se vê na mesma primitiva Regra, de muitas coisas ainda fazem pouco as irmãs e observam outras coisas que, para cumprir essa regra com mais perfeição, nos pareceram necessárias. E espero no Senhor que há de avançar muito o que foi começado, como Sua Majestade me disse.

28. A outra casa que a beata de quem falei procurava fazer também o Senhor favoreceu e está instalada em Alcalá. E não faltou a ela muita oposição nem deixou de passar por grandes provações. Sei que se observa nela toda a vida religiosa conforme a essa primitiva Regra nossa. Queira o Senhor que seja tudo para glória e louvor seu e da gloriosa Virgem Maria, cujo hábito vestimos, amém.

29. Creio que o senhor vai se enfadar com o longo relato que fiz sobre este mosteiro. E ficou muito curto para as muitas provações e maravilhas que o Senhor realizou nisso e de que há muitas testemunhas que poderão jurar. E assim eu peço ao senhor, pelo amor de Deus, que se lhe parecer que deve riscar o resto do que aqui escrevi, o que toca a este mosteiro, o senhor conserve e, morta eu, dê às irmãs que aqui estiverem, pois animará muito a servir a Deus as que vierem e a procurar que não caia o que se começou, mas sim que vá sempre em frente, quando virem o muito que se empenhou Sua Majestade em fazê-la por meio de uma coisa tão ruim e baixa quanto eu.

30. E, já que o Senhor quis tão particularmente se manifestar em favorecer para que se fizesse, parece-me que fará muito mal e será muito castigada por Deus a que começar a relaxar a perfeição que o Senhor começou e favoreceu aqui para se levar com tanta suavidade. Pois vê-se muito bem que é tolerável e se pode levar sem

cansaço e a grande instalação que têm para viver sempre nele as que, sozinhas, quiserem desfrutar de seu esposo Cristo. Pois é isto o que sempre haverão de pretender, e sós com Ele só, e não ser mais de treze. Porque isso eu aprendi por muitas opiniões que convém, e vi por experiência. Porque para levar o espírito que se leva e viver de esmola e sem demandas, não sustenta mais. E sempre creiam mais em quem com muito trabalho e oração de muitas pessoas procurou o que seria melhor para elas. E no grande contentamento e na alegria e na pouca provação que nesses anos que estamos nesta casa vemos ter todas, e com muito mais saúde do que costumavam, se verá ser isso o que convém. E a quem parecer áspero jogue a culpa em sua falta de espírito e não no que aqui se observa, já que pessoas delicadas e não saudáveis, porque têm o espírito, podem levar com tanta suavidade, e vão a outro mosteiro, onde se salvarão conforme seu espírito.

CAPÍTULO 37

TRATA DOS EFEITOS QUE PERMANECIAM QUANDO O SENHOR TINHA FEITO ALGUMA DÁDIVA A ELA. JUNTA A ISSO MUITO BOA DOUTRINA. DIZ COMO SE DEVE PROCURAR E TER EM ALTA CONTA GANHAR ALGUM GRAU A MAIS DE GLÓRIA E QUE POR TRABALHO NENHUM DEIXEMOS BENS QUE SÃO PERPÉTUOS

1. Faz-me mal falar mais sobre as dádivas que o Senhor me fez do que as que já foram ditas e já são excessivas para que se creia que Ele as fez a uma pessoa tão ruim. Mas para obedecer ao Senhor, que me mandou fazê-lo, e aos senhores, contarei algumas coisas para sua glória. Queira Sua Majestade seja proveitoso a alguma alma ver que, a uma coisa tão miserável, quis o Senhor favorecer assim. O que fará a quem o tiver servido de verdade? E animem-se todos a contentar Sua Majestade, já que, ainda nesta vida, dá tais prendas.

2. Primeiro: deve-se saber que, nessas dádivas que Deus faz à alma, há maior e menor glória. Porque em algumas visões excede tanto a glória, o gosto e o consolo em relação ao que dá em outras que me espanto de tanta diferença no gozo, já nesta vida. Por acontecer de ser tanta a diferença que há de gosto e prazer que dá Deus em uma visão ou em um arrebatamento, parece não ser possível poder haver mais a desejar por aqui. E

assim, a alma não deseja e não pediria contentamento maior. Ainda que, depois que o Senhor me fez entender a diferença que há no céu entre o que desfrutam uns e o que desfrutam outros, quão grande é, bem vejo que aqui não há limite em dar quando o Senhor quer. E da mesma forma não quereria eu que houvesse em servir eu a Sua Majestade e empregar toda a minha vida e as minhas forças e saúde nisso. E não quereria, por culpa minha, perder nem um tantinho a mais de desfrute.

3. E digo que se me perguntassem o que eu quero mais: ficar com todas as provações do mundo até o fim dele e depois subir um pouquinho mais em glória, ou, sem nenhuma provação, ir para glória um pouco mais baixa, digo que de muito boa vontade pegaria todas as provações por um tantinho de desfrutar mais de entender as grandezas de Deus, já que vejo que quem mais o entende mais o ama e louva.

Não digo que não me contentaria e teria por muito sortuda de estar no céu, ainda que fosse no lugar mais baixo. Porque, para quem tinha um lugar tal no inferno, grande misericórdia me faria nisso o Senhor, e queira Deus que eu vá para lá e não olhe mais meus grandes pecados. O que estou dizendo é que, ainda que fosse com grande custo para mim, se pudesse, e o Senhor me desse a graça para trabalhar muito, não quereria, por culpa minha, perder nada. Miserável de mim que, com tantas culpas, tinha perdido tudo!

4. Há de se notar também que, em cada dádiva que o Senhor me fazia de visão ou revelação, ficava minha alma com algum grande lucro, e, com algumas visões, ficava com muito. De ver Cristo me ficou gravada sua enorme formosura e tenho-a gravada até hoje. Porque para isso bastava uma só vez, quanto mais tantas quantas o Senhor me fez essa dádiva! Fiquei com um proveito enorme e foi o seguinte. Eu tinha uma falha enorme da qual me vieram grandes danos e era esta: quando come-

çava a perceber que uma pessoa gostava de mim e caía em minhas graças, me apegava tanto que a minha memória ficava amarrada pensando nele. Ainda que nunca fosse com intenção de ofender a Deus, mas alegrava-me ao vê-lo e ao pensar nele e nas coisas boas que via nele. Era uma coisa tão daninha que deixava minha alma muito perdida. Depois que vi a grande formosura do Senhor, não vi ninguém que, em comparação com Ele, tivesse boa aparência nem me interessasse. Pois, ao pôr um pouco os olhos da atenção na imagem que tenho em minha alma, fico com tanta liberdade nisso que, depois, tudo o que vejo aqui me parece que causa nojo em comparação com as excelências e graças que nesse Senhor eu vi. Nem há saber ou forma de regalo a que eu dê algum valor em comparação com o que é ouvir uma só palavra dita por aquela divina boca, quanto mais tantas quantas ouvi. E considero impossível, se o Senhor, por meus pecados, não permitir que se tire de mim essa memória, poder alguém ocupá-la de modo que, ao voltar a me lembrar um pouquinho desse Senhor, não fique livre.

5. Aconteceu-me com alguns confessores, porque eu sempre gosto muito dos que governam minha alma. Como eu os considero tão de verdade no lugar de Deus, parece-me que é sempre onde minha vontade mais se emprega. E como eu estava segura, mostrava-lhes meu agrado. Eles, como eram tementes e servos de Deus, tinham medo de que eu me apegasse de alguma maneira e me prendesse por amá-los, ainda que santamente, e mostravam-me seu desagrado. Isso foi depois que eu estava muito sujeita a obedecê-los, pois antes não tinha esse amor a eles. Eu ria comigo mesma por ver como estavam enganados, ainda que nem todas as vezes falasse tão claramente o pouco que me prendia a alguém que eu tinha em mim. Mas eu os tranquilizava e conversando comigo conheciam melhor o tanto que eu devia ao Senhor, pois essas suspeitas que tinham em relação a mim foi só no começo.

6. Teve início em mim muito maior amor e confiança nesse Senhor ao vê-lo como alguém com quem tinha conversa tão frequente. Via que, ainda que fosse Deus, era Homem, que não se assusta com as fraquezas dos homens, que entende nossa composição miserável, sujeita a muitas quedas por causa do primeiro pecado que Ele veio para reparar. Posso conversar como com um amigo, ainda que seja o Senhor, porque percebo que não é como os que aqui temos por senhores, que põem todo o senhorio em autoridades postiças: tem que ter hora para falar com eles, e pessoas designadas para falar com eles. Se for algum pobrezinho que precisa lhes falar, mais rodeios e favores e trabalho lhe há de custar para falar! Ou se for com o Rei! Aí não existe gente pobre e não nobre. Mas é perguntar quem são os mais próximos, e, para maior segurança, que não seja gente que despreza o mundo, porque essas falam verdades, pois não temem nem devem. Não são para o palácio, pois ali não são úteis, mas deve-se calar o que pareça mal, pois até pensar nisso não se deve ousar para não ser desfavorecido.

Oh, Rei de glória e Senhor de todos os reis, como não é o vosso reino montado com pauzinhos, já que não tem fim! Como não são necessários terceiros para Vós! Olhando vossa pessoa se vê logo que sois o único que mereceis que vos chamem de Senhor! Pela majestade que mostrais não é necessário gente de acompanhamento nem de guarda para que se reconheça que sois Rei. Porque aqui mal se reconhecerá um rei por si. Por mais que ele queira ser reconhecido como rei, não reconhecerão, porque não tem nada mais do que os outros. É necessário que se veja o motivo por que se deve acreditar nisso. E assim é correto que tenha essas autoridades postiças, porque, se não as tivesse, não o considerariam nada. Porque não parte dele o parecer poderoso, de outro tem que lhe vir a autoridade.

Oh, meu Senhor! Oh, meu Rei! Quem saberia agora representar a majestade que tendes? É impossível deixar de ver que sois um grande Imperador por Vós mesmo, pois assusta olhar essa majestade. Mas assusta mais, Senhor meu, ver junto com ela vossa humildade e o amor que mostrais a alguém como eu. Tudo se pode conversar e falar convosco como quisermos, perdido o susto inicial e o medo de ver Vossa Majestade. Apesar de ficar maior o medo de vos ofender. Mas não por medo do castigo, Senhor meu, porque esse nem se leva em conta, comparado com o medo de perder a Vós.

7. Eis aqui os proveitos dessa visão, sem contar outros, grandes, que deixa na alma. Se for de Deus, percebe-se pelos efeitos, quando a alma tem luz. Porque, como disse, muitas vezes o Senhor quer que fique nas trevas e não veja essa luz. E assim não é grande coisa que alguém que se veja tão ruim quanto eu tenha medo. Foi agora mesmo que me aconteceu ficar oito dias em que não parecia que estava em mim, nem conseguia reconhecer o que devo a Deus, nem lembrança das dádivas, mas tão abobada a alma, posta em não sei que nem como. Não em maus pensamentos, mas para os bons estava tão incapaz que ria de mim e gostava de ver a baixeza de uma alma quando não anda Deus operando nela sempre. Vê bem que não está sem Ele nesse estado, pois não é como nas grandes provações que eu disse que tenho às vezes. Mas, ainda que ponha lenha e faça esse pouco que pode por sua parte, não arde o fogo do amor. Por muita misericórdia é que se vê a fumaça para perceber que não está de todo morto. Volta o Senhor a acender, pois nessa situação uma alma, ainda que arrebente a cabeça de tanto soprar e em ajeitar a lenha, parece que tudo o abafa mais.

Creio que o melhor é render-se totalmente ao fato de que não pode nada por si só, e se envolver em outras coisas — como já disse — meritórias. Porque o Senhor tira dela a oração talvez para que perceba e saiba por experiência o pouco que pode por si.

8. É verdade que hoje eu me regalei com o Senhor e me atrevi a me queixar de Sua Majestade e lhe disse: "Como, meu Deus, não basta que me mantenhais nesta vida miserável, e que por amor de Vós passo por isso? E quero viver onde tudo é empecilho para desfrutar de Vós, ao contrário tenho que comer, dormir e negociar e conversar com todos e tudo eu aguento por amor de Vós. Então, sabendo, Senhor meu, que é um tormento enorme para mim, e que tão pouquinhos momentos me sobram para desfrutar de Vós, vos escondeis? Como se coaduna isso com vossa misericórdia? Como pode aguentar isso o amor que tendes por mim? Creio, Senhor, que, se fosse possível eu me esconder de Vós, como Vós de mim, penso e creio que, pelo amor que tendes por mim, não suportaríeis. Mas Vós ficais comigo e me vedes sempre. Não se aguenta isso, Senhor meu. Suplico-vos que vejais que causa ofensa a quem tanto vos ama".

9. Isso e outras coisas me ocorreu dizer, entendendo primeiro como era piedoso o lugar que eu tinha no inferno para o tanto que eu merecia. Mas às vezes desatina tanto o amor que eu não me aguento, mas, em meu juízo perfeito faço essas queixas e tudo o Senhor tolera. Louvado seja um tão bom Rei! Se nos aproximássemos dos da terra com esses atrevimentos! Eu até nem me maravilho que não se ouse falar com o rei, pois há razão para ter medo dele, e dos senhores que aparentam ser chefes. Mas o mundo já está de um tal jeito que a vida tinha que ser mais longa para aprender todos os detalhes e as novidades e os tipos de etiqueta que há, se se houvesse de gastar algum tempo dela também em servir a Deus. E eu me benzo ao ver o que se passa. O fato é que eu já não sabia como viver quando me enfiei aqui. Porque não se leva na brincadeira quando há um descuido em tratar as pessoas muito melhor do que merecem. Ao contrário, elas tomam tão como uma ofensa de verdade, que é preciso dar satisfação da sua intenção

quando há — como ia dizendo — descuido. E ainda queira Deus que acreditem.

10. Volto a dizer que, com certeza, eu não sabia como viver. Porque uma pobre alma se vê fatigada: vê que lhe mandam que ocupe o pensamento sempre com Deus e que é necessário mantê-lo n'Ele para se livrar de muitos perigos. Por outro lado, vê que não vale a pena perder um minuto por minúcias mundanas, sob pena de não deixar de dar ocasião a que sejam tentados os que têm sua honra posta nessas minúcias. Andava desanimada e nunca parava de pedir desculpas, porque não conseguia, ainda que estudasse, deixar de cometer muitas faltas de etiqueta, que, como eu ia dizendo, não se considera pouca coisa no mundo.

E é verdade que na vida religiosa — pois com razão devíamos estar desculpados nisso — há desculpa? Não, pois dizem que os mosteiros devem ser corte e escola de boas maneiras. Eu, com certeza, não consigo entender isso. Pensei se algum santo disse que deveria ser corte para ensinar aos que quisessem ser cortesãos no céu e entenderam ao contrário. Porque ter esse cuidado quem é justo, que o tivesse continuamente em contentar a Deus e repudiar o mundo; que possa ter tão grande cuidado em contentar aos que vivem nele nessas coisas que mudam tanto, eu não sei como pode ser. Ainda se se pudesse aprender de uma vez, passava. Mas até para títulos de carta é preciso já que haja uma cátedra onde se aprenda como se deve fazer, por assim dizer. Porque uma hora se deixa em branco de um lado, outra hora de outro, a quem não se costumava tratar de magnífico, agora se deve tratar de ilustre.

11. Eu não sei aonde vai parar, porque ainda não tenho cinquenta anos e, nos anos que vivi, já vi tantas mudanças que não sei viver. Os que nascem agora, então, e viverem muito, que vão fazer? Com certeza eu tenho pena de gente espiritual que está obrigada a ficar no mundo

por algumas finalidades santas. Pois é terrível a cruz que carregam por isso. Se pudessem combinar todos e fazer-se de ignorantes e querer que todos os tivessem como tal nessas ciências, de muito trabalho se pouhpariam.

12. Mas, em que bobeiras me meti! Para tratar das grandezas de Deus, vim a falar das baixezas do mundo. Já que o Senhor me fez a dádiva de tê-lo deixado, quero sair logo dele. Entendam-se lá os que sustentam com tanto trabalho essas ninharias. Queira Deus que na outra vida, que é sem mudanças, não as tenhamos que pagar. Amém.

CAPÍTULO 38

EM QUE TRATA DE ALGUMAS GRANDES DÁDIVAS QUE O SENHOR FEZ A ELA, TANTO EM MOSTRAR-LHE ALGUNS SEGREDOS DO CÉU QUANTO OUTRAS GRANDES VISÕES QUE SUA MAJESTADE HOUVE POR BEM QUE ELA VISSE, OS EFEITOS QUE DEIXAVAM NELA E O GRANDE BENEFÍCIO EM QUE FICAVA SUA ALMA

1. Estando, uma noite, tão mal que queria me dispensar de ter oração, peguei um rosário para me ocupar vocalmente, não procurando recolher a inteligência, ainda que, no exterior, estivesse recolhida em um oratório. Quando o Senhor quer, pouco adiantam esses esforços. Estive assim bem pouco tempo e veio-me um arrebatamento de espírito com tanto ímpeto que não deu para resistir a ele. Parecia-me estar posta no céu, e as primeiras pessoas que vi ali foram meu pai e minha mãe. E vi tão grandes coisas — em tão pouco tempo como o que levaria para dizer uma Ave-Maria — que fiquei bem fora de mim, parecendo-me muito excessiva dádiva. Isso de ser tão pouco tempo, pode ser que tenha sido mais, mas pareceu muito pouco. Tive medo de que fosse alguma ilusão, embora não me parecesse. Não sabia o que fazer porque tinha muita vergonha de ir ao confessor com isso. E não por ser humilde, na minha opinião, mas porque me parecia que ele haveria de zombar de mim e

dizer: É São Paulo, agora, ou São Jerônimo, para ver coisas do céu! E por esses santos gloriosos terem tido coisas como essas dava-me mais medo e não fazia outra coisa senão chorar muito, porque não me parecia que havia alguma saída. Afinal, ainda que tenha me incomodado mais, fui ao confessor, porque não ousava jamais calar algo — por mais que me incomodasse dizê-la — pelo grande medo que tinha de ser enganada. Ele, quando me viu tão desanimada, consolou-me muito e disse muitas coisas boas para tirar-me da tristeza.

2. Ao longo do tempo, aconteceu-me, e acontece às vezes, isto: ia o Senhor me mostrando mais dos grandes segredos. Porque querer ver a alma mais do que se apresenta para ela não tem nenhuma serventia, nem é possível. E assim não via mais do que, a cada vez, queria o Senhor mostrar-me. Era tanto que a menor parte bastava para ficar espantada e muito beneficiada a alma em avaliar e ter em pequena conta todas as coisas da vida. Quisera eu poder fazer entender algo da menor parte do que eu entendia. E, pensando como poderia ser, acho impossível. Porque só a diferença que há desta luz que vemos para a que lá se mostra, sendo tudo luz, não há comparação. Porque a claridade do sol parece uma coisa muito esmaecida. Enfim, a imaginação — por mais sutil que seja — não alcança pintar ou desenhar como será essa luz nem nenhuma coisa das que o Senhor me fazia perceber com um deleite tão supremo que não se pode dizer, porque todos os sentidos regozijam-se em tão alto grau e suavidade, que não se pode exaltar o bastante e, assim, é melhor não dizer mais nada.

3. Tinha ficado assim uma vez por mais de uma hora, mostrando-me o Senhor coisas admiráveis, pois não me parece que saía do meu lado. Disse-me: "Vê, filha, o que perdem os que são contra mim. Não deixe de dizer a eles".

Ai, Senhor meu, e quão pouco adianta o que eu digo aos que seus feitos mantêm cegos, se Vossa Majestade não lhes der a luz! A algumas pessoas a que Vós a haveis dado, foi proveitoso saber vossas grandezas. Mas veem-nas, Senhor meu, mostradas a coisa tão ruim e miserável, que eu já considero muito que tenha havido alguém que acredite em mim. Bendito seja vosso nome e misericórdia, pois — ao menos para mim — notável melhora vi em minha alma. Depois, quisera ela ficar sempre e não voltar a viver, porque foi grande o desprezo que me ficou de tudo aqui. Parecia-me lixo, e vejo eu como nos ocupamos baixamente, os que nos detemos nisso.

4. Quando estava com aquela senhora de quem falei, aconteceu-me uma vez, estando eu mal do coração — porque, como já disse, eu o tive muito doente, ainda que já não o seja mais. Como ela era de grande caridade, fez-me pegar joias de ouro e pedra, pois ela as tinha de grande valor, especialmente uma de diamantes, avaliada em muito. Ela pensou que me alegrariam. Eu ficava rindo comigo mesma e sentindo pena de ver o que os homens estimam, lembrando-me do que tem guardado para eles o Senhor. E pensava quão impossível seria para mim, ainda que eu comigo mesma quisesse tentar, ter aquelas coisas em alguma conta, se o Senhor não me tirasse a lembrança das outras.

Isso é uma grande soberania para a alma. Tão grande que eu não sei se entenderá quem não a possui. Porque é o próprio e natural desapego, porque é sem esforço nosso. Deus faz tudo, pois mostra Sua Majestade essas verdades de maneira que ficam tão gravadas que se vê claramente que não poderíamos por nós mesmos, em tão pouco tempo, adquiri-las daquela maneira.

5. Fiquei também com pouco medo da morte, de quem eu sempre tive muito medo. Agora me parece uma coisa facílima para quem serve a Deus, porque num momento a alma se vê livre desse cárcere e em descanso. Pois este levar Deus o espírito e mostrar-lhe coisas tão excelentes nesses arrebatamentos parece-me que se as-

semelha muito ao que acontece quando uma alma sai do corpo, pois em um instante se vê em todo esse bem. Deixemos de lado as dores de quando se arranca a alma, pois deve-se fazer pouco-caso delas. E os que, de verdade, amarem a Deus e tiverem dado adeus às coisas desta vida, mais suavemente devem morrer.

6. Também me parece que foi de muito proveito para reconhecer nossa verdadeira terra e ver que somos peregrinos aqui. E é uma grande coisa ver o que há lá e saber onde havemos de viver. Porque se alguém tem que ir viver assentado em uma terra, é de grande ajuda, para aguentar o trabalho do caminho, ter visto a terra onde há de ficar muito descansado. E também para prestar atenção nas coisas celestiais e procurar que nossa conversa seja sobre lá, faz-se com mais facilidade.

Isso é um grande lucro, porque só de olhar o céu a alma recolhe-se. Porque, como o Senhor quis mostrar algo do que há lá, fica-se pensando. E me acontece às vezes ser os que me acompanham e aqueles com quem me consolo os que eu sei que vivem lá. E acontece parecer-me aqueles os vivos, e os que aqui vivem, tão mortos, que todo mundo me parece que não me faz companhia, especialmente quando tenho aqueles ímpetos.

7. Tudo me parece sonho, o que vejo — e que é uma brincadeira — com os olhos do corpo. O que eu já vi com os olhos da alma é o que ela deseja e, quando se vê longe, isso é o morrer. Enfim, é enorme a dádiva que faz o Senhor àquele a quem dá semelhantes visões, porque ajuda muito, e também a carregar uma pesada cruz, porque tudo não a satisfaz, tudo lhe bate no rosto. E se o Senhor não permitisse que às vezes se esquecesse, mesmo que volte a se recordar, não sei como se poderia viver. Bendito seja e louvado para sempre e sempre! Queira Sua Majestade, pelo sangue que seu filho derramou por mim, que, já que quis que eu entendesse algo dos grandes bens, e que começasse de algum modo a

fruir deles, não me aconteça o mesmo que a Lúcifer,[1] que, por culpa sua, perdeu tudo. Não o permita, por quem Ele é, pois não é pouco o medo que tenho às vezes. Ainda que, por outro lado, e muito comumente, a misericórdia de Deus me dá segurança, pois, já que me tirou de tantos pecados, não quererá soltar-me de sua mão para que me perca. Isso eu suplico ao senhor que sempre suplique a Ele.

8. Mas não são tão grandes as dádivas que contei, na minha opinião, quanto esta que contarei agora, por muitas causas e grandes bens que me ficaram e grande fortaleza na alma. Ainda que, vista cada coisa por si, são tão grandes que não é o caso de comparar.

9. Estava eu um dia, véspera do Espírito Santo.[2] Depois da missa fui a uma parte bem afastada onde muitas vezes eu rezava e comecei a ler em um cartuxo[3] sobre essa festa. E lendo os sinais que devem ter os que começam, os que progridem e os perfeitos para saber se está com eles o Espírito Santo, lidos esses três estados, pareceu-me, pela bondade de Deus, que Ele não deixava de estar comigo, pelo que eu podia perceber. Fiquei a louvá-lo, lembrando-me de outra vez em que o havia lido, quando estava bem carente de todos aqueles sinais, que eu vi muito bem, assim como agora percebia o contrário em mim. E, assim, reconheci que era uma dádiva grande a que o Senhor me tinha feito. E, assim, comecei a pensar no lugar que eu tinha merecido no inferno por meus pecados. E dava muitos louvores a Deus, porque me parecia que nem reconhecia minha alma, tão mudada eu a via.

10. Estando nessas considerações, deu-me um ímpeto grande, sem eu perceber a ocasião. Parecia que a alma queria sair do meu corpo porque não cabia em si nem se achava capaz de esperar tanto bem. Era um ímpeto tão excessivo que eu não conseguia fazer nada e, na minha opinião, era diferente de outras vezes: nem entendia o que tinha a alma, nem o que queria, tão alterada ela

estava. Levantei-me, porque nem sentada não conseguia ficar, porque a força natural me faltava toda.

Estando eu nisso, veio sobre minha cabeça uma pomba, bem diferente das daqui, porque não tinha essas penas, mas sim as asas feitas de umas conchinhas que emitiam de si um grande brilho. Era maior do que uma pomba. Parece-me que eu ouvia o ruído que fazia com as asas. Estaria batendo as asas o tempo de uma Ave--Maria. A alma já estava de tal jeito que, perdendo-se de si, perdeu-a de vista. Sossegou-se o espírito com tão bom hóspede, pois, pelo que achava, a dádiva tão maravilhosa devia desassossegá-lo e assustá-lo. E quando começou a fruir dela, foi tirado o medo e começou a tranquilidade com o gozo, ficando em arrebatamento. Foi enorme a glória desse arrebatamento.

11. Fiquei a maior parte da Páscoa tão abobada e tonta que não sabia o que fazer de mim, nem como cabia em mim tão grande favor e dádiva. Não ouvia nem via, por assim dizer. Com enorme gozo interior. Desde aquele dia percebi ficar com enorme avanço em amor a Deus mais elevado e as virtudes muito mais fortalecidas. Seja bendito e louvado para sempre, amém.

12. De outra vez vi a mesma pomba sobre a cabeça de um padre da Ordem de São Domingos,[4] só me pareceu que os raios e o brilho das mesmas asas se estendiam muito mais. Fez-me entender que ele haveria de trazer almas para Deus.

13. De outra vez vi Nossa Senhora pondo uma capa muito branca no presentado dessa mesma ordem de que falei algumas vezes. Disse-me que pelo serviço que havia prestado a ela por ajudar a que se fizesse esta casa lhe dava aquele manto. Em sinal de que protegeria a alma dele em pureza, dali para a frente, e que não cairia em pecado mortal. Eu tenho certeza de que foi assim, porque depois de poucos anos morreu,[5] e sua morte, e o que viveu, foi com tanta penitência a vida, e a morte com tanta

santidade que, pelo que se pode perceber, não há o que pôr em dúvida. Disse-me um frade que esteve presente a sua morte que ele, antes de expirar, lhe disse como estava com ele santo Tomás. Morreu com grande gozo e desejo de sair deste desterro. Depois apareceu para mim algumas vezes com muito grande glória e me disse algumas coisas. Tinha tanta oração que, quando morreu, apesar de, com a fraqueza, querer evitá-la, não conseguia, porque tinha muitos arrebatamentos. Escreveu-me pouco antes de morrer: que medo teria? Porque, quando acabava de dizer missa, ficava em arrebatamento muito tempo, sem poder evitar. Deus lhe deu, no fim, o prêmio pelo muito que ele o havia servido em toda sua vida.

14. Do reitor da Companhia de Jesus,[6] de que algumas vezes fiz menção, vi algumas coisas de grandes dádivas que o Senhor lhe fazia, que, para não me estender, não ponho aqui. Aconteceu-lhe uma vez uma grande provação, em que foi muito perseguido e se viu muito aflito. Estando eu um dia ouvindo missa, vi Cristo na cruz quando erguiam a hóstia. Disse-me algumas palavras para que eu dissesse a ele como consolo e outras prevenindo-o do que estava por vir e pondo diante dele o que havia padecido por ele e que se preparasse para aguentar. Isso lhe deu muito consolo e coragem, e tudo se passou depois como o Senhor me disse.

15. Dos da ordem desse padre, que é a Companhia de Jesus, toda a ordem junta, vi grandes coisas: vi-os algumas vezes no céu com bandeiras brancas nas mãos e, como ia dizendo, outras coisas vi deles dignas de muita admiração. E, assim, tenho essa ordem em grande veneração, porque convivi muito com eles e vejo que sua vida se conforma com o que o Senhor me fez entender deles.

16. Estando uma noite em oração começou o Senhor a dizer-me algumas palavras trazendo-me à memória, por elas, quanto minha vida havia sido má. Causavam-me grande embaraço e tristeza, porque, ainda que não

tenham sido ditas com severidade, causam um sentimento e uma tristeza que desmancham. E sente-se maior aproveitamento em nos conhecer com uma palavra dessas do que em muitos dias que pensemos em nossa miséria. Porque traz consigo esculpida uma verdade que não podemos negar. Apresentou-me as vontades que eu tinha tido com tanta vaidade, e disse-me que tivesse em alta conta que se pusesse n'Ele uma vontade que tão mal se havia gasto como a minha e aceitá-la Ele.

De outras vezes me disse que me lembrasse de quando eu tinha como honra ir contra a vontade d'Ele. Outras, que me lembrasse do que devia a Ele, pois, enquanto eu lhe dava os maiores golpes, estava Ele fazendo-me dádivas. Se cometia alguma falta, e não são poucas, a maneira como me faz Sua Majestade entender parece que me aniquila inteiramente. E, como tenho muitas, dá-se muitas vezes. Acontecia-me de me repreender o meu confessor, e eu querer me consolar na oração, e achar ali a verdadeira repreensão.

17. Voltando então ao que eu dizia. Quando começou o Senhor a trazer-me à memória minha vida ruim, ao voltarem as minhas lágrimas, como eu, então, não tinha feito nada, pelo que me parecia, pensei que talvez me quisesse fazer alguma dádiva. Porque é muito comum, quando recebo alguma dádiva particular do Senhor, ter-me primeiro aniquilado a mim mesma, para que veja mais claramente quão longe estão de eu merecê-las. Penso que deve fazê-lo o Senhor. Depois de pouco tempo, foi tão arrebatado meu espírito que quase me pareceu que estava totalmente fora do corpo. Ao menos não se percebe que se vive nele. Via a Humanidade sacratíssima com excessivamente mais glória do que jamais tinha visto. Mostrou-se a mim, por meio de uma noção admirável e clara, posto no peito do Pai. Isso eu não saberei dizer como é, porque, sem ver me pareceu que me vi na presença daquela Divindade. Fiquei tão espantada e de

tal maneira que me parece que se passaram alguns dias que não conseguia voltar a mim. E sempre me parecia trazer presente aquela majestade do Filho de Deus, ainda que não fosse como a da primeira. Isso eu percebia bem, mas fica tão esculpido na imaginação que não se pode tirar de si por algum tempo, por mais breve que seja o tempo em que se tenha passado. E é grande o consolo e mesmo o progresso.

18. Essa mesma visão eu vi outras três vezes. É, na minha opinião, a mais elevada visão que o Senhor me fez a dádiva de ver, e traz consigo enormes proveitos. Parece que purifica a alma em grande maneira e tira a força quase totalmente dessa nossa sensualidade. É uma chama grande, que parece que abrasa e aniquila todos os desejos da vida. Porque já que eu, glória a Deus, não os tinha em coisas vãs, explicou-se-me bem aí como tudo era vaidade e quão vãs, e quão vãs as soberanias daqui. E é um ensinamento grande para erguer os desejos à pura verdade. Fica gravada uma reverência que eu não saberei dizer como, mas é muito diferente da que aqui podemos adquirir. Causa um grande espanto na alma ao ver como ousou, ou como alguém pudesse ousar, ofender uma Majestade tão enorme.

19. Devo ter falado algumas vezes desses efeitos de visões e outras coisas, mas já disse que há maior e menor aproveitamento. Desta, é enorme. Quando eu me aproximava da comunhão e lembrava daquela majestade enorme que tinha visto, e via que era Ele que estava no Santíssimo Sacramento, e muitas vezes quer o Senhor que eu o veja na Hóstia, meus cabelos se arrepiavam e parecia que eu me aniquilava inteira.

Oh, meu Senhor, mas se não encobrirdes vossa grandeza, quem ousará chegar tantas vezes a juntar uma coisa tão suja e miserável com tão grande Majestade?

Bendito sejais, Senhor! Louvem os anjos e todas as criaturas, pois medis as coisas com a nossa fraqueza, para que, gozando de tão supremas dádivas, não nos assuste vosso grande poder a ponto de que nem ousemos gozá-las, como gente fraca e miserável que somos.

20. Poderia nos acontecer o que a um lavrador, e isto eu sei com certeza que aconteceu assim: achou-se um tesouro e como era mais do que cabia em seu ânimo, que era pouco, vendo-se com ele deu-lhe uma tristeza que pouco a pouco veio a morrer de pura aflição e preocupação de não saber o que fazer com ele. Se não o tivesse achado todo de uma vez, mas fossem lhe dando pouco a pouco e sustentando com o tesouro, viveria mais alegre do que sendo pobre e não custaria sua vida.

21. Oh, riqueza dos pobres, que admiravelmente sabeis sustentar as almas e, sem que vejam tão grandes riquezas, pouco a pouco as vai mostrando! Quando eu vejo uma Majestade tão grande e disfarçada em coisa tão pequena como é a Hóstia, aqui comigo me admiro, depois, de sabedoria tão grande. E não sei como me dá o Senhor coragem e força para me aproximar dele. Se Ele, que me fez e faz tão grandes dádivas, não me desse, nem seria possível poder dissimular, nem deixar de dizer em voz alta tão grandes maravilhas. Então, o que sentirá uma miserável como eu, carregada de abominações e que com tão pouco temor a Deus gastou sua vida, de se ver aproximar-se desse Senhor de tão grande Majestade quando quer que minha alma o veja? Como há de juntar a boca, que tantas palavras disse contra o mesmo Senhor, àquele corpo gloriosíssimo, cheio de limpeza e piedade? Pois dói muito mais e aflige a alma por não ter servido a Ele, o amor que mostra aquele rosto de tanta beleza com uma ternura e afabilidade, pois a Majestade que se vê n'Ele infunde temor.

22. Mas o que poderia sentir eu que vi duas vezes isto que direi? Com certeza, Senhor meu e glória minha, estou para dizer que, de alguma maneira, nessas grandes aflições que sente a minha alma fiz algo em vosso ser-

viço. Ai, que não sei o que digo, pois, quase sem falar, já escrevi isso! É porque me encontro perturbada e um pouco fora de mim ao ter trazido de volta à memória essas coisas. Teria dito bem, se esse sentimento viesse de mim, pois teria feito algo por Vós, Senhor meu. Mas, já que não pode haver bom pensamento se Vós não o dais, não há o que me agradecer. Eu sou a devedora, Senhor, e Vós o ofendido.

23. Aproximando-me uma vez para comungar, vi com os olhos da alma, mais claramente do que com os do corpo, dois demônios de muito abominável figura. Parecia-me que os chifres rodeavam a garganta do pobre sacerdote, e vi meu Senhor com a Majestade que disse, posto, na Forma como ia ser dada a mim,[7] naquelas mãos que se via claramente que causavam ofensa a Ele. E entendi estar aquela alma em pecado mortal. O que seria, Senhor meu, ver vossa formosura entre figuras tão abomináveis? Eles estavam como que amedrontados e assustados diante de Vós, pois parecia que de boa vontade fugiriam se Vós os tivésseis deixado ir.

Causou-me tão grande perturbação que não sei como consegui comungar e fiquei com muito medo, parecendo-me que, se tivesse sido visão de Deus, não me permitiria Sua Majestade ver o mal que estava naquela alma. Disse-me o mesmo Senhor que rogasse por ele, e que tinha permitido para que eu entendesse a força que têm as palavras da consagração e como não deixa Deus de estar ali por pior que seja o sacerdote que as diz. E para que visse sua grande bondade, quando se põe naquelas mãos de seu inimigo, e tudo para o meu bem e de todos. Percebi bem o quanto estão os sacerdotes mais obrigados a ser bons do que os outros. E que coisa dura é tomar esse Santíssimo Sacramento indignamente e quanto o demônio é senhor da alma que está em pecado mortal. De muito grande proveito me foi e me deu grande conhecimento do que eu devia a Deus. Bendito seja para sempre e sempre.

24. De outra vez me aconteceu assim outra coisa que me assustou muito, muito. Estava em um lugar onde havia morrido uma certa pessoa que vivera muito mal, segundo eu soube, e muitos anos. Mas havia dois anos que tinha uma doença e em algumas coisas parece que andava emendado. Morreu sem confissão, mas, mesmo com tudo isso, não me parecia que seria condenado. Estando eu amortalhando o corpo, vi muitos demônios tomando aquele corpo e parecia que brincavam com ele e o torturavam. Causou-me um grande pavor, pois com garfos grandes arrastavam-no de um para o outro. Quando o vi ser levado para enterrar com a mesma honra e cerimônias que todos, eu estava pensando na bondade de Deus: como não queria que aquela alma fosse difamada, mas sim que ficasse oculto ser ela sua inimiga.

25. Eu já estava meio boba pelo que tinha visto. Em todo o ofício não vi mais demônios. Depois, quando puseram o corpo na sepultura, era tão grande a multidão que estava dentro para pegá-lo que eu estava fora de mim de ver e não era pouca a coragem necessária para dissimular. Pensava no que fariam daquela alma, quando se apossavam assim do triste corpo. Quisera Deus que isso que vi — coisa tão assustadora! — vissem todos os que estão em mau estado, pois me parece que seria uma grande coisa para fazê-los viver bem. Tudo isso me faz reconhecer mais o que devo a Deus e do que Ele me livrou. Andei muito temerosa até que conversei com meu confessor, pensando se não era ilusão do demônio para difamar aquela alma, ainda que ela não fosse tida como muito cristã. É verdade que, ainda que não tenha sido ilusão, sempre me dá medo quando me lembro.

26. Já que comecei a falar de visões de defuntos, quero dizer algumas coisas que o Senhor quis, nesse caso, que visse de algumas almas. Direi poucas, para abreviar e por não ser necessário mais, quero dizer, para algum proveito. Disseram-me que estava morto um provincial

nosso, que tinha sido e, quando morreu, era de outra província,[8] com quem eu havia conversado e a quem devia algumas boas obras. Era uma pessoa de muitas virtudes. Quando soube que estava morto, deu-me uma grande perturbação, porque temi por sua salvação, pois tinha sido prelado por vinte anos, coisa de que tenho muito medo, com certeza, por me parecer coisa muito perigosa ter a seu cargo almas. E com muito desânimo fui para um oratório. Disse todo o bem que eu havia feito na minha vida, o que seria bem pouco, e disse ao Senhor que suprissem os méritos d'Ele o que era necessário àquela alma para sair do purgatório.

27. Estando a pedir isso ao Senhor da melhor maneira que podia, parecia-me que saía do fundo da terra ao meu lado direito e vi-o subir ao céu com enorme alegria. Ele já era bem velho, mas eu o vi com a idade de trinta anos e até menos, pareceu-me, e com brilho no rosto. Foi muito rápida essa visão, mas fiquei consolada em tal ponto que nunca mais me pôde dar tristeza a morte dele. Mesmo vendo muitas pessoas muito desanimadas por causa dele, que era muito benquisto. Era tanto consolo que minha alma tinha, que nada me importava nem podia duvidar de que era boa visão, quer dizer, que não era ilusão. Havia não mais do que quinze dias que tinha morrido. Contudo, não descuidei de que o encomendassem a Deus nem de fazê-lo eu, só que não conseguia com aquela vontade que teria se não tivesse visto isso. Porque, quando o Senhor me mostra isso assim e depois eu quero encomendar as almas à Sua Majestade, parece-me, sem conseguir mais, que é como dar esmola ao rico. Depois soube — porque morreu longe daqui — a morte que o Senhor lhe deu, que foi de tão grande edificação que deixou a todos espantados com o reconhecimento e as lágrimas e humildade com que morreu.

28. Tinha morrido uma monja em casa havia pouco mais de um dia e meio, muito serva de Deus. Estando

uma monja a dizer uma leitura de defuntos que se dizia por ela no coro, eu estava em pé para ajudá-la a dizer o versículo. Na metade da leitura eu a vi. Pareceu-me que saía a alma do lugar da visão passada e que ia para o céu. Essa não foi uma visão por imagens, como a anterior, mas como outras que contei. Mas não se duvida dela mais do que das que se veem.

29. Outra monja morreu na minha própria casa. De cerca de dezoito ou vinte anos. Sempre tinha sido doente e muito serva de Deus, amiga do coro e muito virtuosa. Eu com certeza pensei que não entraria no purgatório, porque eram muitas as doenças por que havia passado, pensei, ao contrário, que lhe sobravam méritos. Estando nas Horas antes que a enterrassem, fazia quatro horas que tinha morrido, percebi sair do mesmo lugar e ir para o céu.

30. Estando em um colégio da Companhia de Jesus, com as grandes provações que disse que tinha às vezes e ainda tenho da alma e do corpo, estava de tal sorte que até um bom pensamento, me parecia, eu não conseguia aceitar. Tinha morrido naquela noite um irmão daquela casa da Companhia e estando a encomendá-lo a Deus como podia e ouvindo missa de outro padre da Companhia por ele, deu-me um grande recolhimento e vi-o subir ao céu com muita glória e o Senhor com ele. Por particular favor percebi que ia Sua Majestade com ele.

31. Outro frade de nossa ordem, muito bom frade, estava muito doente, e estando eu na missa, deu-me um recolhimento e vi quando morreu e subiu ao céu sem entrar no purgatório. Morreu naquela hora que eu o vi, segundo soube depois. Eu me espantei de que não tivesse entrado no purgatório. Entendi que, por ter sido frade, pois havia observado bem sua profissão religiosa, tinham sido de proveito para ele as bulas da ordem para não entrar no purgatório.[9] Não compreendo por que entendi isso. Parece-me que deve ser porque não está o ser

frade no hábito, digo, em vesti-lo, para gozar do estado de maior perfeição que é ser frade.

32. Não quero contar mais dessas coisas porque, como já disse, não há por que. Mesmo que sejam muitas que o Senhor me fez a dádiva de ver. Mas não percebi, de todas as que vi, deixar de entrar no purgatório nenhuma das que vi a não ser a desse padre e do santo frei Pedro de Alcântara e o padre dominicano que fica dito. De alguns o Senhor quis que eu visse os graus de glória que têm, mostrando-me o lugar em que se localizam. É grande a diferença que há de um para outro.

CAPÍTULO 39

PROSSEGUE NA MESMA MATÉRIA DE CONTAR AS GRANDES DÁDIVAS QUE FEZ A ELA O SENHOR. TRATA DE COMO PROMETEU FAZER PELAS PESSOAS O QUE ELA LHE PEDISSE. DIZ ALGUMAS COISAS NOTÁVEIS EM QUE FEZ SUA MAJESTADE ESSE FAVOR

1. Estando eu uma vez a importunar muito o Senhor para que desse a vista a uma pessoa com quem eu tinha obrigações, porque ela havia perdido quase totalmente a visão, eu tinha muita pena dela e temia que, por meus pecados, não me havia o Senhor de ouvir. Apareceu-me, como em outras vezes, e começou a me mostrar a chaga da mão esquerda. E com a outra tirava um cravo grande que estava enfiado nela. Parecia-me que, em volta do cravo, tirava a carne. Via-se bem a grande dor, o que me dava muita pena. E disse-me que quem havia passado aquilo por mim, que eu não duvidasse, faria melhor o que lhe pedisse. Disse que Ele me prometia que não haveria nenhuma coisa que eu lhe pedisse e Ele não fizesse. Que Ele já sabia que eu não pediria senão coisas conformes à sua glória e que, assim, faria isso que eu agora pedia. Que mesmo quando eu não o servia, olhasse eu que não tinha lhe pedido nada que não tivesse feito melhor do que eu sabia pedir. Que muito melhor o faria agora que sabia que eu o amava. Que não duvidasse disso.

Creio que não se passaram oito dias e o Senhor devolveu a vista àquela pessoa. Meu confessor logo soube disso. Pode ser que não tenha sido por minha oração, mas como eu tinha visto essa visão, ficou-me uma certeza e, pela dádiva feita a mim, dei ao Senhor as graças.

2. De outra vez estava uma pessoa muito enferma de uma doença muito penosa que, por ser não sei de que natureza, não designo aqui. Era uma coisa insuportável o que fazia dois meses que passava e estava num tormento em que se despedaçava. Foi vê-la meu confessor, que era o reitor de quem falei, e teve grande pena dela. E disse-me que, em todo caso, eu fosse visitá-la, pois era uma pessoa que eu podia visitar, por ser meu parente.[1] Eu fui e isso me moveu a ter bastante piedade dele. E comecei muito importunamente a pedir sua saúde ao Senhor. Nisso vi claramente, com toda minha convicção, a dádiva que me fez. Porque logo no outro dia estava totalmente bom daquela dor.

3. Estava uma vez com enorme tristeza porque sabia que uma pessoa a quem devia muita obrigação queria fazer uma coisa muito contra Deus e contra a honra dela mesma e estava já muito decidida a isso. Era tanto o meu desânimo, que eu não sabia o que fazer. Um jeito para que ela desistisse parece que já não havia. Supliquei muito a Deus de coração que desse remédio, mas, até vê-la, não consegui aliviar minha tristeza. Fui, estando desse jeito, a uma ermida bem afastada das que há neste mosteiro e, estando em uma onde fica Cristo na Coluna,[2] suplicando a Ele que me fizesse essa dádiva, ouvi que falava comigo em voz muito suave, como num sussurro. Eu me arrepiei toda, porque me deu medo e queria entender o que me dizia. Mas não consegui, porque passou muito rápido. Passado o meu medo, o que foi rápido, fiquei com um sossego e um júbilo e deleite interior tais que me espantei de que só ouvir uma voz, pois ouvi isso com os ouvidos corporais e sem entender uma palavra,

fizesse tanto efeito na alma. Com isso vi que se havia de fazer o que eu pedia e assim foi que me foi tirada a tristeza por uma coisa que ainda não acontecera, como se eu a tivesse visto feita, o que aconteceu depois. Contei a meus confessores, pois tinha dois nessa época, muito letrados e servos de Deus.[3]

4. Eu sabia que uma pessoa tinha decidido muito de verdade servir a Deus e tinha tido alguns dias de oração, e nela fazia Sua Majestade muitas dádivas. E, por certas ocasiões de pecado, havia deixado a oração e até não se afastava dessas ocasiões e eram bem perigosas. A mim causou enorme tristeza, por ser uma pessoa de quem eu gostava muito e a quem devia. Creio que foi mais de um mês que não fiz outra coisa senão suplicar a Deus que tomasse essa alma para si. Estando um dia em oração, vi um demônio junto a mim que, com muita insatisfação, fez em pedaços uns papéis que tinha na mão. A mim isso deu grande consolo, pois me pareceu que se havia feito o que eu pedia. E assim foi, pois logo depois soube que tinha feito uma confissão com grande contrição e voltou-se tão de verdade a Deus que, espero em Sua Majestade, há de ir sempre em frente. Seja bendito por tudo, amém.

5. Isso de tirar nosso Senhor almas de pecados graves por eu suplicar e trazer outras a maior perfeição acontece muitas vezes. E de tirar almas do purgatório e outras coisas notáveis são tantas as dádivas que o Senhor fez a mim que seria cansar-me e cansar a quem o lesse se eu tivesse que contá-las. E muito mais em saúde de almas do que de corpos. Isso foi uma coisa muito notória e há muitas testemunhas. Logo, logo me causava muito escrúpulo, porque eu não podia deixar de acreditar que o Senhor fazia-o por minha oração — deixemos de lado ser o principal apenas a sua bondade —, mas já são tantas as coisas e tão vistas por outras pessoas, que não me causa tristeza acreditar nisso e louvo a Sua Majestade e causa-me confusão, porque vejo que fico mais devedora

e faz-me, ao que me parece, crescer o desejo de servi-lo e aviva-se o amor.

6. E o que mais me espanta é que as que o Senhor vê que não convêm eu não consigo, ainda que queira, suplicar, a não ser com tão pouca força e espírito e cuidado que, por mais que queira me esforçar, é impossível, quando em outras coisas, que o Senhor fará, eu vejo que posso pedir muitas vezes e com grande importunação. Ainda que eu não tenha essa preocupação, parece-me que se mostra diante de mim.

É grande a diferença entre essas duas maneiras de pedir. E não sei como explicar. Porque, ainda que eu peça, pois não deixo de me forçar a suplicar ao Senhor, mesmo que não sinta em mim aquele fervor que em outras, ainda que me toquem muito, uma é como alguém que tivesse a língua travada. Pois ainda que queira falar não consegue, e se fala, é de um modo que vê que não o entendem. A outra é como quem fala claramente e desperto a quem vê que o escuta de boa vontade. Uma pede-se, digamos agora, como oração vocal, e a outra em contemplação tão elevada que o Senhor se mostra de uma maneira que se entende que nos compreende e que se alegra Sua Majestade por pedirmos e por fazer-nos uma dádiva.

Seja bendito para sempre que tanto dá e tão pouco lhe dou eu. Porque o que faz, Senhor meu, quem se desfaz toda por Vós? E quanto, quanto, quanto, e outras mil vezes posso dizer, me falta para isso! Por isso não quereria viver, ainda que haja outras causas. Porque não vivo conforme ao que devo a Vós. Com quantas imperfeições me vejo! Com que frouxidão em servir-vos! Com certeza me parece, às vezes, que quereria estar sem sentidos para não perceber tanto mal em mim. O que pode fazê-lo, remedeie!

7. Estando na casa daquela senhora de que falei, onde era preciso estar com cuidado e considerar sempre a vaidade que trazem consigo todas as coisas da vida, por-

que era muito estimada e muito elogiada e me ofereciam muitas coisas a que eu bem poderia me apegar, se olhasse para mim. Mas olhava para o que tem a verdadeira vista a não me soltar de sua mão.

8. Agora que falo em verdadeira vista, lembro-me dos grandes trabalhos por que passam pessoas que o Senhor aproximou de reconhecer o que é verdade, nessas coisas da terra, onde se esconde tanto, como o Senhor me disse uma vez. Pois muitas coisas das que escrevo aqui não são da minha cabeça, mas as dizia esse meu Mestre celestial. E porque nas coisas que eu expressamente digo "isso ouvi", ou "me disse o Senhor", tenho muitos escrúpulos em pôr ou tirar uma só sílaba que seja. Assim, quando não me recordo bem de tudo, digo como se fosse por mim, ou porque outras coisas também serão por mim. Não chamo de meu o que é bom, pois já sei que não há nada bom em mim, a não ser o que tão sem merecer me deu o Senhor. Mas chamo "dito por mim" o que não foi dado a ouvir em revelação.

9. Mas, ai, Deus meu, como mesmo nas coisas espirituais queremos muitas vezes entender as coisas segundo nosso parecer e muito distorcidas da verdade. Como nas coisas do mundo. E parece-nos que temos que contar nosso aproveitamento pelos anos que temos algum exercício de oração. E ainda parece que queremos pôr medida a quem sem nenhuma dá seus dons quando quer. E pode dar em meio ano mais para um do que para outro em muitos! E é uma coisa, essa, que tenho visto tanto, por muitas pessoas, que me espanto de como podemos nos deter nisso.

10. Creio que não ficará nesse engano quem tiver talento para conhecer espíritos e a quem o Senhor tiver dado humildade verdadeira: pois esse julga pelos efeitos e decisões e amor, e o Senhor lhe dá luz para que o reconheça. Para isso, olha o avanço e aproveitamento das almas, e não os anos. Pois em meio ano alguém pode ter

alcançado mais do que outro em vinte. Porque, como ia dizendo, o Senhor dá a quem quer e até a quem mais se dispõe. Porque eu vejo vir agora a esta casa umas mocinhas[4] que são de pouca idade e tocando-as Deus e dando-lhes um pouco de luz e amor, quer dizer, em pouco tempo de lhes ter dado algum presente, não esperaram, nem nada as impediu, sem se ocupar com o de comer, uma vez que se encerram para sempre nesta casa sem renda, como quem não valoriza a vida por causa daquele que sabem que as ama. Deixam tudo. Nem querem ter vontade. Nem lhes ocorre que podem ter descontentamento com tanta clausura e rigor: todas juntas se oferecem em sacrifício a Deus.

11. Com quanto de boa vontade eu lhes cedo aí a vantagem! E devia andar envergonhada diante de Deus, porque o que o Senhor não conseguiu comigo em tão grande quantidade de anos como há desde que comecei a ter oração e começou a me fazer dádivas, consegue com elas em três meses e até com alguma em três dias, além de fazer para elas menos do que fez para mim, ainda que as pague bem Sua Majestade. Com muita certeza não estão descontentes pelo que fizeram por Ele.

12. Para isso quereria que nos lembrássemos dos muitos anos que temos de profissão e, as pessoas que os têm, de oração. Não para desanimar aos que em pouco tempo vão mais longe fazendo-os voltar atrás para que andem no mesmo passo que nós. E aos que voam como águias com as dádivas que lhes faz Deus, querer fazê-los andar como frangos presos. Mas sim para que ponhamos os olhos em Sua Majestade e, se os olharmos com humildade, dar-lhes corda, pois o Senhor, que lhes faz tantas dádivas, não os deixará despencar. Confiam eles mesmos em Deus, que para isso lhes é de proveito a verdade da fé que conhecem, e não confiaremos neles nós? Ao contrário, queremos medi-los por nossa medida segundo nossa pouca coragem? Não assim, mas sim, se não alcançamos

seus grandes efeitos e determinação, porque sem experiência mal se consegue entender, humilhemo-nos e não os condenemos. Pois, parecendo que visamos o proveito deles, desperdiçamos o nosso e perdemos essa oportunidade que o Senhor oferece para humilhar-nos e para que entendamos o que nos falta. E quão mais desapegadas e próximas de Deus devem estar essas almas que as nossas, já que tanto Sua Majestade se aproxima delas.

13. Não entendo outra coisa, nem quereria entender, a não ser que eu quereria mais oração de pouco tempo que produz efeitos muito grandes, que logo se percebem, pois é impossível que os haja para deixar tudo por Deus sem grande força de amor, do que oração de muitos anos que nunca conseguiu decidir-se mais no fim do que no começo a fazer uma coisa que seja por Deus. Salvo se umas coisinhas miúdas como sal, que não têm peso nem importância, que parece que um pássaro poderia levar no bico, tivermos por grande efeito e mortificação. Pois fazemos caso de algumas coisas que fazemos pelo Senhor que é uma lástima que as percebamos, ainda que se fizessem muitas. Eu sou assim e esquecerei as dádivas de Deus a cada passo. Não digo que não as levará muito em consideração Sua Majestade, de acordo com sua bondade. Mas eu quereria não fazer caso delas, nem ver que as faço, já que não são nada. Mas perdoai-me, Senhor meu, e não me culpeis, pois com algo tenho que me consolar, já que não vos sirvo em nada. Pois se vos servisse em coisas grandes, não faria caso das ninharias. Bem-aventuradas as pessoas que vos servem com obras grandes! Se ter inveja delas e desejar isso for levado em conta, não ficaria muito atrás em contentar-vos. Mas não valho nada, Senhor meu. Dai-me Vós a coragem, já que tanto me amais.

14. Aconteceu um dia desses que, ao chegar um Breve de Roma para não poder ter renda este mosteiro,[5] terminou tudo, e parece-me que custou algum trabalho. Estando consolada por ver tudo assim concluído e

pensando nos trabalhos que tinha tido e louvando ao Senhor que em algo tinha querido servir-se de mim, comecei a pensar nas coisas que tinha passado. E foi assim que, em cada uma das que pareciam que eram algo que eu havia feito eu achava tantas faltas e imperfeições, e às vezes pouca coragem e em muitas pouca fé. Porque até agora, que vejo tudo cumprido do que o Senhor me disse que faria sobre esta casa, nunca conseguia crer decididamente, e tampouco conseguia duvidar.

Não sei como era isso. É que muitas vezes por um lado me parecia impossível, por outro não conseguia duvidar, quero dizer, acreditar que não seria feito. Enfim, achei ter o Senhor feito todo o bom de sua parte e o mau, eu. E assim deixei de pensar nisso e não quereria me recordar para não tropeçar em tantas faltas minhas. Bendito seja Ele que de todas tira o bem quando quer. Amém.

15. Então, ia dizendo que é perigoso ir contando os anos que se teve de oração, pois ainda que haja humildade, parece que pode ficar um não sei quê de parecer que se merece algo pelo tempo servido. Não digo que não merecem e que não será bem pago. Mas qualquer espiritual a quem pareça que, pelos muitos anos que teve oração, merece esses presentes do espírito, tenho certeza de que não subirá até o topo. Já não é demais que tenha merecido que Deus o segure pela mão para não fazer as ofensas que antes de ter oração fazia? Mas que lhe mova ação por sua paga, como dizem? Não me parece profunda humildade. Pode ser que seja, mas considero atrevimento, já que eu, apesar de ter pouca humildade, não me parece que jamais tenha ousado. Pode ser que, como nunca o servi, nunca pedi. Talvez se o tivesse feito, quereria mais que todos que o Senhor me pagasse.

16. Não digo que não vá crescendo uma alma e não pagará Deus, se a oração tiver sido humilde. Mas que se esqueçam esses anos, pois é tudo um nojo o que podemos fazer em comparação com uma gota de sangue das

que o Senhor derramou por nós. E, se ao servir mais ficamos mais devedores, que é que pedimos, já que se pagamos um maravedi da dívida voltam a nos dar mil ducados?[6] Por amor de Deus, deixemos esses julgamentos que são d'Ele. Essas comparações sempre são más, mesmo nas coisas daqui. O que serão, então, naquilo que só Deus sabe? E isso mostrou bem Sua Majestade quando pagou tanto aos últimos quanto aos primeiros.[7]

17. Foi em tantas vezes que escrevi essas três páginas ao longo de três dias, porque tive e tenho, como já disse, pouco tempo, que tinha me esquecido do que comecei a contar. Era esta visão: vi-me em oração sozinha num campo grande, ao redor de mim pessoas de diferentes tipos me cercavam. Todas, parecia-me, tinham armas nas mãos para ferir-me: umas, lanças; outras, espadas; outras, adagas; e outras, estoques muito grandes. Enfim, eu não podia sair por nenhum lado sem que me pusesse em perigo de morte. E sozinha, sem achar uma pessoa do meu lado. Estando meu espírito nessa aflição, pois não sabia o que fazer de mim, ergui os olhos ao céu e vi Cristo, não no céu, mas acima de mim bem alto no ar. E estendia a mão em minha direção e dali me favorecia de um modo que eu não temia mais todas as outras pessoas, nem eles, ainda que quisessem, podiam me causar dano.

18. Parece sem fruto essa visão e me foi de enorme proveito. Porque me fez entender o que significava e pouco depois me vi quase sob aquele ataque e reconheci ser aquela visão um retrato do mundo, pois tudo o que há nele parece que tem armas para ferir a triste alma. Deixemos de lado os que não servem muito ao Senhor, e honras e riquezas e prazeres e outras coisas semelhantes, pois está claro que, quando não se toma cuidado, se vê enredada. Ao menos tentam, todas essas coisas, enredar. Mas falo de amigos e parentes e, o que mais me espanta, pessoas muito boas. Por todos me vi depois tão pressio-

nada, pensando eles que faziam um bem, que não sabia como me defender nem o que fazer.

19. Oh, valha-me Deus! Se eu dissesse as maneiras e variedades de provações que tive, mesmo depois do que foi contado atrás! Como seria grande advertência para repudiar tudo totalmente! Foi a maior perseguição, me parece, por que passei! Digo que me vi às vezes tão pressionada por todos os lados, que só encontrava remédio em erguer os olhos ao céu e chamar a Deus. Lembrava-me bem do que tinha visto nessa visão. E foi de muito grande proveito para mim para não confiar muito em ninguém, porque não há quem seja constante, a não ser Deus. Sempre, nessas grandes provações, me enviava o Senhor, como me mostrou, uma pessoa de sua parte que me desse a mão, como tinha me mostrado nessa visão. Sem ir apegada a nada além de contentar ao Senhor, pois era para sustentar esse pouquinho de virtude que eu tinha em desejar servir-vos. Sede bendito para sempre!

20. Estando uma vez muito inquieta e alvoroçada, sem poder me recolher e em batalha e contenda, indo meu pensamento a coisas que não eram perfeitas — ainda não estava, me parece, com o desapego que devo — quando me vi assim tão ruim, tive medo de que as dádivas que o Senhor me havia feito eram ilusões. Estava, enfim, com uma escuridão grande na alma. Estando com essa pena, começou a falar comigo o Senhor e disse-me que não desanimasse, pois, vendo-me assim, entenderia a miséria que era se Ele se afastava de mim e que não havia segurança enquanto vivêssemos nesta carne. Fez-me entender quão bem empregada é esta guerra e contenda por tal prêmio, e pareceu-me que o Senhor tinha pena dos que vivemos no mundo. Mas que não pensasse eu que tinha sido esquecida, pois jamais me deixaria, mas que era preciso que eu fizesse o que estava a meu alcance fazer. Isso me disse o Senhor com uma piedade e um carinho, e com palavras em que me fazia muita dádiva e não há por que dizê-las.

21. Estas me disse o Senhor muitas vezes, mostrando-me grande amor: "Já és minha, e Eu sou teu". As que eu sempre tenho o costume de dizer e, ao que me parece, digo com verdade são: "Que me importa, Senhor, de mim, senão de Vós?". São para mim essas palavras e carinho tão enorme embaraço, quando me lembro de quem sou, que, como creio que disse outras vezes, e agora digo às vezes a meu confessor, mais coragem, me parece, é necessária para essas dádivas do que para passar por enormes provações.

Quando passa, fico quase esquecida das minhas obras, a não ser por um mostrar-se a mim que sou ruim, sem conhecimento discursivo, que também me parece às vezes sobrenatural.

22. Dá-me algumas vezes uma vontade de comungar tão grande que não sei se conseguiria exagerá-la. Aconteceu-me numa manhã em que chovia tanto que parecia que não dava para sair de casa. Estando eu fora dela, estava já tão fora de mim com aquele desejo que, ainda que me pusessem lanças no peito, passaria através delas, quanto mais água. Quando cheguei à igreja, deu-me um arrebatamento grande. Pareceu-me ver abrir-se os céus. Não uma entrada como de outras vezes tinha visto. Mostrou-se-me o trono que disse ao senhor que vi outras vezes, e outro em cima dele, onde, por uma noção que não sei dizer, ainda que não tenha visto, percebi estar a Divindade. Parecia-me que o sustentavam uns animais. Parece-me que ouvi uma descrição desses animais. Pensei que talvez fossem os evangelistas. Mas como era o trono, e quem estava nele eu não vi, só uma grande multidão de anjos. Pareceram-me, sem comparação, de muito maior beleza do que os que vi no céu. Pensei se eram serafins ou querubins, porque são muito diferentes no esplendor, que parecia ter chamas. É grande a diferença, como disse. E a glória que senti em mim então não se pode descrever nem mesmo dizer, nem poderá pensar nela quem não tiver passado por isso.

Percebi estar ali tudo o que se pode desejar junto, e não vi nada. Disseram-me, e não sei quem, que o que ali eu poderia fazer era entender que não podia entender nada e ver o nada que era tudo em comparação com aquilo. É assim que se envergonhava minha alma depois de ver que poderia se deter em alguma coisa criada, quanto mais apegar-se a ela, porque tudo me parecia um formigueiro.

23. Comunguei e fiquei na missa. Não sei como consegui. Pareceu-me que tinha sido muito pouco tempo. Assustei-me quando bateu o relógio e vi que tinha passado ali duas horas naquele arrebatamento e glória. Espantava-me, depois, como, tendo me aproximado desse fogo que parece que vem de cima, de verdadeiro amor de Deus, porque por mais que queira e se desfaça por ele, se não for quando Sua Majestade quer, como disse outras vezes, não contribuo em nada para ter nem uma centelha dele, parece que consome o homem velho de faltas e tibieza e miséria e, da maneira como faz a ave fênix — segundo li — e da própria cinza, depois que se queima, sai outra, assim fica outra a alma depois. Com desejos diferentes e grande fortaleza. Não parece ser a de antes, mas começa com nova pureza o caminho do Senhor. Suplicando eu a Sua Majestade que fosse assim, e que de novo começasse a servi-lo, me disse: "Boa comparação fizeste. Veja que não te esqueças dela para tentar melhorar-te sempre".

24. Estando uma vez com a mesma dúvida que disse há pouco, se eram essas visões de Deus, me apareceu o Senhor e me disse com severidade: "Oh, filhos dos homens, até quando sereis duros de coração?". Disse que examinasse bem em mim uma coisa: se tinha me dado totalmente a Ele ou não. Pois se tivesse e fosse d'Ele que cresse que não me deixaria perder.

Eu desanimei muito com aquela exclamação. Com grande carinho e ternura voltou a me dizer que não desanimasse, pois já sabia que, por mim, não deixaria de me dispor a tudo que fosse seu serviço. Que se realizaria tudo o que eu queria e assim se fez o que então eu suplicava. Que visse o amor que ia aumentando em mim a cada dia para amá-lo, pois nisso veria não ser o demônio. Que não pensasse que o Senhor permitia que tivesse tanta influência nas almas de seus servos, e que "te pudesse dar a clareza de entendimento e a quietude que tens". Fez-me entender que, tendo dito tantas e tais pessoas que era Deus, faria mal em não acreditar.

25. Estando uma vez a rezar o salmo do "Quincunque vul",[8] me foi dado entender a maneira como era um só Deus e três Pessoas tão claramente que me assustei e consolei muito. Foi de enorme proveito para conhecer mais a grandeza de Deus e suas maravilhas e para quando penso ou se fala da Santíssima Trindade, parece que entendo como pode ser e é para mim grande alegria.

26. Em um dia da Assunção da Rainha dos Anjos e Senhora nossa, quis o Senhor fazer-me esta dádiva. Em um arrebatamento me foram mostradas sua subida ao céu e a alegria e solenidade com que foi recebida e o lugar onde está. Dizer como foi isso eu não saberia. Foi enorme a glória que meu espírito teve por ver tanta glória. Fiquei com grandes efeitos e me foi de grande proveito para fazer-me desejar mais passar por grandes provações. E ficou-me um grande desejo de servir a essa Senhora, que tanto o mereceu.

27. Estando em um colégio da Companhia de Jesus,[9] e estando a comungar os irmãos daquela casa, vi um pálio muito bonito sobre suas cabeças. Vi isso duas vezes. Quando outras pessoas comungavam, não o via.

CAPÍTULO 40

PROSSEGUE NA MESMA MATÉRIA DE DIZER AS GRANDES DÁDIVAS QUE O SENHOR LHE FEZ. DE ALGUMAS SE PODE TIRAR MUITO BOA DOUTRINA, POIS ESSE FOI, SEGUNDO DISSE, SEU PRINCIPAL INTENTO, DEPOIS DE OBEDECER: EXPOR AS QUE SÃO DE PROVEITO PARA AS ALMAS. COM ESTE CAPÍTULO ACABA O RELATO DE SUA VIDA QUE ESCREVEU. SEJA PARA A GLÓRIA DO SENHOR, AMÉM

1. Estando uma vez em oração, era tanto o deleite que sentia em mim que, como sou indigna de tal bem, comecei a pensar em como merecia mais estar no lugar que tinha visto estar preparado para mim no inferno, pois — como já disse — nunca esqueço a maneira como me vi ali. Começou, com essa consideração, minha alma a inflamar-se mais e veio um arrebatamento de espírito de tipo que eu não sei dizer. Pareceu-me estar metida e cheia daquela majestade que percebi outras vezes. Nessa majestade me foi dado entender uma verdade, que é a completude de todas as verdades. Não sei dizer como, porque não vi nada. Disseram-me, sem que eu visse quem, mas percebi bem ser a própria Verdade: "Não é pouco isso que faço por ti, pois é uma das coisas em que muito me deves. Porque todo o dano que vem ao mundo é por não conhecer as verdades da Escritura com verdade clara. Não passará um til dela".

A mim me pareceu que eu sempre havia acreditado nisso e que todos os fiéis acreditavam. Disse-me: "Ai, filha, como são poucos os que me amam com verdade! Pois se me amassem não esconderia deles meus segredos. Sabes o que é amar-me de verdade? Entender que o que não é agradável a mim é tudo mentira. Com clareza verás isso, que agora não entendes como é benéfico para a tua alma".

2. E assim vi, seja o Senhor louvado. Porque o que vejo por aqui que não vai dirigido ao serviço de Deus me parece tanta vaidade e mentira que eu não saberia dizer como percebo isso, nem a pena que tenho dos que vejo estar na escuridão quanto a essa verdade. E há, junto com isso, outros lucros que direi aqui e muitos não saberei dizer. Disse-me o Senhor aí uma palavra de enorme favor. Eu não sei como foi isso, porque não via nada. Mas fiquei de um modo que tampouco sei dizer, com enorme fortaleza, e muito de verdade, para cumprir com todas as minhas forças a menor parte da Escritura divina. Parece-me que nada apareceria na minha frente que eu não enfrentasse.

3. Ficou-me uma verdade esculpida dessa divina Verdade que se mostrou a mim, sem saber como nem o que. Ela me faz ter uma nova reverência a Deus, porque dá noção de sua majestade e poder de uma maneira que não se pode dizer: sei entender que é uma grande coisa. Ficou-me uma muito grande vontade de não falar senão de coisas muito verdadeiras, que vão à frente do que por aqui no mundo se conversa e, assim, comecei a ter tristeza de viver nele. Deixou-me uma grande ternura, e carinho e humildade. Parece-me que, sem eu entender como, aí me deu o Senhor muito.

Não fiquei com nenhuma suspeita de que fosse ilusão. Não vi nada, mas entendi o grande bem que há em não fazer caso de coisa que não seja para nos aproximar mais de Deus. E assim entendi o que é andar uma alma em verdade diante da própria Verdade. Isso que entendi é dar-me o Senhor a entender que Ele é a própria Verdade.

4. Tudo o que disse, algumas vezes entendi falando Ele comigo, e outras sem falar, com maior clareza do que algumas coisas que me eram ditas por palavras. Entendi enormes verdades sobre essa Verdade. Mais do que se muitos letrados me tivessem ensinado. Parece-me que de maneira nenhuma me poderiam fazer gravar assim, nem tão claramente me seria dado entender a vaidade deste mundo. Essa verdade que digo que me foi dado entender é em si mesma verdade. E é sem princípio nem fim, e todas as demais verdades dependem dessa verdade, como todos os demais amores, desse amor, e todas as demais grandezas, dessa grandeza, ainda que isso esteja dito de modo obscuro para a clareza com que o Senhor quis que a mim se desse a entender. E como se mostra o poder dessa Majestade, já que em tão pouco tempo deixa tão grande lucro e tais coisas gravadas na alma!

Oh, grandeza e majestade minha! Que fazeis, Senhor todo-poderoso? Olhai a quem fazeis tão supremas dádivas! Não vos lembrais de que esta alma foi um abismo de mentiras e um oceano de vaidades, e tudo por minha culpa, pois, apesar de me haverdes dado por natureza repúdio à mentira, eu mesma me fiz falar mentira em muitas coisas? Como se aguenta, Deus meu, como se coaduna tão grande favor e dádiva com quem tão mal os mereceu?

5. Estando uma vez rezando as Horas com todas as irmãs, de repente se recolheu minha alma e pareceu-me ser toda um espelho claro, sem ter molduras nem lado, nem alto nem baixo que não estivesse clara, e no centro dela me foi mostrado Cristo nosso Senhor, como costumo vê-lo. Parecia que em todas as partes de minha alma eu o via claramente como em um espelho, e também esse espelho — não sei dizer como — estava esculpido todo no próprio Senhor por uma comunicação que não saberei dizer, muito amorosa. Sei que essa visão me foi de

grande proveito, a cada vez que me lembro, especialmente quando acabei de comungar.

Foi-me dado entender que estar uma alma em pecado mortal é cobrir esse espelho com uma grande névoa e ficar muito negro, e, assim, não se pode mostrar nem ver esse Senhor, ainda que esteja sempre presente dando-nos o ser. E entre os hereges é como se o espelho fosse quebrado, porque é muito pior do que escurecido. É muito diferente a maneira como se vê do que se diz, porque mal se pode explicar. Mas foi de grande proveito para mim e grande pena das vezes que, com minhas culpas, escureci minha alma para não ver esse Senhor.

6. Pareceu-me proveitosa essa visão para pessoas de recolhimento, para ensinar a meditar no Senhor no mais interior de sua alma, pois é meditação que mais se apega e mais frutífera do que ir buscar Deus fora de si — como falei outras vezes — e em alguns livros está escrito. Especialmente o diz o glorioso Santo Agostinho,[1] pois nem nas praças, nem nas alegrias, nem em nenhuma parte onde o procurava o encontrava como o encontrava dentro de si. E é muito claro que isso é melhor, e não é preciso ir ao céu, nem mais longe do que nós mesmos, porque de outro jeito cansa o espírito e distrai a alma e não com tanto fruto.

7. Uma coisa quero avisar aqui, no caso de alguém a ter. É que acontece um grande arrebatamento que, passado aquele período em que a alma está em união, em que mantém as potências totalmente absorvidas, e isso dura pouco, como já disse, fica a alma recolhida e até no exterior não consegue voltar a si, mas ficam as duas potências, memória e inteligência, quase num frenesi, muito desatinadas.

Isso eu digo que acontece às vezes, especialmente no início. Penso que talvez isso proceda de nossa fraqueza natural não poder aguentar tanta força de espírito e enfraquece a imaginação. Sei que acontece a algumas pessoas. Acharia bom que se forçassem a deixar, por então, a oração e recuperassem em outro tempo aquilo que perdem. Que não seja junto, porque poderá vir a ser muito mal. E eu tenho experiência disso e de quão acertado é ver de quanto é capaz nossa saúde.

8. Em tudo isso é necessário experiência e um mestre, porque, chegando a alma a esse ponto, muitas coisas se apresentarão sobre as quais é necessário alguém com quem conversar. E se, procurando, não encontrar alguém, o Senhor não faltará, já que não faltou a mim, sendo eu quem sou. Porque creio que há poucos que tenham chegado à experiência de tantas coisas. E se não a tiver, será demais dar remédio sem se inquietar e afligir. Mas isso também o Senhor levará em conta e por isso é melhor conversar — como já disse outras vezes. Mesmo o que digo agora já disse outras vezes, mas não me lembro bem e vejo que é muito importante. Especialmente se forem mulheres, é bom conversar com seu confessor e que seja o confessor um mestre. E há muito mais mulheres do que homens a quem o Senhor faz essas dádivas, e isso ouvi do santo frei Pedro de Alcântara — e também vi eu mesma —, pois dizia que aproveitavam muito mais desse caminho do que os homens. E dava para isso excelentes explicações, mas não há por que dizê-las aqui, todas a favor das mulheres.

9. Estando uma vez em oração, mostrou-se a mim muito rapidamente como se veem em Deus todas as coisas e como as tem todas em si. Foi sem que eu visse uma coisa formada, mas foi com toda a clareza. Saber escrever sobre isso não sei, mas ficou muito gravado na minha alma e é uma das grandes dádivas que o Senhor me fez e das que mais me fizeram embaraçar-me e envergonhar-me, lembrando-me dos pecados que cometi. Creio, se o Senhor tivesse querido que visse isso em outro tempo, e se os que o ofendem vissem, que não teriam coragem nem atrevimento para fazê-lo. Pareceu-me, digo já sem

poder me firmar em nada, que não vi nada. Mas algo se deve ver, já que eu poderei fazer uma comparação. Mas é por um modo tão sutil e delicado que o entendimento não deve ser capaz de alcançar. Ou eu não sei me entender nessas visões que não parecem imaginárias e em algumas delas algo de imagem deve haver. Mas como ocorrem no arrebatamento, as potências não sabem depois dar forma ao modo como o Senhor mostra algo ali e quer que desfrutemos.

10. Digamos ser a Divindade como um diamante muito claro, muito maior que o mundo todo, ou um espelho, à maneira do que falei da alma na outra visão. Só que é de uma forma tão mais elevada que eu não saberei dar o devido valor. E tudo o que fazemos se vê nesse diamante, sendo de uma maneira que ele encerra tudo em si, porque não há nada que saia fora dessa grandeza.

Coisa espantosa foi para mim em tão breve tempo ver tantas coisas juntas aí nesse claro diamante. E tristíssima, cada vez que me lembro de ver que coisas tão feias se mostravam naquela limpeza de claridade, como eram os meus pecados. E assim é que, quando me lembro, eu não sei como consigo levar. E fiquei então tão envergonhada que não sabia onde me enfiar. Oh, se alguém pudesse fazer entender isso os que cometem pecados muito feios e desonestos! Para que se lembrem de que não são ocultos, e que com razão se incomoda Deus, uma vez que acontecem tão na presença de Sua Majestade e tão desrespeitosamente nos comportamos diante d'Ele!

Vi bem o quanto se merece o inferno por uma só culpa mortal. Porque não se pode entender quão enormemente grave coisa é praticá-la diante de tão grande Majestade. E quão distante de quem Ele é são essas coisas. E assim se vê melhor sua misericórdia, já que sabendo nós tudo isso, Ele nos suporta.

11. Fez-me considerar: se uma coisa como essa deixa assim assustada a alma, o que será no dia do juízo,

quando essa Majestade claramente se revelará e veremos as ofensas que fizemos?

Oh, valha-me Deus, que cegueira essa que venho carregando! Muitas vezes me espantei com isso que escrevi, e não se espante o senhor senão com que vivo vendo essas coisas e olhando para mim. Seja bendito para sempre quem tanto me tolerou.

12. Estando uma vez em oração com muito recolhimento e suavidade e quietude, parecia-me estar rodeada de anjos e muito perto de Deus. Comecei a suplicar a Sua Majestade pela Igreja. Fez-me entender o grande proveito que faria uma ordem nos últimos tempos com a fortaleza que os membros dela sustentarão a fé.[2]

13. Estando uma vez a rezar perto do Santíssimo Sacramento, apareceu-me um santo cuja ordem[3] tem estado um pouco caída. Tinha nas mãos um livro grande. Abriu-o e disse-me que lesse umas letras que eram grandes e muito legíveis. E diziam assim: "Nos tempos vindouros florescerá esta ordem. Haverá muitos mártires".

14. De outra vez, estando em matinas no coro, se apresentaram e puseram-se diante de mim seis ou sete, me parece que seriam, dessa mesma ordem, com espadas nas mãos. Penso que com isso se dá a entender que defenderão a fé. Porque de outra vez, estando em oração, meu espírito foi arrebatado: pareceu-me estar em um grande campo, onde muitos combatiam, e esses dessa ordem pelejavam com grande fervor. Tinham os rostos bonitos e muito ardentes, e derrubavam muitos no solo, vencidos, a outros, matavam. Parecia-me, essa batalha, contra os hereges.

15. A esse glorioso santo vi algumas vezes e me disse algumas coisas e agradeceu-me a oração que faço por sua ordem, prometendo-me encomendar-me ao Senhor. Não nomeio as Ordens: se o Senhor quiser que se saiba, dirá, para que não se ofendam as outras. Mas cada ordem devia procurar, ou cada um dentro delas por si,

que por seu meio o Senhor fizesse tão feliz sua ordem que, em tão grande necessidade como agora tem a Igreja, servissem a Ele. Felizes as vidas que se acabarem nisso![4]

16. Pediu-me uma pessoa uma vez que suplicasse a Deus para que lhe desse a entender se seria serviço a Ele aceitar um episcopado. Disse-me o Senhor, tendo eu acabado de comungar: "Quando entender com toda a verdade e clareza que a verdadeira soberania é não possuir nada, então poderá aceitar",[5] dando a entender que deve estar muito longe de desejar ou querer quem tiver que aceitar prelazias. Ou ao menos deve estar longe de procurá-las.

17. Essas dádivas e outras muitas fez o Senhor, e faz muito continuamente a esta pecadora, que me parece que não há razão para contar. Pelo que foi dito, então, pode-se entender minha alma e o espírito que o Senhor me deu. Seja bendito para sempre, que tanto cuidado teve comigo.

18. Disse-me uma vez, consolando-me, que não desanimasse — isso com muito amor —, pois nesta vida não poderíamos estar sempre em um ser. Disse-me que umas vezes eu teria fervor, outras, estaria sem ele. Umas com desassossegos, outras com quietude e tentações, mas que esperasse nele e não tivesse medo.

19. Estava um dia pensando se seria apego alegrar-me com quem converso sobre minha alma e ter amor a eles e aos que vejo ser muito servos de Deus, pois me consolava com eles. Disse-me que, se a um doente que está em perigo de morte parecer que um médico lhe dá a saúde, não será virtude deixar de agradecer a ele e deixar de amá-lo. Que teria feito, se não fosse por essas pessoas? Que a conversa com os bons não causava dano, mas que sempre fossem minhas palavras sensatas e santas, e que não deixasse de conversar com eles, pois seria antes proveito que dano. Consolou-me muito isso, porque às vezes, parecendo-me que era apego, queria não

conversar com eles de todo. Sempre, em todas as coisas, me aconselhava esse Senhor, até para dizer-me como devia lidar com os fracos e com algumas pessoas. Jamais se descuida de mim.

20. Às vezes estou desanimada de ver-me tão pouco a serviço d'Ele e de ver que forçosamente terei que gastar tempo com corpo tão fraco e ruim como o meu, mais do que eu quereria.

Estava uma vez em oração e veio a hora de ir dormir. Eu estava com muitas dores e precisava vomitar muito frequentemente. Quando me vi tão amarrada a mim, e o espírito querendo tempo para si, vi-me tão desanimada que comecei a chorar muito e afligir-me. Isso não foi uma vez só, mas — como ia dizendo — muitas. E me parece que me dava um desgosto contra mim mesma, de modo que naquelas ocasiões eu me repugnava. Mas o normal é entender que não tenho repugnância por mim mesma, nem falto ao que vejo que me é necessário. E queira o Senhor que eu não tome muito mais do que é preciso, pois isso é bem capaz que eu faça.

Dessa vez que ia dizendo, estando nessa tristeza, apareceu-me o Senhor e me agradou muito, e me disse que fizesse essas coisas por amor a Ele e que passasse por elas, pois minha vida era agora necessária. E, assim, me parece que nunca me vi em tristeza depois que fiquei determinada a servir com todas as minhas forças a esse Senhor e consolador meu, que, ainda que me deixasse padecer um pouco, não deixava de me consolar, de maneira que não faço nada demais por desejar provações. E, assim, agora não me parece que haja para o que viver, senão para isso e é o que com mais vontade peço a Deus. Digo-lhe, às vezes, com toda a vontade: "Senhor, ou morrer ou sofrer, não vos peço outra coisa para mim". Dá-me consolo ouvir o relógio porque me parece que me aproximo um pouquinho mais de ver Deus porque vejo ter passado mais aquela hora da minha vida.

21. De outras vezes estou de uma maneira que nem me sinto viver nem me parece que tenho vontade de morrer, a não ser com uma tibieza e uma escuridão em tudo. Como disse que tenho muitas vezes em grandes provações. O Senhor quis se soubessem publicamente essas dádivas que Sua Majestade me faz, como me disse, já há alguns anos que haveria de fazer. Desanimei muito com isso e até agora não foi pouco o que passei, como o senhor sabe, porque cada um o interpreta como lhe parece. Foi um consolo para mim não ter sido por minha culpa que elas se tornaram conhecidas. Porque ao não dizer senão a meus confessores ou a pessoas que sabia que por eles sabiam, tive grande cuidado, em extremo. E não por humildade, mas porque — como já disse — até aos próprios confessores me incomodava dizer. Já agora, glória a Deus, ainda que muito murmurem, e com bom zelo, e outros tenham medo de conversar comigo e até ouvir minha confissão, e outros me digam muitas coisas, como entendo que por esse meio quis o Senhor remediar muitas almas, porque vi muito claramente e me recordo do muito que por uma só alma passaria o Senhor, muito pouco me importa tudo. Não sei se contribui para isso ter Sua Majestade me enfiado nesse lugarzinho tão fechado, e onde pensei que, como uma coisa morta, já não houvesse lembrança de mim. Mas não foi tanto como teria querido, pois tenho que forçosamente falar com algumas pessoas. Mas como não estou onde me vejam, parece que o Senhor já houve por bem lançar-me a um porto, que, espero em Sua Majestade, será seguro, por estar já fora do mundo e entre pouca e santa companhia. Olho como se de cima e importa-me já bem pouco que digam ou que saibam.

22. Daria mais importância a que se aproveite um pouquinho uma alma, que a tudo que se possa dizer de mim. Pois, desde que estou aqui, quis o Senhor que todos os meus desejos parem nisso. E deu-me um jeito de

sonho na vida, que quase sempre parece que estou sonhando o que vejo: nem alegria nem tristeza, que seja muita, vejo em mim. Se alguma dessas me dá algumas coisas, passa com tanta rapidez que eu me maravilho, e deixa a sensação de uma coisa com que se sonhou. E isso é a inteira verdade, porque ainda que depois eu queira me alegrar com aquele contentamento, ou pesar-me com aquela tristeza, não está em minhas mãos. Mas é como seria para uma pessoa sensata ter tristeza ou alegria por um sonho que sonhou. Porque o Senhor já despertou minha alma daquilo que, por não estar eu mortificada nem morta para as coisas do mundo, me havia causado sentimentos, e não quer o Senhor que eu me torne a cegar.

23. Dessa maneira vivo agora, senhor e padre meu. Suplique o senhor a Deus que, ou me leve consigo, ou me dê como lhe sirva. Queira Sua Majestade que isto que aqui está escrito seja de algum proveito para o senhor, pois, por causa do pouco tempo, foi trabalhoso. Mais feliz seria o trabalho se eu tiver acertado em dizer algo pelo que se louve, mesmo que só uma vez, o Senhor, pois com isso me daria por paga, ainda que o senhor logo queime esse escrito.

Não quereria que fosse sem que o vissem três pessoas que o senhor sabe, já que foram e são meus confessores. Porque, se estiver mal, é bom que percam a boa opinião que têm de mim. Se estiver bom, são bons e letrados, sei que verão de onde vem e louvarão a quem o fez por mim.

Sua Majestade mantenha sempre o senhor em sua mão e faça do senhor um tão grande santo que com seu espírito o senhor ilumine esta miserável pouco humilde e muito atrevida que ousou decidir escrever coisas tão elevadas.

Queira o Senhor que eu não tenha errado nisso, tendo a intenção e o desejo de acertar e obedecer, e que por mim se louve algo o Senhor, que é o que há muitos anos suplico. E como me faltam para isso as obras, atrevi-me a compor essa minha disparatada vida, ainda que não gastando nela mais cuidado ou tempo do que o necessário para escrevê-la, mas sim expondo o que se passou comigo com toda a simplicidade e verdade que pude.

Queira o Senhor, pois é poderoso, e se quer, pode, queira que em tudo acerte eu a fazer sua vontade, e não permita que se perca esta alma que com tantos artifícios e maneiras e tantas vezes tirou Sua Majestade do inferno e atraiu para si. Amém.

EPÍLOGO[1]

JHS

1. O Espírito Santo esteja sempre com o senhor, amém. Não seria mal exagerar este serviço que prestei ao senhor para obrigá-lo a ter muita preocupação em encomendar-me a nosso Senhor. Pelo que passei em ver-me descrita e trazer à memória tantas misérias minhas, bem poderia. Ainda que, com verdade, possa dizer que senti mais por escrever as dádivas que o Senhor me fez do que as ofensas que eu fiz à Sua Majestade.

2. Eu fiz o que o senhor me mandou ao estender-me, na condição que o senhor faça o que me prometeu de rasgar o que lhe parecer ruim.

3. Não havia terminado de lê-lo depois de escrito, quando o senhor mandou buscá-lo. Pode ser que algumas coisas estejam mal explicadas e outras expostas duas vezes, porque foi tão pouco tempo que tive que não podia voltar para ver o que escrevia. Suplico ao senhor que o corrija e mande copiar — se for para ser levado ao padre mestre de Ávila[2] —, porque alguém poderia reconhecer a letra.

4. Eu desejo muito que se faça com que ele leia, já que com esse intento comecei a escrevê-lo. Porque, se parecer a ele que vou por bom caminho, ficarei muito consolada, pois já não resta nada para fazer que esteja em minhas mãos. Em tudo faça o senhor como lhe parecer melhor e veja que está obrigado a quem assim lhe confia sua alma.

A do senhor eu encomendarei por toda a vida a nosso Senhor. Por isso, apresse-se em servir à Sua Majestade para fazer dádiva a mim, já que o senhor verá, pelo que vai aqui, quão bem se emprega em dar-se por inteiro — como o senhor começou a fazer — a quem tão sem medida se dá a nós. Seja bendito para sempre, e espero em sua misericórdia que nos veremos onde mais claramente o senhor e eu vejamos as grandezas que fez conosco e para sempre e sempre o louvemos, amém.

Acabou-se este livro em junho do ano de 1562.

Por esta data se entende a primeira vez que escreveu madre Teresa de Jesus, sem divisão em capítulos. Depois fez esta cópia e acrescentou muitas coisas que aconteceram depois dessa data, como a fundação do mosteiro de São José de Ávila, como aparece na folha 169.[3]
Frei Domingo Báñez

Notas

Vida da madre Teresa de Jesus escrita por sua própria mão, com uma aprovação do padre M. Fr. Domingo Báñez, seu confessor e catedrático em Salamanca.

1. Título adicionado ao manuscrito de Santa Teresa, que não pôs nenhum título em sua obra.
2. O padre García de Toledo.
3. Título da primeira edição, de 1588, preparada por frei Luis de León e editada por Guillermo Foquel.

CAPÍTULO 1

1 Alonso Sánchez de Cepeda.
2 A segunda mulher de Sánchez, Beatriz de Ahumada.
3 Rodrigo, na verdade quatro anos mais velho do que ela.
4 Beatriz de Ahumada morreu poucos meses depois de novembro de 1528, data de seu testamento. Santa Teresa nasceu em 28 de março de 1515 e tinha, portanto, treze ou catorze anos.

CAPÍTULO 2

1 María de Cepeda, filha do primeiro casamento de Alonso de Cepeda com Catalina del Peso y Henao, nascida em 1506.
2 O mosteiro de monjas agostinianas Santa María de Gracia, fora dos muros da cidade de Ávila.

3   María, meia-irmã de Santa Teresa, casada com Martín de Guzmán y Barrientos em 1531.
4   María de Briceño y Contreras (1498-1584), à época mestra das moças de piso, como se chamavam as leigas que viviam no convento, como Santa Teresa.

CAPÍTULO 3

1   Evangelho segundo São Mateus, capítulo 20, versículo 16.
2   Juana Suárez ou Juárez, monja do Convento das Carmelitas da Encarnação de Ávila.
3   María, casada com Martín de Guzmán y Barrientos, morava em Castellanos de la Cañada.
4   Pedro Sánchez de Cepeda, morador da aldeia de Hortigosa.
5   Havia uma tradução em espanhol, de Juan de Molina, editada em 1532.

CAPÍTULO 4

1   Antonio de Ahumada, que foi frade dominicano por algum tempo, ou o meio-irmão Juan de Ahumada (segundo a BAC).
2   Em 2 de novembro de 1536, aos 21 anos, no Mosteiro da Encarnação de Ávila. Santa Teresa havia entrado no convento, depois de fugir de casa, exatamente um ano antes.
3   A solução para esse período inteiro que traduzimos é a de frei Luis de León para a primeira edição do *Livro da vida*, de 1588, seguida pela maioria dos editores posteriores. Apenas pusemos como última sentença do período o que Luis de León pôs entre parênteses no meio da frase anterior. O sentido parece ser: quando se quer fazer alguma coisa que seja ligada a Deus, Ele põe um pouco de medo na pessoa antes de ela começar para que, começando e levando a cabo aquilo a que se propôs, o prêmio dado por Deus seja maior e mais pleno de gozo.
4   Becedas, um lugarejo da província de Ávila a cerca de quinze quilômetros da capital.
5   Isto é, professa, e não noviça, como Santa Teresa.

6	Na verdade, *Tercera parte del libro llamado abecedario espiritual*, do franciscano Francisco de Osuna, publicado pela primeira vez em 1527.
7	Da Paixão de Cristo.

CAPÍTULO 5

1	Chamava-se Pedro Hernández.
2	Padre Vicente Barrón, teólogo dominicano que foi confessor do pai de Santa Teresa.
3	O padre Hernández.
4	*Los morales de san Gregorio, papa, doctor de la Iglesia*; tradução espanhola de Alonso Álvarez de Toledo, publicada em Sevilha em 1514 e 1527.

CAPÍTULO 6

1	No léxico médico espanhol do século XVI, febres quartãs duplas eram as que se repetiam dois dias com um de intervalo.
2	Murmuração, no sentido de reclamar ou se queixar em voz quase inaudível, para si mesmo, tem um significado religioso profundo. É um pecado contra a Providência Divina porque revela insatisfação com as situações dadas por Deus. A fonte é *Números*, capítulo 14, versículo 27, trecho em que Deus, falando a Moisés sobre os judeus que se queixam das condições duras da travessia do deserto, diz: "Até quando murmurará contra mim essa péssima multidão?".
3	Santa Teresa usa normalmente a forma culta espanhola *amicísima*, mas usa também esse e vários outros vulgarismos ao longo do livro.
4	Epístola de São Paulo aos gálatas, capítulo 2, versículo 20.

CAPÍTULO 7

1	Antiga no mosteiro, isto é, já com os votos perpétuos.
2	Alonso de Ahumada morreu em 24 de dezembro de 1543.
3	O padre Vicente Barrón.
4	O padre García de Toledo, a quem se dirigia o manuscrito em um dos estágios de sua redação.

CAPÍTULO 8

1. "Que Ele não pagasse" (*que no se lo pagase*, no original espanhol) foi acrescentado por frei Luis de León para a primeira edição (1588). Há quem acredite que a frase teria um sentido sem o acréscimo. Significaria algo como: "Ninguém toma Deus como amigo, mas há que se aproximar dele com a oração e a perseverança".
2. O padre Domingo Báñez adicionou um "no" (não) nessa frase, que ficou: "Como é certo que suportais aqueles que não suportam que estejais com eles!". Vários editores adotam a interpolação do padre Báñez, mas a primeira frase é plenamente compreensível e não há por que pensar que Santa Teresa não tenha querido dizer o que disse nela.

CAPÍTULO 9

1. Santa Teresa alude à tradição popular do catolicismo que identifica Maria Madalena à mulher anônima que lava os pés de Jesus com suas lágrimas no Evangelho segundo São Lucas, capítulo 7, versículos 36 a 50, e no Evangelho segundo São Mateus, capítulo 26, versículos 6 a 13.
2. Santa Teresa alude à cena dos Evangelhos em que Jesus reza solitário no Horto das Oliveiras, local em que foi preso dando início à sua Paixão.

CAPÍTULO 10

1. O padre García de Toledo.

CAPÍTULO 11

1. O padre Pedro Ibáñez, segundo anotação do padre Gracián à margem de seu exemplar do livro. A maioria dos estudiosos contemporâneos, no entanto, crê que Santa Teresa se refere aqui ao padre García de Toledo, seu confessor.
2. Santa Teresa usa nessa frase a segunda pessoa do singular, forma coloquial de tratamento em sua época. Não se dirige, portanto, a nenhum dos padres aos quais endereçou o manuscrito, a quem trata sempre de "*vuestra merced*", tratamento formal equivalente ao "senhor" do português do Brasil de hoje.

NOTAS

3   Refere-se à epístola nº 22 de São Jerônimo, a Eustóquio, em que o santo recorda seus sofrimentos ao lembrar dos prazeres da vida em sua solidão no deserto. Santa Teresa pode ter lido a edição das cartas de São Jerônimo feita em Sevilha em 1532.
4   Segundo a tradição dos padres da Igreja, interpretando Isaías, capítulo 14, versículos 12 a 14, Lúcifer, criado por Deus na forma de anjo, foi precipitado do céu e se tornou o príncipe dos demônios por se recusar, orgulhoso de sua natureza superior de anjo, a servir ao homem por ordem de Deus.
5   Evangelho segundo são Mateus, capítulo 11, versículo 30.

CAPÍTULO 12

1   Do franciscano Alonso de Madri, publicado pela primeira vez em Sevilha em 1521.

CAPÍTULO 13

1   Epístola de São Paulo aos filipenses, capítulo 4, versículo 13.
2   Santo Agostinho, *Confissões*, capítulo XXIX.
3   Evangelho segundo São Mateus, capítulo 14, versículo 30.
4   María de San Pablo, Ana de los Angeles e María de Cepeda, segundo anotação do padre Gracián.

CAPÍTULO 14

1   O Convento de São José de Ávila, cuja fundação, em 24 de agosto de 1562, será narrada mais adiante.
2   Provérbios, capítulo 8, versículo 31.
3   Salmo 88, versículo 1.

CAPÍTULO 15

1   Evangelho segundo São Mateus, capítulo 17, versículo 4.
2   Êxodo, capítulo 16, versículo 3: "Os filhos de Israel disseram-lhe: 'Antes fôssemos mortos pela mão de Iaweh na terra do Egito, quando estávamos sentados junto à panela de carne e comíamos pão com fartura'" (trad. Bíblia de Jerusalém).
3   Evangelho segundo São Lucas, capítulo 18, versículo 13.

CAPÍTULO 16

1. Refere-se às parábolas em que se conta da mulher que achou uma ovelha perdida e chama as amigas para celebrar, e outra que encontra uma moeda que perdera e chama as vizinhas para comemorar. Evangelho segundo São Lucas, capítulo 15, versículos 6 e 9.
2. Provável alusão a ela mesma e talvez também a São João da Cruz.
3. Santa Teresa, os padres Domingo Báñez, Gaspar Daza, Francisco de Salcedo, mais uma de três pessoas: o padre García de Toledo, o padre Ibáñez ou Guiomar de Ulloa.

CAPÍTULO 17

1. Santa Teresa dirige-se aos padres a quem endereça seu manuscrito.
2. Referência à passagem evangélica sobre Maria e Marta, irmãs de Lázaro que Jesus visita. Maria fica junto de Jesus escutando-o, enquanto Marta cuida dos afazeres que a recepção de seu hóspede acarreta.
3. Santa Teresa alude à história de Jacó que, para se casar com Raquel, serviu Labão, pai dela, por sete anos. Ao cabo do tempo combinado, foi-lhe dada a mão de Lia. Jacó teve que prometer trabalhar mais sete anos para se casar com Raquel. Gênesis, capítulo 29, versículos 15 a 30.
4. As concordâncias de Santa Teresa são idiossincráticas e muito frequentemente desrespeitam a gramática. A maior parte delas foi regularizada na tradução em benefício da fluência da leitura. Neste caso, no entanto, o pronome singular aplicado a "gozo e deleite" parece claramente indicar que Santa Teresa está usando os dois substantivos para designar uma única sensação que seria um misto dos dois.

CAPÍTULO 18

1. Referência ao Salmo 91, versículo 6, e Salmo 103, versículo 24.
2. O padre Vicente Barrón, segundo nota do padre Gracián.

CAPÍTULO 19

1   Referência ao Salmo 118, versículo 137: "Justus es, Domine, et rectum iudicium tuum" (Sois justo, Senhor, e retos, os vossos juízos).
2   Frei Vicente Barrón.

CAPÍTULO 20

1   Esta frase está escrita à margem do manuscrito. Frei Luis de León não a incluiu em sua edição.
2   Novamente Santa Teresa não se dirige ao confessor a quem endereçou o manuscrito, a quem chama sempre de senhor.
3   Festa do santo a que estava dedicado o convento, são José.
4   O rei David, autor de salmos.
5   Salmo 101, versículo 8. O texto correto em latim é: "Vigilavi et factus sum sicut passer solitarius in tecto" (Velei e me tornei como o pardal solitário no telhado).
6   Salmo 41, versículo 4.
7   Gálatas, capítulo 6, versículo 14.
8   Ávila.
9   São Vicente Ferrer, *Tractatus de Vita Spirituali*, editado em tradução espanhola em 1510.
10 Salmo 54, versículo 7.
11 Salmo 142, versículo 2.

CAPÍTULO 21

1   Na morte de Filipe, o Belo, em 1506, viram-se esses sinais em Tudela, segundo relatos bem conhecidos na época de Santa Teresa.
2   Epístola aos romanos, capítulo 7, versículo 24.
3   O original espanhol *asistentemente* é, a partir do uso de Santa Teresa, uma palavra com sentido preciso no vocabulário místico e significa algo como "com o auxílio divino direto".

CAPÍTULO 22

1   Evangelho segundo São João, capítulo 16, versículo 7.
2   Evangelho segundo São Lucas, capítulo 10, versículo 42.

3   Evangelho segundo São Lucas, capítulo 5, versículo 8.
4   Alusão ao Evangelho segundo São Marcos, capítulo 10, versículos 29 e 30.

CAPÍTULO 23

1   Muitos casos de falsas visionárias haviam sido investigados pela Inquisição no tempo de Santa Teresa. O mais notável foi o de Magdalena de la Cruz, abadessa das clarissas de Córdoba, condenada por deliberadamente se fazer passar por visionária em 1541.
2   Mestre Gaspar Daza, padre de Ávila morto em 1592.
3   Francisco de Salcedo.
4   Mencia del Águila, parente distante de Santa Teresa.
5   Alonso Álvarez Dávila, casado com Mencia de Salazar.
6   *Subida del monte Sión*, do frei Bernardino de Laredo, de 1535.
7   Primeira epístola de São Paulo aos Coríntios, capítulo 10, versículo 13.
8   Padre Diego de Cetina (1531-72).

CAPÍTULO 24

1   São Francisco de Borja, comissário da Companhia de Jesus na Espanha. Propõem-se as datas de 1554 ou 1555 para a visita citada por Santa Teresa. São Francisco de Borja e são Pedro de Alcântara são os únicos contemporâneos de Santa Teresa que ela cita nominalmente.
2   Guiomar de Ulloa. Conheceu Santa Teresa por intermédio de uma irmã e de duas de suas filhas, professas no Convento da Encarnação de Ávila. Guiomar de Ulloa teve como diretor espiritual São João da Cruz e ajudou Santa Teresa em suas fundações. Também escreveu uma memória sobre Santa Teresa que serviu de base para a primeira biografia da santa, escrita pelo padre Francisco de Ribera em 1590.
3   Padre Juan de Prádanos (1528-97).
4   Hino da missa do dia de Pentecostes que pede a vinda e o auxílio do Espírito Santo.

CAPÍTULO 25

1 O confessor a quem Santa Teresa se refere parece ser o padre Prádanos, ou o padre Baltazar Álvarez. Os demais seriam Gonzalo de Aranda, Alonso Álvarez Dávila, o mestre Daza e Francisco Salcedo.

2 A expressão "Eu sou", nessa ordem, alude à maneira como Jesus falava de si e ecoa a expressão "Eu sou Aquele que Sou" usada por Deus ao responder a Moisés que nome devia usar para identificá-lo, em Gênesis, capítulo 3, versículo 14.

3 Evangelho segundo São Mateus, capítulo 8, versículo 26.

CAPÍTULO 26

1 O padre jesuíta Baltazar Álvarez (1533-80).

CAPÍTULO 27

1 Essa frase é um dos muitos exemplos de anacolutos de Santa Teresa. Frei Luis de León, em sua edição princeps, alterou a frase para: "Então, voltando ao relato de minha vida, *estava* com grande aflição...", acrescentando o verbo "estava". As boas edições modernas são fiéis ao manuscrito.

2 Essa visão deve ter se dado em 29 de junho, dia de são Pedro, de 1560.

3 São Pedro de Alcântara (1499-1562) foi um reformador da Ordem de São Francisco. Orientou Santa Teresa na fundação do Convento de São José de Ávila.

4 Cantar dos Cantares, capítulo 6, versículo 9.

5 Alusão a Simão Cireneu, forçado pelos soldados romanos a carregar a cruz de Jesus, e às mulheres que choravam à passagem de Jesus rumo ao Calvário, como narrado no Evangelho de São Lucas, capítulo 23, versículos 26 a 28.

6 Dirige-se ao padre García de Toledo.

7 María Díaz, órfã que vivia na casa de Guiomar de Ulloa, onde conheceu Santa Teresa. Era discípula de São Pedro de Alcântara.

8 *Laetatus sum in his qui dicta sunt mihi* (Alegrei-me no que me foi dito), Salmo 121, versículo 1.

CAPÍTULO 28

1 Isto é, por meio de imagens.
2 Padre Baltazar Álvarez (1533-80). Foi confessor de Santa Teresa de 1559 a 1564.

CAPÍTULO 29

1 No capítulo 20.
2 Salmo 42, versículo 1: "Quemadmodum desiderat cervus ad fontes aquarum" (Como o cervo deseja as fontes das águas).
3 No capítulo 20.

CAPÍTULO 30

1 Guiomar de Ulloa, de quem se falou no capítulo 24.
2 Livro de Jó, capítulos 1 e 2.
3 *Domine, da mihi aquam* (Senhor, dá-me água). Evangelho segundo São João, capítulo 10, versículo 45.

CAPÍTULO 31

1 Atos no sentido de oração em que o fiel declara sua fé, seu arrependimento etc.
2 Festa de Finados.
3 Livro de orações que os religiosos têm que rezar em horas determinadas do dia.
4 Isto é, a festa da Santíssima Trindade, celebrada na liturgia católica no primeiro domingo depois de Pentecostes.
5 Possivelmente o Mosteiro da Encarnação, em Valência, fundado em 1502.
6 Parece tratar-se de sua irmã mais nova, Juana de Ahumada, que, com seu marido Juan de Ovalle, ajudou muito a Santa Teresa na fundação do Convento de São José de Ávila.

CAPÍTULO 32

1 O papa Eugênio IV deu a bula relaxando a regra da Ordem das Carmelitas em 15 de fevereiro de 1432.
2 María de Ocampo, filha de Diego de Cepeda, primo de Santa Teresa, e Beatriz de la Cruz. María de Ocampo tornou-se monja no Mosteiro de São José.

3   As integrantes do grupo de discípulas de Santa Teresa com quem ela conversava em sua cela no Mosteiro da Encarnação. Conhecem-se várias delas, como Beatriz e Leonor de Cepeda, Inés de Tapia, Juana Juárez e outras. As descalças de que se fala seriam as Descalças Reais de Madri.
4   O padre Ángel de Salazar.
5   Padre Pedro Ibáñez.
6   Gaspar Daza, de quem Santa Teresa falou no capítulo 23.

CAPÍTULO 33

1   A cadeia era uma cela escura que ainda existe no Mosteiro de Encarnação em Ávila.
2   Padre Pedro Ibáñez.
3   O Convento de Trianos, em León, de dominicanos contemplativos.
4   O reitor que deixou Ávila foi o padre Dionisio Vásquez, substituído pelo padre Gaspar de Salazar.
5   Juana de Ahumada, que vivia com o marido, Juan de Ovalle, em Alba de Tormes.
6   Documento papal necessário para a fundação de um mosteiro ou ordem religiosa.
7   Lorenzo de Cepeda, irmão de Santa Teresa, foi quem ajudou com seu dinheiro na construção do Mosteiro de São José.
8   O convento das clarissas de Ávila, conhecido popularmente à época como "das gordinhas".
9   Foram necessários três documentos papais para que se estabelecesse definitivamente, de acordo com os planos de Santa Teresa, o Convento de São José. O primeiro foi um breve dado em 7 de fevereiro de 1562. Em dezembro do mesmo ano foi dado um segundo documento, e o terceiro, uma bula que deu caráter definitivo aos anteriores, é de 17 de julho de 1565.
10 Santo Tomás de Ávila.
11 Momento da liturgia em que o sacerdote ergue a hóstia consagrada.
12 Dom Álvaro de Mendoza.

CAPÍTULO 34

1. Toledo.
2. Luisa de la Cerda, viúva de Antonio Arias Pardo e filha do duque de Medinaceli, que, depois, apoiou decisivamente a reforma de Santa Teresa.
3. Padre García de Toledo, dominicano, neto dos condes de Oropesa e sobrinho do vice-rei do Peru.
4. O padre Pedro Ibáñez.
5. São Pedro de Alcântara, morto em 18 de outubro de 1562, e o padre Pedro Ibáñez, morto em 13 de junho de 1565.
6. O padre Pedro Ibáñez ou, talvez, o padre Domingo Báñez.
7. Martín de Guzmán y Barrientos, casado com María de Cepeda.
8. Castellanos de Cañadas.

CAPÍTULO 35

1. Trata-se de María de Jesús Yepes. Depois de ficar viúva muito jovem, entrou para a Ordem das Carmelitas e, mais tarde, fundou, em Alcalá, o Convento da Imagem.
2. A Regra dizia: "Nenhum irmão tenha nada em propriedade, mas todas as coisas sejam comuns a todos". O papa Gregório IX, em 1229, estabeleceu a interpretação de que a proibição de ter propriedades valia também para o mosteiro e assim foi aplicada a regra até o seu relaxamento no século XV.
3. Ibáñez.
4. Presentado é o título que se dá aos licenciados em teologia entre os dominicanos.
5. Padre Pedro Domenech, reitor da Companhia de Jesus em Toledo.
6. Citações não literais do Salmo 93, versículo 20, e do Evangelho segundo São Mateus, capítulo 7, versículo 14.

CAPÍTULO 36

1. Juan Velázquez Dávila.
2. Dom Álvaro de Mendoza.

3   São Pedro de Alcântara morreu no dia 18 de outubro de 1562 em Arenas, Ávila.
4   Juan de Ovalle.
5   Antonia Henao, que passou a se chamar Antonia del Espiritu Santo; María de la Paz, que se tornou María de la Cruz; Ursula de Revilla, que passou a ser Ursula de los Santos, e María de Ávila, desde então María de San José. A profissão se deu no dia 24 de agosto de 1562.
6   Inés e Ana de Tapia, primas de Santa Teresa. No novo mosteiro passariam a se chamar Inés de Jesús e Ana de la Encarnación.
7   "Levantar coisas novas" era o termo usual na Espanha com o qual a Inquisição acusava os "iluminados" espanhóis, assim como a luteranos e membros de outras igrejas da reforma.
8   O padre Domingo Báñez que, no manuscrito do livro de Santa Teresa, lido a mando da Santa Inquisição, escreveu: "Isso foi no ano de 1562. Eu estive presente e dei esse parecer. E quando escrevo isso é o ano de 1575, 2 de maio, e essa madre fundou nove mosteiros com grande observância religiosa".
9   Gaspar Daza.

CAPÍTULO 38

1   Uma interpretação de Isaías, capítulo 14, versículos 12 a 15, deu origem à tradição católica segundo a qual Lúcifer, criado como um anjo, foi expulso do céu e se tornou o príncipe dos demônios por se recusar, movido pelo orgulho, a obedecer a Deus e servir ao homem.
2   Véspera de Pentecostes.
3   Ludolfo da Saxônia, monge cartuxo. O livro era *Vida de Cristo*, cuja primeira edição foi feita em 1503 em Alcalá.
4   Seria o padre Pedro Ibáñez.
5   Ibáñez morreu em 2 de fevereiro de 1565.
6   Gaspar de Salazar ou Baltasar Álvarez.
7   Isto é, na hóstia.
8   Gregorio Fernández, que morreu provincial da Andaluzia em 1561.

9   Segundo a tradição, à morte de Clemente V (1314), no conclave que durou dois anos e três meses, a Santíssima Virgem apareceu ao cardeal Jaime Duesa, muito devoto a ela, e anunciou-lhe que seria papa com o nome de João XXII, e acrescentou: "Quero que anuncie aos carmelitas e a seus confrades: os que usarem o escapulário, guardarem a castidade conforme seu estado, e rezarem o ofício divino — ou os que não saibam ler se abstenham de comer carnes nas quartas-feiras e sábados —, se forem ao purgatório Eu farei que o quanto antes, especialmente no sábado seguinte à sua morte, tenham suas almas levadas para o céu".

CAPÍTULO 39

1   O padre Gracián afirma que era o primo-irmão de Santa Teresa, Pedro Mejía.
2   Essa ermida fora construída num pombal da propriedade em que se fez o Mosteiro de São José de Ávila. Na ermida, Santa Teresa mandou pintar a imagem de Jesus sendo flagelado dando as instruções de como devia ser representada a figura de Cristo.
3   Os padres García de Toledo e Pedro Báñez.
4   Isabel de San Pablo, María Bautista e María de San Jerónimo eram muito jovens quando entraram para o Mosteiro de São José de Ávila.
5   Santa Teresa recebeu em 5 de dezembro de 1562 um Breve de pobreza. Em 17 de julho 1565 uma bula do papa Pio IV concedia definitivamente ao Mosteiro de São José de Ávila o direito de viver sem renda.
6   O maravedi era a unidade monetária da Espanha no século XVI. Um ducado, uma moeda de ouro de cerca de três gramas, valia 375 maravedis (Charles P. Kindleberger, *A financial history of Western Europe*).
7   Evangelho segundo São Mateus, capítulo 20, versículo 12.
8   Oração ao Espírito Santo atribuída a Santo Atanásio, que começa, em latim, com a expressão "Quicumque vult" (quem quer que queira).
9   San Gil de Ávila.

CAPÍTULO 40

1   Santa Teresa se refere a uma compilação apócrifa atribuída a Santo Agostinho publicada em Valladollid em 1511 pela primeira vez sob o título *Meditaciones, soliloquio y manual*.
2   Segundo o padre Gracián, que anotou o manuscrito, trata-se da Ordem de São Domingos. Para o padre Ribera, biógrafo de Santa Teresa, ela se refere à Companhia de Jesus. Essa passagem foi uma das examinadas pela Inquisição por suspeita de heterodoxia.
3   São Domingos, segundo o padre Gracián.
4   Segundo o padre carmelita Jerónimo de San José (1587--1654), cronista de sua ordem, Santa Teresa não se referia nessas passagens à Ordem de São Domingos, mas sim à dos próprios carmelitas que ela começara a reformar. O santo que apareceu em visão a ela não seria, portanto, São Domingos, mas santo Alberto da Sicília. Isso teria sido dito pela própria Santa Teresa ao frei Ángel de San Miguel, um dos discípulos da santa depois da reforma da ordem carmelita masculina.
5   Tratar-se-ia do inquisidor Francisco de Soto y Salazar, mais tarde bispo de Salamanca.

EPÍLOGO

1   Este epílogo-carta está endereçado ao padre García de Toledo ou, segundo alguns autores, ao mestre de Daza.
2   São João de Ávila (1500-69), padre, pregador e místico que examinou o manuscrito de Santa Teresa.
3   A nota de Báñez refere-se à numeração de folhas do manuscrito. Depois dessa nota, Báñez acrescentou ao manuscrito seu parecer destinado à Santa Inquisição aprovando o livro de Santa Teresa. A data desse parecer é 1575.

Outras leituras

Santa Teresa de Ávila, de Angela Senra, São Paulo, Brasiliense, 1983.
Leitura psicanalítica de Teresa de Ávila, de Denis Vasse, São Paulo, Loyola, 1994.
Teresa, namorada de Jesus, Deonísio da Silva, São Paulo, A Girafa, 2005.
Santa Teresa de Jesús y la inquisición española, E. Llamas, Madri, CSIC, 1972.
Teresa de Ávila, ébria de Deus, de Isaure de Saint Pierre, São Paulo, Martins Fontes, 1992.
Mística y Subversiva — Teresa de Jesús, de Juan Antonio Marcos, Madri, Editorial de Espiritualidad, 2001.
Santa Teresa de Jesús, doctora para una Iglesia en crisis, de P. Daniel de Pablo Maroto, Burgos, Editorial Monte Carmelo, 1981.
Santa Teresa, la oración y la contemplación, de Pablo M. Bernardo, Madri, Paulinas, 1977.
Teresa, a santa apaixonada, de Rosa Amanda Strausz, Rio de Janeiro, Objetiva, 2005.
Teresa de Ávila, de Rosa Rossi, Rio, José Olympio, 1984.
Obras completas de Teresa de Jesus, São Paulo, Loyola, 1995.
Demorar-se com Deus. Orar com João da Cruz, Teresa de Ávila, Teresa de Lisieux, Edith Stein, de Waltrand Herbstrith, São Paulo, Loyola, 1987.
Teresa de Ávila, de Walter Nigg, São Paulo, Loyola, 1981.

LEIA MAIS PENGUIN-COMPANHIA
CLÁSSICOS

O Brasil holandês

Seleção, introdução e notas de
EVALDO CABRAL DE MELLO

A presença do conde Maurício de Nassau no Nordeste brasileiro, no início do século XVII, transformou Recife na cidade mais desenvolvida do Brasil. Em poucos anos, o que era um pequeno povoado de pescadores virou um centro cosmopolita.

A história do governo holandês no Nordeste brasileiro se confunde com a guerra entre Holanda e Espanha. Em 1580, quando os espanhóis incorporaram Portugal, lusitanos e holandeses já tinham uma longa história de relações comerciais. O Brasil era, então, o elo mais frágil do império castelhano, e prometia lucros fabulosos provenientes do açúcar e do pau-brasil.

Este volume reúne as passagens mais importantes dos documentos da época, desde as primeiras invasões na Bahia e Pernambuco até sua derrota e expulsão. Os textos — apresentados e contextualizados pela maior autoridade no período holandês no Brasil, o historiador Evaldo Cabral de Mello — foram escritos por viajantes, governantes e estudiosos. São depoimentos de quem participou ou assistiu aos fatos, e cuja vividez e precisão remete o leitor ao centro da história.

WWW.PENGUINCOMPANHIA.COM.BR

LEIA MAIS PENGUIN-COMPANHIA
CLÁSSICOS

Nicolau Maquiavel

O príncipe

Tradução de
MAURÍCIO SANTANA DIAS
Prefácio de
FERNANDO HENRIQUE CARDOSO

Àqueles que chegam desavisados ao texto límpido e elegante de Nicolau Maquiavel pode parecer que o autor escreveu, na Florença do século XVI, um manual abstrato para a conduta de um mandatário. Entretanto, esta obra clássica da filosofia moderna, fundadora da ciência política, é fruto da época em que foi concebida. Em 1513, depois da dissolução do governo republicano de Florença e do retorno da família Médici ao poder, Maquiavel é preso, acusado de conspiração. Perdoado pelo papa Leão X, ele se exila e passa a escrever suas grandes obras. *O príncipe*, publicado postumamente, em 1532, é uma esplêndida meditação sobre a conduta do governante e sobre o funcionamento do Estado, produzida num momento da história ocidental em que o direito ao poder já não depende apenas da hereditariedade e dos laços de sangue.

Mais que um tratado sobre as condições concretas do jogo político, *O príncipe* é um estudo sobre as oportunidades oferecidas pela fortuna, sobre as virtudes e os vícios intrínsecos ao comportamento dos governantes, com sugestões sobre moralidade, ética e organização urbana que, apesar da inspiração histórica, permanecem espantosamente atuais.

WWW.PENGUINCOMPANHIA.COM.BR

LEIA MAIS PENGUIN-COMPANHIA
CLÁSSICOS

Henry James

Pelos olhos de Maisie

Tradução de
PAULO HENRIQUES BRITTO

A separação de seus pais gerou uma situação inusitada para Maisie. Apesar de a guarda ter sido concedida ao pai, acabou sendo estabelecido que a menina ficaria com os dois. Dividida, Maisie vira um joguete na mão do casal e, aos poucos, expõe os contrastes, entre virtudes e defeitos, entre inocência e cinismo, de ambas as partes — ao mesmo tempo que descobre um modo próprio de ver o mundo.

A personagem está num lugar privilegiado para Henry James contar esta história admirável, feita de objetividade narrativa, observação detalhada e sutil ironia. Maisie já não é criança, mas ainda não é adulta. Situa-se ao mesmo tempo dentro e fora da trama. Por isso, sua vida ilumina e desvela costumes, princípios e fraquezas de uma família desagregada e de uma sociedade movediça.

Escrito na fase mais fértil da carreira de Henry James, o romance está entre as grandes realizações do autor. Esta edição traz, entre outros aparatos, o prefácio que o próprio autor escreveu, em 1908, para a "New York Edition" de suas obras, extraordinário depoimento em que o comenta seu método de trabalho e o processo de construção do romance.

LEIA MAIS PENGUIN-COMPANHIA
CLÁSSICOS

Essencial Joaquim Nabuco

Organização e introdução de
EVALDO CABRAL DE MELLO

Joaquim Nabuco (1849-1910) foi um dos primeiros pensadores brasileiros a ver na escravidão o grande alicerce da nossa sociedade. Sendo ele um intelectual nascido e criado no ambiente da aristocracia escravista, a liderança pela campanha da Abolição não só causa espanto por sua coragem e lucidez como faz de Nabuco um dos maiores homens públicos que o país já teve.

A defesa da monarquia federativa, a campanha abolicionista, a atuação diplomática, a erudição e o espírito grandioso do autor pernambucano são apresentados aqui em textos do próprio Nabuco, na seleção criteriosa e esclarecedora feita pelo historiador Evaldo Cabral de Mello, também responsável pelo texto de introdução.

Selecionados de suas obras mais relevantes, como O *Abolicionismo* (1883), *Um estadista do Império* (1897), *Minha formação* (1900), entre outras, os textos permitem acompanhar não apenas a trajetória de Nabuco, a evolução de seu pensamento e de suas atitudes apaixonadas, mas sobretudo o tempo histórico brasileiro em algumas de suas décadas mais decisivas.

1ª EDIÇÃO [2010] 5 reimpressões

Esta obra foi composta em Sabon e impressa em ofsete pela Geográfica sobre papel Pólen Soft da Suzano S.A. para a Editora Schwarcz em setembro de 2023

A marca FSC® é a garantia de que a madeira utilizada na fabricação do papel deste livro provém de florestas que foram gerenciadas de maneira ambientalmente correta, socialmente justa e economicamente viável, além de outras fontes de origem controlada.